JAPONESES
DEUSES E MITOS

PandorgA

Copyright © 2024 Pandorga
All rights reserved.Todos os direitos reservados.
Editora Pandorga
1ª Edição | 2024

Diretora Editorial Silvia Vasconcelos	**Projeto gráfico e Diagramação** Gabrielle Delgado
Coordenação Editorial Equipe Pandorga	**Organização** Emiliano Unzer
Ilustrações Kakuzō Fujiyama	**Tradução** Carla Benatti
Capa Gabrielle Delgado	**Revisão** Giovanna Valenzi Ricardo Marques

Os pontos de vista desta obra podem ser sensíveis a grupos étnicos e minorias sociais. Por uma questão de fidelidade ao texto, eles foram mantidos, porém não refletem de forma alguma os valores e as posições da Editora Pandorga ou de seus colaboradores da produção editorial. Práticas de maus-tratos ou de sacrifício são traços culturais próprios das fábulas aqui trazidas e dos tempos de sua ambientação, e devem ser lidas com discernimento e prudência.

Dados Internacionais de Catalogação na Publicação (CIP) de acordo com ISBD

T388j
Theodora, Yei

    Japoneses – deuses e mitos / Yei Theodora ; coordenado por Silvia Vasconcelos ; traduzido por Carla Bennati. - Cotia : Pandorga, 2024.
    280 p. : il. ; 16cm x 23cm.

    Inclui índice.
    ISBN: 978.65.5579.280-5

    1. Literatura. 2. Mitos. 3. Mitologia japonesa. I. Vasconcelos, Silvia.II. Bennati, Carla. III. Título.

2024-1127   CDD 292
                                             CDU 292

Elaborado por Odílio Hilario Moreira Junior - CRB-8/9949
Índice para catálogo sistemático:
    1. Mitologia 292
    2. Mitologia 292

SUM

I. SOBRE A EDIÇÃO ORIGINAL

Sobre a autora e a obra ... 6
Dedicatória ... 13
Prefácio original da edição ... 14

II. DEUSES E MITOS

Senhor saco de arroz ... 19
O pardal de língua cortada ... 27
A história de Urashima Taro, o pescador ... 37
O fazendeiro e o texugo ... 51
Shinansha ou a carruagem que apontava para o sul ... 59
As aventuras de Kintaro, o menino de ouro ... 65
A história da princesa Hase ... 75
A história do homem que não queria morrer ... 85
O cortador de bambu e a criança da lua ... 93
O espelho de Matsuyama ... 109
O goblin de Adachigahara ... 123
O macaco sagaz e o javali ... 131
O feliz caçador e o hábil pescador ... 137
A história do velho que fazia árvores secas florescerem ... 153
A água-viva e o macaco ... 163
A briga entre o macaco e o caranguejo ... 173
A lebre branca e os crocodilos ... 183
A história do príncipe Yamato Take ... 191
Momotaro, ou a história do filho de um pêssego ... 207
O ogro de Rashomon ... 221
Como um velho livrou-se de seu cisto ... 229
As pedras de cinco cores e a imperatriz Jokwa ... 237

Contexto histórico   247

Sobre o organizador   272

Bibliografia   274

SOBRE A AUTORA E A OBRA

YEI THEODORA OZAKI

Yei Theodora Ozaki foi uma mulher extraordinária em tempos igualmente extraordinários. Do matrimônio celebrado em 1869 entre o barão Saburô Ozaki e a professora inglesa Bathia Morrison, nasceram três meninas, dentre elas, Yei, em 1871, na cidade de Londres.

A união, contudo, não perdurou, pois em 1873 o barão retornou ao Japão para se casar com uma jovem de uma nobre família japonesa, Toda Yae. Anos mais tarde, foi a São Petersburgo, em missão diplomática, e acabou tendo mais filhos com uma amante japonesa.

Com a formalização do divórcio, Bathia levou as filhas para continuarem os estudos em Hertfordshire, na prestigiada Saint Alban's School. Após a formação no ensino médio, com forte ênfase na língua e literatura inglesa – graças, em boa parte, ao avô materno, William – Yei e uma das suas irmãs, Kimie, foram ao Japão em maio de 1887.

Durante o período que passou no Japão, Yei começou a assimilar toda a tradição japonesa e a mesclá-la com a educação britânica que havia recebido. Seu pai, o barão, queria que ela se casasse cedo com um pretendente escolhido, conforme as tradições e os valores da alta sociedade do Japão, ao que se recusou, deixando a casa do pai e tornando-se professora de inglês para custear a própria vida. Depois de um tempo, conseguiu um emprego como secretária da Legação Britânica no Japão, em 1891, graças à sua amizade com Mary Fraser, esposa do diplomata britânico Hugh Fraser. Três anos depois, quando Hugh faleceu, decidiu acompanhar Mary pela Europa, em especial pela Itália, onde se inspirou e começou a escrever e compor contos literários. Em 1899, Yei retornou ao Japão e se estabeleceu como professora na Universidade de Keio (Keiô Gijuku), em Tóquio, uma das primeiras instituições japonesas de ensino superior voltadas aos estudos ocidentais.

Durante anos, trocou correspondências com o prefeito de Tóquio à época, Yukio Ozaki, considerado um dos pais da constituição japonesa. Por meio dessas correspondências, houve intenso intercâmbio cultural e mútua admiração. Embora tivessem o mesmo sobrenome, não tinham relações em termos familiares. Conheceram-se pessoalmente em 1905 e casaram-se no ano seguinte, tendo tido três filhos.

Na década de 1930, quando estava nos EUA, Yei foi diagnosticada com sarcoma e, já em 1932, veio a falecer em Londres.

Este breve retrato biográfico de Yei Theodora Ozaki não revela a sua maior grandeza, o seu enorme talento literário, a sua visão nas traduções, a busca de fontes e os compartilhamentos culturais. Nasceu e cresceu em um ambiente febril de inovações e trocas entre alguns países da Europa, além dos EUA e do Japão. Isso tudo deu origem a uma das suas principais obras, que reuniu e colecionou, para apresentar à sociedade europeia e ocidental, contos literários influenciados pelas expressões populares e culturais legadas de séculos de tradição nipônica. O seu *Contos Japoneses* foi publicado pela primeira vez em 1903, em Londres, e posteriormente foi editado pela tradicional Editora Tuttle, em 1908. Nesta edição, finalmente, apresenta-se traduzido para a língua portuguesa.

A sua obra compreende lendas e histórias japonesas, fábulas de animais, eventos e seres sobrenaturais, contos populares, heróis e heroínas, bem como temas de moralidade, ética e religião. Exemplos disso são o popular conto de "Momotaro, o menino de pêssego" e os menos conhecidos, advindos da cultura chinesa, como "As pedras de cinco cores e a imperatriz Jokwa". É explícita a sua intenção de suscitar o interesse e apresentar ao público neófito um panorama das tradições japonesas. Com essa finalidade, ela fez adaptações nesse material literário, selecionando e adicionando livremente elementos que, mesmo não relacionados, pudessem agradar ao leitor.

Foi quando esteve na Itália e em outras regiões da Europa, acompanhando Mary Fraser, que passou a ter o hábito de escrever, talvez em um momento de síntese criativa, exacerbado por saudades e pela distância da cultura japonesa. Desde a sua primeira publicação, *Contos Japoneses* permanece popular e é avidamente lido. Com as ilustrações de Kakuzo Fujiyama, os 22 contos ganham um encanto ainda maior, tal como Gustave Doré o fez com a *Divina Comédia*, de Dante Alighieri.

Os contos expressam algo único da sua época, uma relação sutil que começava a se firmar entre as sociedades ocidentais e a japonesa. Com sensibilidade e refinamento, Yei Ozaki se refere a samurais muitas vezes como "cavaleiros" e a outros personagens como "nobres"; já a monarcas e a imperadores, ela se refere como "reis". Interessa à autora transmitir a mensagem ao jovem leitor, bem como fazer com que os seus personagens e os eventos a eles relacionados sejam compreendidos. Uma das suas preocupações centrais foi dissipar a noção da mulher japonesa como oprimida e passiva, conforme o retrato presente em "Madame Butterfly". Durante a sua permanência no Japão, na Era Meiji (1868–1912), reconhecida por intensas transformações, participou dos eventos que caracterizaram esse período ao buscar liderar e inspirar mudanças nas questões relacionadas às mulheres. Pertenceu a sociedades educacionais femininas, caridosas e patrióticas no país. Já na Inglaterra, testemunhou os protestos das sufragistas que, em 1911, irromperiam em revoltas seguindo-se após a fundação do Instituto da Mulher, em 1915. Como mulher viajada, crítica e letrada, Yei Theodora Ozaki era bem posicionada ao abordar essas questões do seu tempo, embora olhasse para as tradições em busca de inspiração.

Dentre os contos apresentados, dois são de especial interesse em razão da sensibilidade feminina neles expressada. Os contos "O espelho de Matsuyama" e "O cortador de bambu e a criança da Lua" são histórias às quais Ozaki consegue dar vida ao incorporar no texto detalhes sutis da cultura e do imaginário japonês.

Em "O cortador de bambu e a criança da Lua", o cortador de bambu encontra em uma haste da planta, uma criança pura e indefesa, que viria a se transformar em uma mulher de beleza sobrenatural. Ao final, deixando muitos pretendentes (inclusive o próprio imperador), a mulher retorna à sua terra natal, a Lua. Ao partir, deixa ao imperador um elixir da vida no Monte Fuji. A maneira assertiva e forte com que a mulher, a princesa, rejeita e pensa nos pretendentes arranjados pelo seu pai certamente encontra eco na própria vida de Yei Ozaki. A autora, como mulher madura, somente se casou com quem ela mesma escolheu, o prefeito de Tóquio. O final agridoce do conto é contrastado com a noção ocidental de um conto de fadas, em que se espera um final feliz.

"O espelho de Matsuyama", em comparação, é um conto genuinamente japonês, e tem como subtítulo "Uma história do Japão antigo". Conta uma história de um marido que traz um espelho para sua esposa ao retornar de uma viagem a Quioto. Com a morte prematura da esposa, o espelho passa para as mãos da filha, que é informada que basta olhar para o objeto para encontrar a alma de sua falecida mãe. Ao ver seu próprio reflexo, a jovem acredita estar enxergando de fato a mãe. Sua madrasta, desconfiada, começa a acusá-la de bruxaria. Quando o pai da menina descobre a verdade, passa a valorizar a lealdade e piedade filial de um coração inocente. Essa descoberta conquista a madrasta, que, no final, implora por perdão. Nesse conto, vemos valores e manifestações sutis da vida de uma menina – e mulher – na sociedade japonesa. Exemplos disso são as narrações do crescimento da menina ao visitar o templo com apenas trinta dias de vida, bem como seu primeiro festival de bonecas, seu terceiro aniversário e seu primeiro *obi* (cinto tradicional japonês) amarrado na cintura. Também temos linhas que falam sobre a mão fiando e tecendo roupas de inverno, o pai caminhando cansado de Matsuyama a Quioto sob um grande guarda-chuva. Esses detalhes nos dão um vislumbre fascinante de um mundo em desenvolvimento, das transformações que o Japão atravessava ao final do século XIX.

Vale também destacar no conto o símbolo e o significado do espelho. No início, lemos que o marido diz à esposa que a espada é a alma de um samurai, e o espelho, a de uma mulher. Mantendo-os brilhantes, o coração permanecerá puro, bom e alegre (*kokoro*). Essa noção do espelho e do coração vem de santuários xintoístas.

Em "A história do homem que não queria morrer", há certo apelo universal, pois insere-se na busca que todos têm em comum diante da inevitável passagem do tempo. O personagem, um senhor, começa a vislumbrar os limites de seu tempo de vida e busca desesperadamente a solução para tal dilema. Essa busca, feita de maneira arrogante, termina com a intensa perseguição ao elixir da vida eterna. Sentaro ouviu impressionado a história da busca pela imortalidade empreendida por um imperador chinês nos tempos antigos, Shin-no-Shiko. Claramente o conto centrou-se nos feitos e nas obras de um dos primeiros imperadores chineses, da dinastia Qin (221–206 a. C.), Shi Huang Di, que buscou, no alto de seu poder e posição, tudo para encontrar a lendária ilha onde viviam pessoas imortais, a ilha de Penglai, localizada no Mar de Bohai. A busca pelo elixir da vida e pela imortalidade foi uma constante em várias culturas, e a autora não deixou de transmitir isso em sua coleção. Ela foi além, pois buscou lendas chinesas, assim como o conto "As pedras de cinco cores e a imperatriz Jokwa", no qual reinterpreta o drama cósmico de uma deusa diante da tragédia da queda do céu na humanidade. Esse diálogo com a cultura chinesa, bem como o seu resgate, foram uma visão da autora, que buscou corajosamente afirmar as ligações e as heranças do leste asiático na cultura japonesa. Essa abordagem tem um valor especial, sobretudo se lembrarmos que, ao final do século XIX, o Japão teve um confronto militar com a China, evento conhecido como a Primeira Guerra Sino-Japonesa (1894–1895), que resultou na presença marcante de tropas e de conselheiros japoneses na corte coreana, assim como na tomada da ilha de Taiwan. Esses eventos, depois exacerbados por crises e por discursos ultranacionalistas, resultarão em um contexto de amplas confrontações entre japoneses e russos em 1905, e em ofensivas sobre a Manchúria e sobre o território chinês na década de 1930.

Os outros contos, além dos dois destacados, guardam em si o charme e o encanto. Como não se encantar com a esperteza da lebre branca diante dos crocodilos, ao propor uma imensa ponte que ligaria a Ilha de Oki à principal ilha de Honshu? Ou do macaco, trapaceiro, que se revolta contra os caranguejos após ter sido enganado com seu cesto de caquis? Ou do ardil de um ogro, encontrado na região do Portão de Rashomon, ao enganar em sua forma um experiente samurai a fim de recuperar seu braço? Da grandeza e dedicação da princesa Hase-Hime ao confeccionar uma mandala, que hoje é um dos maiores tesouros do Japão? Ou da lendária figura do velho pescador, com ares universais, Urashima Taro, que protege uma inocente tartaruga das maldades de crianças?

São momentos literários como esses que nos remetem a refletir sobre o valor da literatura como meio educacional, de formação ética e humanitária, indo além dos limites do tempo e das fronteiras culturais. Yei Theodora Ozaki entendeu essa importância, enxergou além das delimitações de seu tempo e buscou propagar isso para toda a humanidade. As páginas de seus contos saltam aos olhos com vigor, charme e emoção, e atingem todos os leitores desde a mais tenra idade. Yei Theodora Ozaki, carregando toda a sua vida própria, entre mundos diferentes, em ebulições da modernidade, apresenta um retrato profundamente humano de personagens de outras épocas, ao servir-se da lembrança e da reflexão segundo as quais a humanidade, apesar de sua rica diversidade, é uma grande família, uma só. Nada mais adequado a nos servir em dias atuais.

DEDICATÓRIA

Para Eleanor Marion-Crawford.

Dedico este livro a você e à doce e infantil amizade com que me presenteou nos dias passados à beira do Mar do Sul, quando costumava ouvir, com sincera satisfação, estas fábulas de um Japão distante. Que elas agora a façam recordar do meu amor e lembrança inquebrantáveis.

Y.T.O.
Tóquio, 1908.

PREFÁCIO ORIGINAL DA EDIÇÃO

Esta coletânea de contos japoneses é resultado de uma sugestão que o Sr. Andrew Lang fez indiretamente a mim, por meio de um amigo. Essas histórias são traduções da versão moderna escrita por Sadanami Sanjin e não são literais. Embora a história japonesa e todas as suas pitorescas expressões tenham sido fielmente preservadas, elas foram contadas com o objetivo de despertar mais o interesse dos jovens leitores do Ocidente do que o dos estudantes de folclore.

Agradecimentos são devidos ao Sr. Y. Yasuoka, à Srta. Fusa Okamoto, ao meu irmão Nobumori Ozaki, ao Dr. Yoshihiro Takaki e à Srta. Kameko Yamao, que me auxiliaram nas traduções.

A história que chamei de "A história do homem que não queria morrer" foi retirada de um pequeno livro escrito há cem anos por Shinsui Tamenaga. O título original é "*Chosei Furo*", ou "Longevidade". "O cortador de bambu e a criança da Lua" foi extraído do clássico "*Taketari Monogatari*" e NÃO é classificado pelos japoneses como um dos seus contos de fadas, embora realmente pertença a essa classe literária.

As ilustrações são de autoria de Kakuzō Fujiyama, um artista de Tóquio.

Ao contar essas histórias em inglês, segui minha imaginação, adicionando toques de cor local ou descrições que parecessem necessários ou que me agradassem e, em um ou dois casos, utilizei-os com base em outra versão. Em todas as ocasiões, entre os meus amigos, jovens ou idosos, ingleses ou americanos, sempre encontrei ouvintes ansiosos pelas belas lendas e contos do Japão e, ao lhes contar, também descobri que ainda eram desconhecidos da grande maioria, o que me encorajou a escrevê-los para as crianças do Ocidente[1].

Y. T. O.
Tóquio, 1908.

---

[1] O termo "Ocidente" aqui representa o conceito da época da escritora, em que se opunha ao "Oriente", região na qual o Japão buscava se reformar, com as mudanças da era do imperador Meiji (1868–1912). A escritora, como muitos da sua época, estudou em instituições europeias e foi criada desde pequena com o ensino da língua e literatura britânicas. (N. E.)

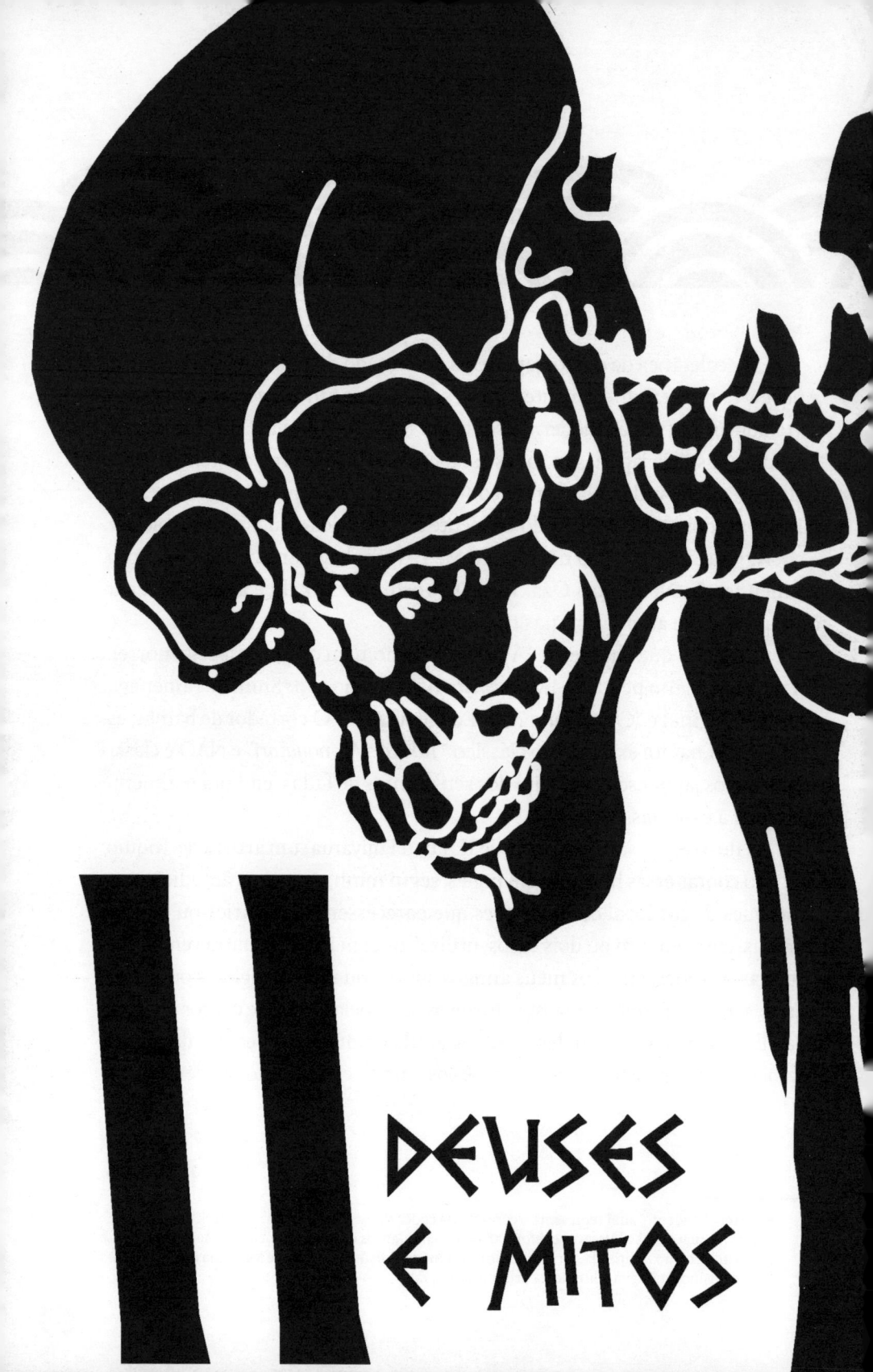

II DEUSES E MITOS

Fujiwara no Hidesato. Tsukioka Yoshitoshi, 1890. Tokyo Metropolitan Library.

SENHOR SACO DE ARROZ

Há muito, muito tempo, viveu no Japão um bravo guerreiro conhecido por todos como Tawara Toda, ou "Senhor Saco de Arroz". Seu verdadeiro nome era Fujiwara Hidesato, e há uma história muito interessante sobre como ele o recebeu.

Certo dia, Hidesato decidiu sair em busca de aventuras, pois tinha a natureza de um guerreiro e não suportava ficar ocioso. Assim, prendeu suas duas espadas à cintura, apanhou seu enorme arco, mais alto que ele mesmo, e colocou a aljava[2] nas costas. Não havia avançado muito quando alcançou a ponte de Seta-no-Karashi, que se estendia a partir de uma das extremidades do belo lago Biwa[3]. Assim que pôs os pés na ponte, avistou bem diante de si um enorme dragão-serpente[4]. Seu corpo era tão grande que mais parecia o tronco de um pinheiro, ocupando toda a largura da ponte. Uma de suas enormes patas apoiava-se no parapeito de um dos lados, ao passo que a cauda repousava sobre o outro. O monstro parecia adormecido e, ao respirar, fogo e fumaça saíram de suas narinas.

A princípio, Hidesato não pôde deixar de se sentir alarmado diante da figura daquele horrível réptil que jazia em seu caminho, obrigando-o a dar meia-volta, ou avançar sobre seu corpo. Era um homem corajoso e, deixando

---

[2] Espécie de coldre ou estojo sem tampa, carregado nas costas, pendente do ombro, em que se guardavam e transportavam as flechas. (N. E.)

[3] Um dos maiores lagos de água doce do Japão, a nordeste de Quioto, na prefeitura de Shiga. Pela sua proximidade da antiga capital imperial japonesa, aparece com frequência em relatos históricos, batalhas e obras de literatura japonesa. (N. E)

[4] Os dragões japoneses foram resultado de uma amálgama de lendas nativas com histórias da China, da Coreia e do subcontinente indiano. Influenciada pela cultura chinesa, a maioria dos dragões japoneses são divindades aquáticas associadas a chuvas e corpos d'água, além de tipicamente descritos como grandes criaturas serpentinas sem asas com pés em garras. (N. E)

de lado todo o medo que sentia, avançou intrepidamente. — *Crunch, crunch!* — pisou ele sobre o corpo do dragão, entre suas escamas, sem ao menos olhar para trás enquanto seguia seu caminho.

Tendo dado apenas alguns passos, ouviu alguém chamá-lo por detrás. Ao virar-se, ficou muito surpreso em ver que o monstro-dragão desaparecera por completo e, em seu lugar, surgira um homem de aparência estranha, que se curvava com cerimônia. Seu cabelo ruivo recaía sobre os ombros, encimado por uma coroa em forma de cabeça de dragão, e seu traje verde-mar trazia estampas de conchas. Hidesato soube imediatamente que não se tratava de um mero mortal e ficou muito intrigado com aquela estranha aparição. Para onde teria ido o dragão em um período tão curto? Teria ele se transformado naquele homem? E o que significava tudo aquilo? Com a mente ocupada com tais pensamentos, aproximou-se do homem na ponte e dirigiu-se a ele:

— Foi você quem me chamou há pouco?

— Sim, fui eu — respondeu o homem. — Tenho um importante pedido a lhe fazer. Acha que pode atendê-lo?

— Se estiver ao meu alcance, certamente o atenderei — respondeu Hidesato —, mas primeiro me diga: quem é você?

— Sou o Rei Dragão do Lago e moro nessas águas, logo abaixo desta ponte.

— E o que deseja de mim? — perguntou Hidesato.

— Que mate meu inimigo mortal, a centopeia, que vive naquela montanha — respondeu o Rei Dragão, apontando para um pico montanhoso na margem oposta do lago.

— Vivo há muitos anos neste lago e tenho uma grande família composta de filhos e netos. Há algum tempo, vivemos aterrorizados, pois essa centopeia monstruosa[5] descobriu nossa casa e, noite após noite, a invade e leva um membro de minha família. Não tenho como salvá-los. Se continuar assim por muito mais tempo, não só perderei todos os meus filhos, como serei vítima do monstro. Sinto-me, portanto, muito infeliz, e em um ato extremo, resolvi pedir a ajuda de um ser humano. Com esse intuito, aguardei, sob a forma da horrível serpente-dragão que você viu, por muitos dias sobre a ponte, na esperança de que algum homem forte e corajoso se aproximasse. Mas todos os que passaram por aqui, assim que me viram, ficaram apavorados e fugiram o mais rápido que puderam. Você foi o primeiro que encontrei capaz de olhar para mim sem medo, então eu soube imediatamente que era um homem de

---

[5] A centopeia remete à figura da entidade sobrenatural (*yôkai*) que, de acordo com a mitologia japonesa, vive nas montanhas e devora pessoas. (N. E.)

grande coragem. Imploro que tenha piedade de mim e me responda: vai me ajudar e matar meu inimigo, a centopeia?

Hidesato sentiu muita pena do Rei Dragão ao ouvir sua história e de imediato prometeu fazer o possível para ajudá-lo. O guerreiro perguntou onde morava a centopeia, para que pudesse ir ao encalço da criatura sem tardar. O Rei Dragão respondeu que sua casa ficava na montanha Mikami[6], mas que, como ela vinha todas as noites em determinada hora para o palácio do lago, seria melhor esperar até aquele momento. Assim, Hidesato foi conduzido ao palácio do Rei Dragão, sob a ponte. Estranhamente, enquanto seguia seu anfitrião, as águas se abriram para deixá-los passar, e suas roupas nem pareciam úmidas ao passar por elas. Hidesato nunca vira algo tão bonito como aquele palácio construído de mármore branco sob o lago. Ele sempre ouvira falar do palácio do Rei do Mar, no fundo do oceano, onde todos os servos e criados eram peixes de água salgada, mas ali estava um edifício magnífico, bem no coração do lago Biwa. Os delicados peixinhos dourados, carpas vermelhas e trutas prateadas serviram ao Rei Dragão e ao seu convidado.

Hidesato ficou surpreso com a festa que lhe foi oferecida. Serviram-lhe folhas e flores de lótus cristalizadas, e o hashi era feito do mais puro e raro ébano. Assim que se sentaram, as portas corrediças se abriram, e dez peixinhos dançantes, lindos e dourados, adentraram, seguidos por dez carpas, musicistas e vermelhas, que tocavam *koto* e *samisen*[7]. Assim, as horas voaram até a meia-noite, e a bela música e a dança baniram por completo todos os pensamentos sobre a centopeia. O Rei Dragão estava prestes a oferecer ao guerreiro mais uma taça de vinho quando o palácio foi subitamente sacudido por um ensurdecedor barulho de passos, como se um poderoso exército tivesse começado a marchar não muito longe dali.

Hidesato e seu anfitrião se levantaram e correram para a varanda, onde o guerreiro viu na montanha oposta duas grandes bolas de fogo brilhantes se aproximando cada vez mais. O Rei Dragão ficou ao lado do guerreiro tremendo de medo.

---

[6] Mikami também fica próximo de Quioto e tem aparecido na literatura japonesa desde os tempos antigos. Comparado com o imponente Monte Fuji, o Mikami é venerado na prefeitura de Shiga, antiga província de Ômi. Hoje é facilmente apreciado pelo trem de alta velocidade (*shinkansen*) que faz o trajeto Tóquio-Quioto-Osaka. No sopé do Mikami, há um templo xintoísta dedicado a uma das netas da deusa Amaterasu, Uzume. (N. E.)

[7] Instrumentos musicais de cordas. O *samisen* (ou *sangen* – "três cordas" – ou *shamisen*) é uma espécie de banjo que chegou ao arquipélago japonês em meados do século XVI, vindo das regiões meridionais, ilhas Ryukyu, possivelmente originado do instrumento chinês *saxian*, este com origens prováveis dos mongóis, do *huqin*. O *koto*, por sua vez, é um instrumento de cordas dedilhadas, semelhante a uma grande cítara, com prováveis origens chinesas desde a época do imperador Kinmei, do século VI.

— A centopeia! A centopeia! As duas bolas de fogo são seus olhos. Está vindo em busca de mais uma vítima! Agora é a hora de matá-la.

Hidesato olhou para onde seu anfitrião apontava e, na penumbra da noite estrelada, por trás das duas bolas de fogo, viu o longo e enorme corpo de uma centopeia serpenteando ao redor das montanhas, e a luz que emanava de suas cem pernas brilhava como lanternas movendo-se lentamente em direção à costa.

O convidado não demonstrou o menor sinal de medo e tentou acalmar o Rei Dragão.

— Não tenha medo, pois hei de matar a centopeia. Apenas me traga meu arco e flechas.

O Rei Dragão obedeceu, e o guerreiro percebeu que restavam apenas três flechas na aljava. Pegou o arco e, encaixando uma delas no entalhe, mirou com cuidado e disparou.

A flecha atingiu a centopeia bem no meio da cabeça, mas, em vez de penetrar, ricocheteou inofensiva, caindo ao chão em seguida.

Nada amedrontado, Hidesato pegou outra flecha, encaixou-a outra vez no entalhe e disparou. Novamente a flecha atingiu a centopeia bem no meio da cabeça, quicando e caindo no chão em seguida. A criatura era invulnerável às armas! Quando o Rei Dragão percebeu que mesmo as flechas daquele bravo guerreiro eram impotentes para matá-la, perdeu as esperanças e começou a tremer de medo.

O guerreiro viu que só restava uma flecha na aljava e, se ela falhasse, não conseguiria dar fim à centopeia. Olhou através das águas; o enorme réptil dera sete voltas na montanha com seu corpo horrendo e logo desceria para o lago. Os olhos, em forma de bolas de fogo, estavam cada vez mais próximos, e a luz de suas cem pernas começava a refletir nas águas paradas do lago.

De repente, o guerreiro se lembrou de ter ouvido que a saliva humana era fatal às centopeias. Mas aquela não era uma centopeia comum; era tão monstruosa que até mesmo pensar em tal criatura provocava arrepios de terror. Hidesato decidiu tentar uma última ideia. Pegando a flecha restante e colocando a ponta na boca, encaixou o entalhe no arco, mirou com cuidado novamente e disparou.

A flecha atingiu a centopeia bem no meio da cabeça, mas, em vez de desviar inofensivamente como antes, chegou ao cérebro da criatura. Então, em um tremor convulsivo, o corpo serpentino parou de se mover, e a luz ígnea dos grandes olhos e cem pernas escureceu para um clarão opaco como o pôr do sol de um dia de tempestade, apagando-se na escuridão logo em seguida. Uma grande obscuridade cobriu os céus, o trovão ecoou, os relâmpagos reluziram, o vento rugiu em fúria, e parecia que o mundo estava chegando ao fim. O Rei Dragão, os filhos e os lacaios agacharam em diferentes partes do palácio, tomados pelo medo, pois o edifício fora abalado em seus alicerces. Por fim, a terrível noite terminou. O dia amanheceu lindo e claro, e a centopeia havia sumido da montanha.

Hidesato chamou o Rei Dragão para que o acompanhasse até a varanda, pois a criatura estava morta e não havia mais nada a temer.

Em seguida, todos os habitantes do palácio saíram com alegria, e Hidesato apontou para o lago. Lá estava o corpo, flutuando na água, tingido do vermelho de seu sangue.

A gratidão do Rei Dragão não conhecia limites. Toda a família veio e se curvou diante do guerreiro, chamando-o de salvador e o mais bravo herói de todo o Japão.

Outro banquete foi preparado, ainda mais suntuoso que o primeiro. Todos os tipos de peixes, preparados de todas as formas imagináveis, crus, cozidos, ensopados e assados, servidos em bandejas de coral e pratos de cristal, foram colocados diante dele, e o vinho foi o melhor que Hidesato já provou na vida. Incrementando toda aquela beleza, o sol brilhava intensamente, o lago cintilava como um diamante líquido, e o palácio era mil vezes mais bonito de dia do que de noite.

Seu anfitrião tentou persuadi-lo a ficar por alguns dias, mas Hidesato insistiu em voltar para casa, dizendo que já havia terminado o que viera fazer e que deveria retornar. O Rei Dragão e sua família lamentaram muito que ele partisse tão cedo, mas já que estava determinado, imploraram que aceitasse alguns pequenos presentes (assim eles disseram) em sinal de sua gratidão por libertá-los para sempre de seu horrível inimigo, a centopeia.

Enquanto o guerreiro estava na varanda se despedindo, uma fila de peixes foi repentinamente transformada em um séquito de homens, todos usando mantos cerimoniais e coroas de dragão para mostrar que eram servos do grande Rei Dragão. Os presentes que carregavam eram os seguintes:

> *O primeiro, um grande sino de bronze.*
> *O segundo, um saco de arroz.*
> *O terceiro, um rolo de seda.*
> *O quarto, uma panela.*
> *O quinto, um sino.*

Hidesato não queria aceitar todas aquelas prendas, mas, como o Rei Dragão insistiu, não pôde recusar.

O próprio rei acompanhou o guerreiro até a ponte, e então se despediu dele com muitas reverências e votos de boa sorte, deixando o séquito de servos para acompanhar Hidesato até sua casa com os presentes.

A família e os servos do guerreiro ficaram muito preocupados quando se deram conta de que ele não havia retornado na noite anterior, mas acabaram por concluir que ele fora retido pela violenta tempestade e se abrigara em algum lugar. Quando os servos que vigiavam seu retorno o avistaram, avisaram a todos que ele se aproximava, e toda a família foi ao seu encontro, perguntando-se o que significavam os homens que o seguiam, carregando presentes e bandeiras.

Assim que entregaram os pacotes, os servos desapareceram, e Hidesato contou tudo o que lhe havia acontecido.

As oferendas que recebeu do agradecido Rei Dragão foram consideradas de poder mágico. Apenas o sino foi considerado um objeto comum; como

Hidesato não encontrou uso para ele, entregou-o ao templo mais próximo, onde foi pendurado para ressoar nos arredores a cada a hora do dia.

Do saco de arroz[8], por mais que o conteúdo fosse retirado dia após dia para as refeições do cavaleiro e de toda a sua família, nunca diminuía. O suprimento provou-se inesgotável.

O rolo de seda também nunca ficava menor, embora, vez após vez, longos pedaços lhe fossem cortados para criar um novo traje que o guerreiro usasse quando fosse à corte no Ano-Novo.

A panela também era outra maravilha. O que nela era colocado, cozinhava deliciosamente, sem queimar. Uma panela realmente muito econômica.

A fama da boa sorte de Hidesato espalhou-se por toda a parte. Como ele não precisava gastar dinheiro com arroz, seda ou cozimento, tornou-se muito rico e próspero e passou a ser conhecido como Senhor Saco de Arroz.

---

[8] No Japão, o arroz é o símbolo da providência e da criação, e de bênção e alegria, indo muito além da sua função nutricional. No final do século XIX, a seda teve um papel preponderante no desenvolvimento do Japão, que passou a ser a maior economia exportadora, à frente da China em 1905. Pela importância da seda, a imperatriz japonesa em pessoa participava de uma cerimônia especial, alimentando os bichos-da-seda com folhas de amoreira.

A mulher gananciosa com uma caixa de demônios.
Tsukioka Yoshitoshi, 1865.
Herbert R. Cole Collection.

O PARDAL DE LÍNGUA CORTADA[9]

Há muito, muito tempo, no Japão, vivia um velho e sua esposa. O velho era um bom homem, de bom coração e trabalhador, mas sua esposa era a típica rabugenta, que estragava a felicidade de seu lar com sua língua repressora. Ela estava sempre resmungando sobre alguma coisa de manhã até à noite. O velho, havia muito, não prestava atenção à sua irritação; passava a maior parte do dia trabalhando no campo e, como não tinha filhos, divertia-se ao voltar para casa, criando um pardal domesticado. Ele o amava como a um filho.

Quando voltava à noite, após o árduo dia de trabalho ao ar livre, seu único prazer era acariciar o passarinho, conversar com ele e ensinar-lhe pequenos truques, os quais ele aprendia muito rapidamente. O velho abria a gaiola e o deixava voar pela sala, e eles brincavam juntos. Quando chegava a hora do jantar, ele sempre guardava alguns pedacinhos de sua refeição para alimentar o bichinho.

Certo dia, o velho saiu para cortar lenha na floresta, e a velha ficou em casa para lavar roupa. No dia anterior, ela preparara um pouco de goma e agora, ao procurá-la, percebeu que havia desaparecido: a tigela que enchera no dia anterior estava completamente vazia.

Enquanto se perguntava quem poderia ter usado ou roubado a goma, o passarinho de estimação voou para o chão e inclinou a cabecinha emplumada, um truque que lhe fora ensinado por seu mestre.

---

[9] Esse conto remete à "Shita-kiri Suzume", fábula japonesa que ensina sobre os efeitos da ganância, amizade e ciúme dos personagens.

— Fui eu que peguei a goma — disse o lindo bichinho. — Pensei que fosse um pouco de comida colocada naquela bacia e comi tudo. Se cometi um erro, imploro que me perdoe! *Tweet, tweet, tweet!*

Por essa atitude, via-se que o passarinho era sincero, e a velha deveria estar disposta a perdoá-lo imediatamente quando implorou com tanta gentileza. Mas não foi o que aconteceu.

A velha nunca gostou do pardal e, muitas vezes, brigava com o marido por manter o que ela chamava de pássaro sujo em casa, dizendo que isso só lhe dava trabalho extra. Agora ela estava muito feliz por ter algum motivo para reclamar do animal. Repreendeu e até amaldiçoou o passarinho por seu mau comportamento e, não contente em usar palavras duras e insensíveis, em um acesso de raiva, agarrou o bichinho — que, o tempo todo, permaneceu com as asas abertas e a cabeça curvada diante da velha para mostrar arrependimento — pegou a tesoura e cortou a língua do pobrezinho.

— Suponho que tenha comido toda a minha goma com essa língua! Pois agora verá como é ficar sem ela!

E com essas terríveis palavras, afugentou o pássaro, sem se importar minimamente com o que poderia acontecer com ele e sem a menor pena por seu sofrimento, tão cruel ela era!

A velha, depois de afugentar o pardal, fez mais pasta de arroz, reclamando o tempo todo da confusão, e depois de engomar todas as roupas, espalhou-as em tábuas para secar ao sol, em vez de passar a ferro como costuma-se fazer na Inglaterra.

À noite, o velho voltou para casa. Como de costume, no caminho, ansiava pelo momento em que chegaria ao portão e veria seu animal de estimação voando e cantando para encontrá-lo, arrepiando as penas para demonstrar sua alegria e, por fim, pousando em seu ombro. Mas naquela noite o velho ficou muito desapontado, pois nem mesmo a sombra de seu querido pardal estava à vista.

Apertou o passo, descalçou com pressa as sandálias de palha e foi para a varanda. Ainda não havia nenhum pardal à vista. Agora ele tinha certeza de que sua esposa, em um de seus acessos raivosos, havia trancado o pardal na gaiola. Então, ele chamou por ela e perguntou-lhe ansiosamente:

— Onde está Suzume San (Srta. Pardal) hoje?

A princípio, a velha fingiu não saber e respondeu:

— Seu pardal? Certamente não sei. Mas, agora que mencionou, lembro-me que não o vi a tarde toda. Pergunto-me se o pássaro ingrato não teria voado para longe e deixado você depois de todos os seus cuidados!

Mas com o velho não a deixando em paz, perguntando-lhe várias vezes, insistindo que ela deveria saber o que tinha acontecido com seu animal de estimação, ela confessou tudo. Contou-lhe, zangada, como o pardal tinha comido toda a pasta de arroz que fizera especialmente para engomar suas roupas e como, quando o pardal confessara o que havia feito, com muita raiva, pegara a tesoura, cortara sua língua e, por fim, afugentara o pássaro e o proibira de voltar para casa.

Então, a velha mostrou ao marido a língua do pardal, dizendo:

— Aqui está a língua que cortei! Passarinho horrível! Por que comeu toda a minha goma?

— Como pôde ser tão cruel? Oh! Como pôde ser tão cruel? — foi tudo o que o velho conseguiu dizer. Ele era muito bondoso para punir sua esposa megera, mas estava terrivelmente angustiado com o que acontecera ao seu pobre pardal.

— Que terrível desgraça para minha pobre Suzume San, perder a língua! —disse para si mesmo. — Ela não será mais capaz de chilrear, e certamente a dor de ter a língua cortada daquela maneira tão rude deve tê-la deixado doente! Não há nada a ser feito?

O velho derramou muitas lágrimas depois que sua zangada esposa adormeceu. Enquanto as enxugava com a manga do manto de algodão, uma ideia brilhante o confortou: procuraria o pardal no dia seguinte. Isso decidido, pôde finalmente dormir.

Na manhã seguinte, ele se levantou cedo, assim que o dia amanheceu, e tomando um rápido café da manhã, saiu pelas colinas e pela floresta, parando em cada moita de bambus para chamar:

— Onde está meu pardal de língua cortada? Onde está meu pardal de língua cortada!

Ele não parou para descansar na refeição do meio-dia, e já era tarde quando se viu próximo a um grande bosque de bambu. Os bosques de bambu são os locais favoritos dos pardais e, ali mesmo, na orla da floresta, viu seu querido pardal esperando por ele. Mal pôde acreditar em seus olhos e, com muita alegria, correu rapidamente para cumprimentá-lo. Ele abaixou a cabecinha e repetiu vários truques que seu mestre lhe ensinara para demonstrar o prazer em ver seu velho amigo novamente; e é maravilhoso dizer que ele podia falar como antigamente. O velho disse a ele o quanto lamentava por tudo o que havia acontecido e perguntou por sua língua, questionando-se como ele conseguia falar tão bem sem ela. Então, o pardal abriu o bico e mostrou-lhe que uma nova língua havia crescido no lugar da antiga, e implorou-lhe que não pensasse mais no passado, pois ele estava muito bem agora. Então, o velho soube que seu pardal era, na realidade, uma fada, não um pássaro comum. Seria difícil descrever sua alegria naquele momento. Esqueceu de todos os problemas, esqueceu até do quão cansado estava, pois havia encontrado seu pardal perdido que, em vez de estar doente e sem a língua, como temia e esperava encontrá-lo, estava bem e feliz, com uma nova língua e sem sinal dos maus--tratos que recebera de sua esposa. Acima de tudo, o bichinho era uma fada.

O pardal lhe pediu que o seguisse e, voando à sua frente, conduziu-o a uma bela casa no coração do bambuzal. O velho ficou imensamente surpreso ao entrar na casa e descobrir quão lindo era aquele lugar: feito da madeira mais branca; as macias esteiras de cor creme que substituíam os tapetes eram as melhores que já vira, e as almofadas que o pardal trouxe para que se sentasse eram feitas da mais fina seda e crepe. Lindos vasos e caixas de laca adornavam o *tokonoma*[10] de cada cômodo.

O pardal conduziu o velho ao lugar de honra e, em seguida, tomando seu lugar a uma humilde distância, agradeceu com muitas reverências respeitosas por toda a gentileza que ele lhe dedicara durante todos aqueles anos.

Em seguida, a Sra. Pardal, como a chamaremos agora, apresentou ao velho toda a sua família. Feito isso, suas filhas, vestidas com delicados vestidos de crepe, trouxeram, em lindas bandejas antigas, um banquete com todos os tipos de comidas deliciosas, até que o velho começou a pensar que devia estar sonhando. No meio do jantar, algumas das filhas da Sra. Pardal executaram uma dança maravilhosa, chamada de "*suzume-odori*" ou "dança do pardal", para entreter o convidado.

Nunca o velho se divertira tanto. As horas passaram muito rapidamente naquele local adorável, com todas aquelas fadas, na forma de pardais, para servi-lo, festejar e dançar diante dele.

Mas a noite chegou, e a escuridão o lembrou de que tinha um longo caminho a percorrer e que já era hora de voltar para casa. Agradeceu à sua amável anfitriã pelo esplêndido entretenimento e implorou que ela esquecesse tudo o que sofrera nas mãos de sua velha esposa; disse à Sra. Pardal que fora um grande conforto e felicidade encontrá-la em uma casa tão bonita e saber que não precisava de nada. Foi sua ansiedade por saber como ela estava e o que realmente havia lhe acontecido que o levou a procurá-la. Agora que sabia que tudo estava bem, poderia voltar para casa com o coração leve. Se algum dia ela precisasse dele para alguma coisa, bastaria mandar chamá-lo e ele viria imediatamente.

A Sra. Pardal implorou que ficasse e descansasse por alguns dias, aproveitando a estadia, mas ele disse que precisava voltar para sua velha esposa, que provavelmente ficaria contrariada por ele não voltar para casa e para o trabalho no horário habitual. Por fim, disse-lhe que, por mais que desejasse, não poderia aceitar seu amável convite, mas que, agora que sabia onde a Sra. Pardal morava, viria visitá-la sempre que pudesse.

---

[10] Local onde objetos preciosos são expostos. (N. E.)

Quando a Sra. Pardal viu que não poderia persuadir o velho a ficar mais tempo, deu ordem a alguns de seus criados, que imediatamente trouxeram duas caixas, uma grande e outra pequena. Elas foram colocadas diante do velho, e a Sra. Pardal pediu-lhe que escolhesse o que quisesse, pois ela desejava presenteá-lo.

O velho não pôde recusar aquele gentil pedido e escolheu a caixa menor, dizendo:

— Estou muito velho e fraco para carregar a caixa grande e pesada. Como você teve a gentileza de dizer que posso levar o que quiser, escolho a pequena, que será mais fácil de carregar.

Então, todos os pardais o ajudaram a colocá-la nas costas e foram até o portão acompanhá-lo, despedindo-se com muitas reverências e suplicando-lhe que voltasse quando tivesse tempo. Assim, o velho e seu pardal de estimação se separaram muito felizes, o pardal demonstrando não guardar qualquer rancor por toda a indelicadeza que havia sofrido nas mãos da velha esposa. Na verdade, só sentia pena do velho, que tivera de aguentar aquela mulher por toda a vida.

Chegando em casa, o velho encontrou a esposa ainda mais zangada que de costume, pois já era tarde da noite, e ela já o esperava acordada havia muito tempo.

— Onde esteve todo esse tempo? — perguntou ela em voz alta — Por que voltou tão tarde?

O velho tentou acalmá-la, mostrando-lhe a caixa de presentes que trouxera consigo e, então, contou-lhe tudo o que lhe acontecera e como fora maravilhosamente entretido na casa do pardal.

— Agora vamos ver o que há na caixa — disse o velho, sem lhe dar tempo de reclamar novamente. — Ajude-me a abri-la. — E os dois se sentaram diante da caixa e a abriram.

Para grande surpresa de ambos, encontraram a caixa cheia até a borda com moedas de ouro e prata, além de muitas outras coisas preciosas. As esteiras de sua pequena cabana brilhavam enquanto eles tiravam as coisas, uma a uma, e as colocavam no chão, manuseando-as repetidamente. O velho ficou radiante ao ver as riquezas que agora lhe pertenciam. O presente do pardal ia além de todas as suas expectativas e o permitiriam parar de trabalhar e viver o resto de seus dias com tranquilidade e conforto.

— Graças ao meu bom pardal! Graças ao meu bom pardal! — disse ele muitas vezes.

Assim que os primeiros momentos de surpresa e satisfação ao ver o ouro e a prata passaram, a velha não conseguiu suprimir a ganância de sua natureza perversa. Começou a censurar o velho por não ter trazido para casa a caixa grande de presentes, pois, na inocência de seu coração, ele lhe contara como a havia recusado, preferindo a menor porque era leve e fácil de transportar para casa.

— Seu velho tolo — disse ela —, por que não trouxe a caixa grande? Pense no que perdemos. Poderíamos ter o dobro de prata e ouro. Você certamente é muito tolo! — gritou ela, indo para a cama furiosa.

O velho desejou não ter falado nada sobre a caixa grande, mas era tarde demais, e a velha gananciosa, não satisfeita com a boa sorte que se abatera sobre eles de forma tão inesperada e tão pouco merecida por ela, decidiu, se possível, obter mais.

Na manhã seguinte, ela se levantou e fez o velho descrever o caminho para a casa do pardal. Quando ele percebeu o que passava em sua mente, tentou impedi-la de ir, mas foi inútil. Ela não quis ouvir uma palavra do que ele dizia. É estranho que a velha não tivesse vergonha de procurar o pardal depois da maneira cruel com que o tratara ao cortar sua língua em um acesso de raiva. Mas sua ganância em pegar a caixa grande a fez esquecer todo o resto. Nem mesmo lhe passou pela cabeça que os pardais estivessem zangados com ela, como de fato estavam, e pudessem puni-la pelo que fizera.

Desde que a Sra. Pardal voltara para casa na triste situação em que a encontraram pela primeira vez, chorando e sangrando pela boca, toda a sua família e parentes pouco fizeram além de falar da crueldade da velha.

— Como ela pôde — perguntaram um ao outro — infligir uma punição tão severa por uma ofensa tão insignificante como comer um pouco de pasta de arroz por engano?

Todos amavam o velho, que era tão gentil, bom e paciente com todos os seus problemas, mas odiavam a velha e decidiram, se tivessem a chance, puni-la como merecia. Não precisaram esperar muito.

Depois de caminhar por algumas horas, a velha finalmente encontrou o bambuzal que fizera seu marido descrever cuidadosamente e agora estava diante dele, gritando:

— Onde fica a casa do pardal de língua cortada? Onde fica a casa do pardal de língua cortada?

Por fim, ela viu o beiral da casa por entre a folhagem de bambu e correu para a porta, batendo com força.

Quando os criados contaram à Sra. Pardal que sua velha patroa estava à porta pedindo para vê-la, ela ficou um tanto surpresa com a visita inesperada depois de tudo o que havia acontecido e pensou consigo mesma na tamanha ousadia da velha em se aventurar a vir até sua casa. A Sra. Pardal, porém, era um pássaro educado, por isso saiu para cumprimentar a velha, lembrando-se de que ela já fora sua senhora.

A velha não pretendia perder tempo com palavras e foi direto ao ponto
— Não precisa se preocupar em me entreter como fez com o meu velho marido — disse sem a menor vergonha. — Vim buscar a caixa que ele tão estupidamente deixou para trás. Em breve me despedirei se me der a caixa grande. Isso é tudo o que quero!

A Sra. Pardal consentiu imediatamente e pediu a seus servos que trouxessem a caixa grande. A velha ansiosamente agarrou-a, colocou-a nas costas e, sem ao menos parar para agradecer à Sra. Pardal, pôs-se a caminho de casa.

A caixa era tão pesada que ela não conseguia andar rápido, muito menos correr como gostaria, de tão ansiosa que estava para chegar em casa e ver o que havia em seu interior. Mas, por muitas vezes, teve de se sentar e descansar durante o caminho.

Enquanto cambaleava sob a carga pesada, seu desejo de abri-la tornou-se cada vez maior, e ela não pôde resistir. Não conseguiu esperar mais, pois supunha que aquela grande caixa deveria estar repleta de ouro, prata e joias preciosas como a pequena, recebida pelo seu marido.

Por fim, a velha gananciosa e egoísta largou a caixa à beira do caminho e abriu-a com cuidado, esperando ver e se vangloriar de uma mina de riquezas. O que viu, no entanto, causou-lhe tanto pavor que quase perdeu os sentidos. Assim que levantou a tampa, vários demônios de aparência terrível e assustadora saltaram para fora da caixa e a cercaram como se pretendessem matá-la. Nem mesmo em pesadelos ela vira criaturas tão horrendas como aquelas que sua caixa tão cobiçada continha. Um demônio com um olho enorme bem no meio da testa olhou para ela, monstros com bocas escancaradas pareciam querer devorá-la, uma cobra enorme enrolada veio sibilando em torno dela, e um sapo grande pulou e coaxou em sua direção.

A velha nunca tinha ficado tão assustada e saiu correndo do local tão rápido quanto as pernas trêmulas puderam carregá-la, feliz por escapar dali viva. Ao chegar em casa, caiu ao chão e contou ao marido, em prantos, tudo o que lhe havia acontecido e como quase fora morta pelos demônios na caixa.

Então, ela começou a culpar o pardal, mas o velho a interrompeu imediatamente:

— Não culpe o pardal, é a sua maldade que finalmente foi recompensada. Só espero que isso lhe sirva de lição para o futuro!

A velha não disse mais nada e, daquele dia em diante, arrependeu-se de sua maldade, de seus modos indelicados, e aos poucos tornou-se uma velha boa, de modo que seu marido mal a reconhecia. Eles passaram seus últimos dias juntos e felizes, livres de necessidades e gastando, com cuidado, o tesouro que o velho recebera de seu animal de estimação, o pardal de língua cortada[II].

[II] O conto no final nos ensina sobre a pureza da amizade que supera o mal da ganância e do ciúme da velha senhora, e que a ganância só leva à própria morte. Na cultura japonesa, nos contos infantis, são inúmeros os ensinamentos a respeito do caráter e comportamento humano, a incluir em forma de fábulas personagens de animais, plantas, seres legendários, objetos inanimados ou forças da natureza. Isso advém de uma longa tradição que remete aos primeiros contos da obra *Panchatantra*, por tradição atribuída a Vishnu Sharma, da Índia do século III antes de nossa era, com raízes orais antes mais recuadas. Possivelmente chegou por monges budistas ou comerciantes ao arquipélago japonês nos primeiros séculos de nossa era.

浦嶋太郎

No. 38 *Fukushima* 福島.
Urashima Taro com uma tartaruga.
Utagawa Kuniyoshi 1852.

A HISTÓRIA DE URASHIMA TARO, O PESCADOR[12]

Há muito, muito tempo, na província de Tango[13], costa do Japão, na pequena vila de pescadores de Mizu-no-ye, vivia um jovem pescador chamado Urashima Taro. Seu pai fora um pescador antes dele, e ele herdara tal habilidade e a multiplicara, pois era o pescador mais hábil em todo o país, podendo pescar mais *bonito* e *tai*[14] em um dia do que seus camaradas em uma semana.

Mas, na pequena vila de pescadores, mais do que ser um hábil pescador do mar, ele era conhecido também por seu bom coração. Nunca fizera mal a nenhuma criatura viva, grande ou pequena, e, quando menino, seus companheiros sempre riam dele, pois nunca se juntava a eles nas brincadeiras com animais e sempre procurava dissuadi-los daquela cruel distração.

Certo dia, em um suave crepúsculo de verão, voltava para casa após um dia de pescaria quando encontrou um grupo de crianças. Todas gritavam e falavam a plenos pulmões, e pareciam em um estado de grande excitação por alguma razão. Ao se aproximar para verificar o que havia de errado, notou que atormentavam uma tartaruga. Primeiro, um menino a puxou assim,

---

[12] Este conto se baseou em "Urashima Tarō" (浦島太郎), em que o protagonista, um pescador, é recompensado por resgatar uma tartaruga e carregado nas costas dela até o Palácio do Dragão (*Ryugu-jô*) abaixo da superfície do mar.

[13] Hoje localiza-se na antiga parte norte da província de Quioto, defronte ao Mar do Japão. A proximidade com o mar remete aos inúmeros contos de pescadores e das turbulências da natureza e do mar.

[14] O bonito tem relações com a sardinha, do grupo "sardini". Na culinária japonesa, esse peixe muitas vezes é apreciado depois de ralado em lascas para preparo de um caldo a servir de cobertura de vários pratos. O peixe tai, por sua vez, é popular entre os japoneses. Sua polpa branca possui um *umami* único e servida cozida, grelhada ou em sashimi, possui uma firmeza ideal. A cor vermelha do tai é auspiciosa na cultura japonesa, e é por isso que o peixe representa boa sorte.

depois outro a puxou assado, um terceiro batia nela com um pedaço de pau, e o quarto batia no casco com uma pedra.

Naquele momento, Urashima sentiu muita pena da pobre tartaruga e decidiu resgatá-la, repreendendo as crianças:

— Olhem aqui, meninos, vocês estão tratando tão mal aquela pobre tartaruga, que ela vai morrer em breve!

Os meninos, que estavam todos em uma idade em que as crianças parecem ter prazer em ser cruéis com os animais, não prestaram atenção à gentil reprovação de Urashima e continuaram a provocar o bichinho como antes.

— Quem se importa se ela vive ou morre? — retrucou um dos meninos mais velhos. — Nós, não. Aqui, rapazes, continuem, continuem!

E eles começaram a tratar a pobre tartaruga com mais crueldade do que antes. Urashima esperou um momento, pensando qual seria a melhor maneira de lidar com os meninos. Tentaria persuadi-los a lhe entregar a tartaruga, então, sorriu e disse:

— Tenho certeza de que todos vocês são bons, amáveis meninos! Será então que não me dariam a tartaruga? Gostaria tanto de tê-la!

— Não, não vamos lhe dar a tartaruga — disse um dos meninos. — Por que faríamos isso? Nós mesmos a pegamos.

— O que diz é verdade — disse Urashima —, mas não peço que a entregue a mim de graça. Vou lhes dar um dinheiro em troca, em outras palavras, o *ojisan* (tio)[15] vai comprá-la de vocês. Tudo bem, meus meninos?

Ele estendeu o dinheiro na direção das crianças, amarrado em um pedaço de barbante por um orifício no centro de cada moeda.

— Vejam, rapazes, com este dinheiro podem comprar o que quiserem. Podem fazer muito mais com ele do que com aquela pobre tartaruga. Vejam que bons rapazes são por me ouvirem.

Os meninos não eram maus, apenas travessos e, enquanto Urashima falava, foram conquistados por seu sorriso amável e suas gentis palavras e começaram a "compartilhar de seu espírito", como se costuma dizer no Japão. Gradualmente, todos se aproximaram dele, o líder do pequeno bando estendendo-lhe a tartaruga.

— Muito bem, *ojisan*, nós lhe daremos a tartaruga se nos der o dinheiro!

Urashima pegou a tartaruga e deu o dinheiro aos meninos, que, chamando uns aos outros, fugiram e logo sumiram de vista.

---

[15] A figura do *ojisan* (おじさん) representa um homem de meia-idade e mais velho com hábitos generosos, bondosos e gentis, a servir de exemplo para crianças e jovens.

Então, Urashima acariciou o casco da tartaruga, dizendo:

— Oh, coitadinha! Pobre coitada! Pronto, pronto! Está segura agora! Dizem que uma cegonha vive por mil anos, mas a tartaruga vive por dez mil. Você possui vida mais longa do que todas as criaturas neste mundo e corria grande risco de ter sua preciosa vida interrompida por aqueles meninos cruéis. Felizmente eu estava passando, consegui salvá-la e agora a vida lhe pertence novamente. Vou levá-la de volta para sua casa, o mar, de uma vez por todas. Não deixe que a peguem novamente, pois pode não haver ninguém para salvá-la da próxima vez!

Durante todo o tempo em que falava, o gentil pescador caminhava rapidamente em direção à costa e às rochas. Em seguida, colocando a tartaruga[16] na água, viu o animal desaparecer e voltou para casa, pois estava cansado, e o sol já havia se posto.

Na manhã seguinte, Urashima saiu como de costume em seu barco. O tempo estava bom, e o mar e o céu estavam azuis e suaves sob a névoa tenra da manhã de verão. Entrou em seu barco e, calmamente, empurrou-o para o mar, lançando sua linha enquanto o fazia. Logo ultrapassou os outros barcos de pesca, até que se perderam de vista à distância, e seu barco seguiu à deriva mais e mais adiante nas águas azuis. De alguma forma, não sabia dizer a razão, ele se sentiu extraordinariamente feliz naquela manhã e não podia deixar de desejar que, assim como a tartaruga que libertara no dia anterior, tivesse milhares de anos para viver, em vez do curto período de vida humana.

Ele foi repentinamente desperto de seu devaneio ao ouvir chamarem seu nome:

— Urashima, Urashima!

Claro como o soar de um sino e suave como o vento do verão, o nome flutuava sobre o mar.

Ele se levantou e olhou em todas as direções, pensando que um dos outros barcos o havia ultrapassado, mas, por mais que olhasse para a vasta extensão de água, perto ou longe, não havia sinal de outra embarcação, portanto a voz não poderia ter vindo de um ser humano.

Assustado e imaginando quem ou o que o chamara tão claramente, olhou em todas as direções e viu que, sem que percebesse, uma tartaruga se aproximara da lateral do barco. Urashima notou, com surpresa, que se tratava da mesma tartaruga que resgatara no dia anterior.

---

[16] Na mitologia japonesa, a tartaruga remete à longevidade e por isso é considerada uma das criaturas inteligentes (四靈) e sábias, portadora de boa sorte.

— Bem, Sr. Tartaruga — disse Urashima —, foi você quem chamou meu nome agora há pouco?

— Sim, fui eu — respondeu a tartaruga, acenando com a cabeça. — Ontem, graças à sua honrosa proteção (*o kage sama de*)[17] , minha vida foi salva, e vim para dizer o quanto sou grato pela sua gentileza comigo.

— De fato — disse Urashima —, isso é muito educado da sua parte. Suba a bordo. Eu lhe ofereceria um cigarro, mas, por ser uma tartaruga, com certeza não fuma — e riu da piada.

— Ha-ha-ha-ha! — riu a tartaruga —, saquê é minha bebida favorita, mas não gosto de fumo.

— Claro! — disse Urashima. — Lamento muito não ter saquê em meu barco para lhe oferecer, mas venha secar suas costas ao sol. As tartarugas adoram isso.

Então, com a ajuda do pescador, o animal embarcou e, após uma troca de elogios, perguntou:

— Já viu o palácio de Ryn Jin, o Palácio do Rei Dragão do Mar[18], Urashima?

— Não — respondeu o pescador, negando com a cabeça. — Ano após ano, o mar tem sido a minha casa, mas embora tenha ouvido falar muitas vezes sobre o maravilhoso reino do Rei Dragão no fundo do mar, nunca vi tal lugar. Deve ser muito longe, se é que existe!

— É mesmo? Nunca viu o Palácio do Rei do Mar? Então, perdeu a oportunidade de ver uma das paisagens mais maravilhosas de todo o universo. Fica bem longe, no fundo do mar, mas se o conduzir até lá, logo chegaremos ao local. Se quiser ver as terras do Rei do Mar, serei seu guia.

— Gostaria de ir, certamente, e você é muito gentil em se oferecer para me levar, mas deve se lembrar que não passo de um pobre mortal, sem o poder de nadar como uma criatura marinha como você...

Antes que o pescador pudesse dizer mais alguma coisa, a tartaruga o deteve, dizendo:

— O quê? Não precisa nadar sozinho. Se montar nas minhas costas, o levarei sem nenhum problema.

— Mas como é possível montar em suas costas tão pequenas?

---

[17] お陰様で (おかげさまで), expressão japonesa que pode ser traduzida como "agradeço pela sua ajuda", "agradeço pelo seu apoio" ou apenas "agradeço a você". Nota-se que é uma expressão educada e honorífica dita a alguém ou algo por um apoio ou presença.

[18] Isso remete a Ryugu-jô (竜宮城, 龍宮城, "Castelo do Palácio do Dragão"), palácio submarino de Ryujin, o espírito *"kami"* do dragão do mar. O palácio estaria localizado no fundo do mar, a uma distância de um mergulho de vários dias, com um portão maravilhoso e construções feitas de ouro, cristal, coral e pérola com telhado inclinado.

— Pode lhe parecer absurdo, mas garanto que será capaz disso. Por que não experimenta agora mesmo? Venha! Suba nas minhas costas e veja se é tão impossível quanto pensa!

Quando a tartaruga terminou de falar, Urashima olhou para seu casco e, por mais estranho que pudesse parecer, viu que a criatura tinha crescido tanto e tão de repente a ponto de um homem poder facilmente se sentar em suas costas.

— Isso é de fato estranho! Sendo assim, Sr. Tartaruga, com sua gentil permissão, subirei em suas costas. *Dokoisho!*[19] — exclamou Urashima enquanto saltava.

A tartaruga, com o rosto impassível, como se aquele estranho procedimento fosse um acontecimento bastante comum, disse:

— Agora partiremos para nosso passeio!

E, com essas palavras, a tartaruga mergulhou com Urashima nas costas. Por muito tempo, esses dois estranhos companheiros cavalgaram pelo mar. O pescador nunca se cansava, e suas roupas não umedeciam com a água. Por fim, ao longe, apareceu um portão magnífico e, atrás dele, o longo e inclinado telhado de um palácio no horizonte.

— Sim! — exclamou Urashima. — Acho que consigo ver o portão de um grande palácio! Sr. Tartaruga, pode dizer que lugar é esse?

---

[19] "Tudo bem" (usado apenas por classes populares no Japão).

— Esse é o grande portão do palácio de Ryn Jin, o grande telhado que vê atrás do portão é o próprio Palácio do Rei do Mar.

— Então, finalmente chegamos ao reino do Rei do Mar e ao seu palácio — disse Urashima.

— Sim, de fato — respondeu a tartaruga. — Não acha que viemos muito rápido? — E, enquanto falava, a tartaruga chegou ao lado do portão. — Aqui estamos nós e, a partir daqui, deverá andar.

A tartaruga agora ia na frente e, dirigindo-se ao porteiro, disse:

— Este é Urashima Taro, do país do Japão. Tive a honra de trazê-lo como visitante a este reino. Por favor, mostre-lhe o caminho.

O porteiro, que era um peixe, imediatamente abriu caminho pelo portão diante deles.

O sargo vermelho, a solha, o linguado, o choco e todos os criados do Rei Dragão do Mar saíram na hora, com reverências corteses para dar as boas-vindas ao visitante.

— Urashima Sama, Urashima Sama! Bem-vindo ao Palácio do Mar, a casa do Rei Dragão do Mar. Três vezes bem-vindo, vindo de um país tão distante. E quanto a você, Sr. Tartaruga, estamos em grande dívida por todo o seu esforço em trazer Urashima até aqui. Então, voltando-se novamente para Urashima, disseram:

— Por favor, siga-nos por este caminho. — E, a partir dali, o bando de peixes foi seu guia.

Urashima, sendo apenas um pobre pescador, não sabia como se comportar em um palácio. Mas, por mais estranho que lhe parecesse, não se sentiu envergonhado ou desconfortável e seguiu seus amáveis guias com bastante calma até o interior do palácio. Ao alcançar os portais, uma linda princesa, acompanhada de suas donzelas, saiu para recebê-lo. Ela era mais bonita do que qualquer ser humano, e estava vestida com roupas esvoaçantes em tons de vermelho e verde suave, como o interior de uma onda, e fios dourados cintilavam através das dobras de seu vestido. Seu adorável cabelo preto caía sobre os ombros à maneira usada pela filha de um rei, muitas centenas de anos atrás, e, quando ela falou, sua voz soou como música através da água. Urashima ficou maravilhado enquanto olhava para ela e não conseguiu dizer uma única palavra. Então, se lembrou de que deveria fazer uma reverência, mas antes que pudesse fazê-lo, a princesa o tomou pela mão, o conduziu a um belo salão e, em seguida, ao assento de honra na extremidade oposta, pedindo-lhe que se sentasse.

— Urashima Taro, é para mim uma grade honra recebê-lo no reino de meu pai — disse a princesa. — Ontem salvou uma tartaruga, e pedi que fossem buscá-lo para que pudesse lhe agradecer por ter salvado minha vida, pois eu mesma era aquela tartaruga. Agora, se gostar, poderá viver aqui para sempre, na terra da eterna juventude, onde o verão nunca morre, e a tristeza nunca chega. Serei sua esposa, se quiser, e viveremos juntos e felizes para sempre!

Enquanto ouvia suas doces palavras e contemplava seu adorável rosto, Urashima sentia o coração se enchendo de grande admiração e alegria. Ele lhe respondeu, imaginando se tudo aquilo não passava de um sonho:

— Obrigado mil vezes por suas gentis palavras. Não há nada que eu possa desejar mais do que ter permissão para ficar aqui com você nesta bela terra, da qual ouvi falar tantas vezes sem conhecer. Este é o lugar mais maravilhoso que já vi, muito além do que consigo descrever em palavras.

Enquanto ele falava, uma fileira de peixes apareceu, todos vestidos com trajes cerimoniais. Um a um, silenciosos e com movimentos majestosos, entraram no salão, trazendo, em bandejas de coral, iguarias de peixes e algas marinhas, como ninguém jamais poderia sonhar, e esse maravilhoso banquete foi servido diante dos noivos. O casamento foi celebrado com deslumbrante esplendor, e no reino do Rei do Mar houve grande alegria. Assim que os jovens selaram seu compromisso com a taça de vinho do casamento, dando três vivas, música foi tocada, canções foram cantadas, e peixes com escamas de prata e rabos de ouro surgiram das ondas e dançaram. Urashima se divertiu de todo o coração. Nunca em toda a sua vida havia desfrutado de um banquete tão maravilhoso.

Quando a festa acabou, a princesa perguntou ao noivo se gostaria de caminhar pelo palácio e ver tudo o que havia para ser visto. Então o feliz pescador, seguindo sua noiva, a filha do Rei do Mar, viu todas as maravilhas daquela terra encantada, onde a juventude e a alegria andavam de mãos dadas e nem o tempo, nem a idade podiam alcançá-los. O palácio era construído de corais e adornado com pérolas, e as belezas e maravilhas do lugar eram tantas que não havia palavras para descrevê-las.

Mas, para Urashima, mais maravilhoso que o palácio era o jardim que o cercava. Ali era possível apreciar, de uma só vez, o cenário das quatro diferentes estações: as belezas do verão, do inverno, da primavera e do outono eram exibidas ao curioso visitante.

Primeiro, olhando para o leste, viu as ameixeiras e cerejeiras em plena floração, os rouxinóis cantando nas avenidas cor-de-rosa e as borboletas voando de flor em flor.

Olhando para o sul, viu que todas as árvores estavam verdes em pleno verão, e que a cigarra diurna e o grilo noturno chilreavam ruidosamente.

Olhando para o oeste, viu que os bordos de outono estavam em chamas como o céu do pôr do sol e que os crisântemos estavam florescendo.

Olhando para o norte, viu algo que o espantou: o chão coberto pelo branco da neve, assim como as árvores e os bambus, e o lago coberto pelo gelo.

A cada dia, surgiam novas alegrias e maravilhas para Urashima, e tão grande era sua felicidade, que se esqueceu de todo o resto, até mesmo da casa que havia deixado para trás, de seus pais e de seu próprio país. Assim, três dias se passaram sem que ele sequer pensasse em tudo o que deixara para trás. Então recuperou-se daquele estado de êxtase e lembrou-se de quem era, de que não pertencia àquela terra maravilhosa ou ao palácio do Rei do Mar, e disse a si mesmo:

— Não devo permanecer aqui, pois em casa me esperam um velho pai e uma mãe. O que terá sido deles durante todo esse tempo? Como devem ter ficado ansiosos quando não retornei como de costume. Devo voltar imediatamente, sem deixar passar nem mais um dia — e começou a se preparar para a viagem imediatamente.

Em seguida, procurou sua bela esposa, a princesa, e curvando-se diante dela, disse:

— De fato, tenho sido muito feliz ao seu lado por todo esse tempo, Otohime Sama (pois esse era seu nome), e tem sido mais gentil comigo do que posso expressar em palavras. Mas agora devo dizer adeus. Devo voltar para meus pais.

Então, Otohime Sama começou a chorar e disse baixinho e com tristeza:

— Não, sente-se aqui! O que aconteceu, Urashima, para querer me deixar tão cedo? Por que a pressa? Fique comigo mais um dia apenas!

Mas Urashima se lembrou de seus velhos pais; e, no Japão, o dever para com os pais é mais forte que tudo, mais forte até que o prazer ou o amor. Não se deixando persuadir, respondeu:

— Devo partir. Não pense que quero deixá-la, não é isso. Devo partir para ver meus velhos pais. Deixe-me ir por um dia e voltarei para você.

— Então — disse a princesa com tristeza —, não há mais nada a ser feito. Vou mandá-lo de volta hoje mesmo para seu pai e sua mãe e, em vez de tentar mantê-lo aqui comigo por mais um dia, lhe darei isto como símbolo do nosso amor. Por favor, traga-o de volta — e ela lhe deu uma linda caixa de laca amarrada com um cordão de seda e pingentes de seda vermelha.

Urashima já havia recebido tanto da princesa que sentiu certo remorso em aceitar o presente.

— Não me parece certo aceitar mais um presente seu depois de todos os favores que recebi de suas mãos, mas, por ser o seu desejo, eu o farei. Diga-me: o que é esta caixa?

— Isso — respondeu a princesa — é o *tamatebako* ("caixa de joias") e contém algo muito precioso. Não deve abrir essa caixa, aconteça o que acontecer! Se abri-la, algo terrível lhe acontecerá! Agora, prometa-me que nunca vai abrir a caixa!

E Urashima prometeu que nunca, em hipótese alguma, abriria a caixa.

Em seguida, despedindo-se de Otohime Sama, foi para a praia, seguido pela princesa e seus criados, e lá encontrou uma grande tartaruga esperando por ele.

Rapidamente montou nas costas da criatura e foi levado pelo mar cintilante rumo ao leste. Olhou para trás, para acenar com a mão para Otohime Sama, até que não pudesse mais vê-la, e a terra do Rei do Mar e o telhado do maravilhoso palácio ficaram para trás, muito, muito distantes. Então, com o rosto voltado ansiosamente para sua própria terra, avistou as colinas azuis surgindo no horizonte.

Por fim, a tartaruga o levou para a baía que ele conhecia tão bem e para a costa de onde havia partido. Ele pisou na praia e olhou ao redor enquanto o animal nadava de volta para o reino do Rei do Mar.

Mas o que seria aquele estranho medo que se apoderou de Urashima quando olhou em volta? Por que olhava tão fixamente para as pessoas que passavam por ele e por que elas, por sua vez, paravam para olhá-lo também? A costa era a mesma, e as colinas eram as mesmas, mas as pessoas que ele via passando tinham rostos muito diferentes daqueles que antes conhecia tão bem.

Imaginando o que isso poderia significar, ele caminhou rapidamente em direção à sua antiga casa. Até isso lhe parecia diferente, mas a casa ainda estava no mesmo local.

— Pai, acabei de voltar! — chamou ele. Estava prestes a entrar, quando viu um homem estranho saindo da casa.

— Talvez meus pais tenham se mudado enquanto estive fora e ido para outro lugar — pensou o pescador. De alguma forma, ele começou a se sentir estranhamente ansioso, não sabia dizer por quê.

— Com licença — disse ele ao homem que o encarava —, mas até bem pouco tempo eu morava nesta casa. Meu nome é Urashima Taro. Para onde foram meus pais, que deixei aqui?

Uma expressão muito perplexa surgiu no rosto do homem e, ainda olhando fixamente para o rosto de Urashima, disse:

— O quê? Você é Urashima Taro?

— Sim — disse o pescador —, sou Urashima Taro!

— Ha-ha! — riu o homem. — Não deve fazer esse tipo de piada. É verdade que uma vez um homem chamado Urashima Taro viveu nesta aldeia, mas isso foi há trezentos anos. Ele não poderia estar vivo agora!

Ao ouvir aquelas estranhas palavras, Urashima ficou assustado.

— Por favor, não brinque comigo dessa forma, estou muito perplexo. Sou realmente Urashima Taro e certamente não vivi trezentos anos. Até quatro ou cinco dias atrás, vivi neste lugar. Diga-me o que quero saber sem mais brincadeiras, por favor.

Mas o rosto do homem ficou cada vez mais sério.

— Se você é ou não Urashima Taro, não sei dizer — respondeu —, mas o Urashima Taro de quem ouvi falar é um homem que viveu há trezentos anos. Talvez você seja o espírito dele que veio revisitar sua antiga casa.

— Por que zomba de mim? — disse Urashima. — Não sou um espírito! Sou um homem de carne e osso, não vê meus pés? — E *don-don*, ele bateu no chão, primeiro com um pé e depois com o outro para mostrar ao homem. (Fantasmas japoneses não têm pés.)

— Mas Urashima Taro viveu há trezentos anos, isso é tudo que sei, está escrito nas crônicas da aldeia — insistiu o homem, que não conseguia acreditar no que o pescador dizia.

Urashima estava perdido em meio a tanta confusão e problemas. Ficou olhando ao redor, terrivelmente intrigado e, de fato, havia algo de muito diferente, diferente de tudo o que se lembrava antes de partir, e o terrível sentimento de que o que o homem dissera talvez fosse verdade tomou conta dele. Tudo parecia um sonho estranho. Os poucos dias que passou no palácio do Rei do Mar não foram dias, mas centenas de anos e, nesse meio-tempo, seus pais morreram e todas as pessoas que ele conheceu, bem como a aldeia, viraram história. Não adiantaria permanecer ali por mais tempo. Ele deveria voltar para sua bela esposa, além-mar.

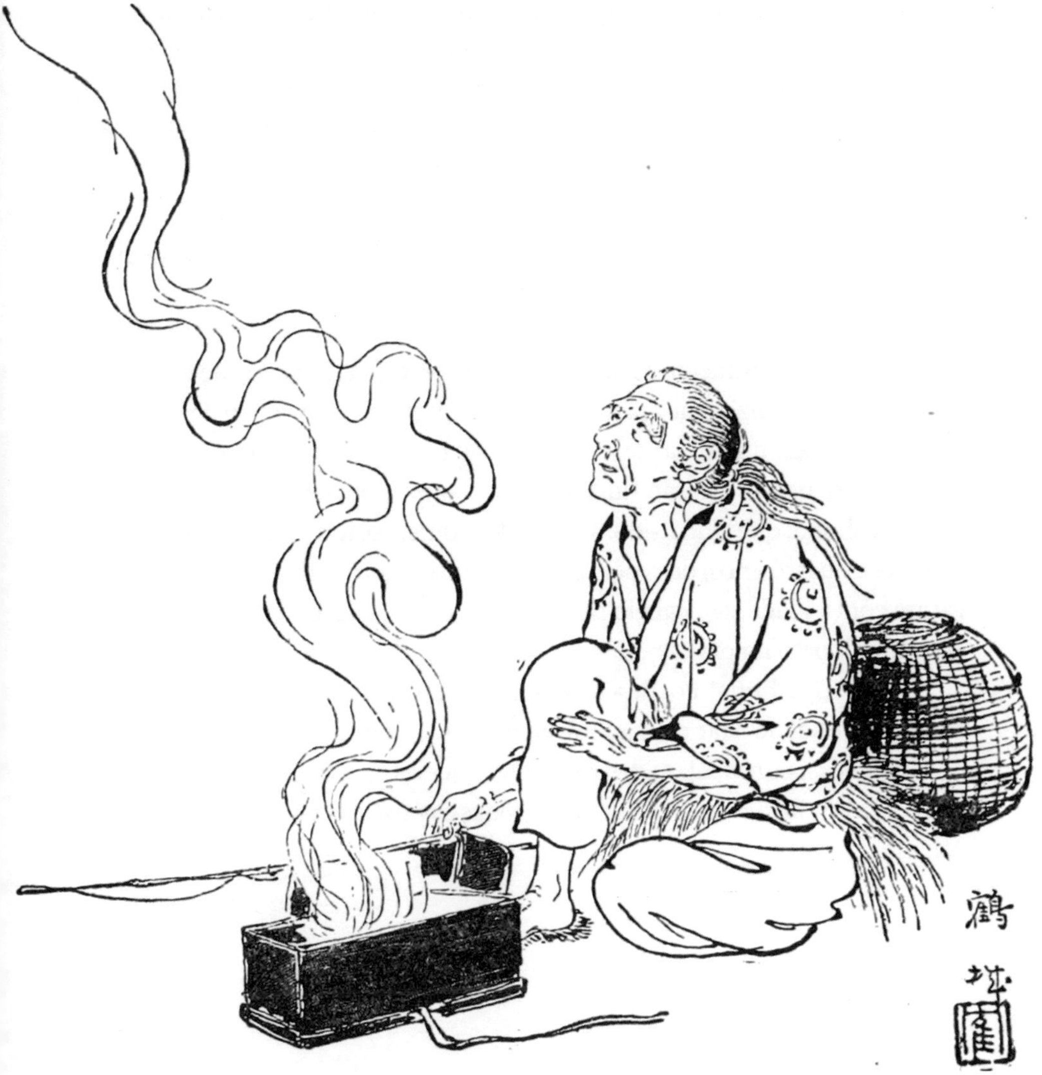

Tentou retornar à praia, carregando na mão a caixa que a princesa lhe dera. Mas qual era o caminho? Não conseguia encontrar sozinho! De repente, se lembrou da caixa, o *tamatebako*.

— Ao me entregar a caixa, a princesa disse para nunca a abrir, pois continha algo muito precioso. Mas agora que não tenho casa, agora que perdi tudo o que me era mais caro e que meu coração se aperta com tristeza, em tal situação, se abrir a caixa, certamente encontrarei algo que me ajudará, algo que me mostrará o caminho de volta para minha linda princesa, além-mar. Não há mais nada que eu possa fazer agora. Sim, sim, vou abrir a caixa e dar uma olhada!

Então seu coração consentiu com aquele ato de desobediência, e ele tentou convencer a si mesmo de que estava fazendo a coisa certa ao quebrar sua promessa.

Lentamente, muito lentamente, desamarrou o cordão de seda vermelha, devagar e com admiração ergueu a tampa da preciosa caixa. O que ele encontrou? É estranho dizer que apenas uma bela nuvenzinha roxa saiu de lá em três tufos suaves. Por um instante, ela cobriu seu rosto e oscilou sobre ele como se não quisesse partir, e então flutuou como vapor sobre o mar.

Urashima, que tinha sido, até aquele momento, um jovem forte e bonito de vinte e quatro anos, de repente ficou muito, muito velho. Suas costas curvaram com a idade, seu cabelo ficou branco como a neve, seu rosto enrugou, e ele caiu morto na praia[20].

Pobre Urashima! Por sua desobediência, nunca mais poderia retornar ao reino do Rei do Mar ou à adorável princesa, além-mar.

Crianças, nunca sejam desobedientes àqueles que são mais sábios que vocês, pois a desobediência foi o início de todas as misérias e tristezas do mundo.

---

[20]   Há um santuário na costa da Península do Tango, *Urashima Jinja*, que supostamente contém um antigo documento que descreve um homem, Urashimako, que deixou suas terras em 478 d.C. e visitou uma região onde as pessoas nunca morrem. Ele voltou em 825 d. C. com uma caixa de joias. Dez dias depois, conta-se que ele abriu a caixa e uma nuvem de fumaça branca foi liberada, transformando Urashimako em um velho imediatamente.

O Fazendeiro e o Texugo.
Kobayashi Eitaku, 1885.
Rijks Museum.

O FAZENDEIRO E O TEXUGO[21]

Há muito, muito tempo, um velho fazendeiro e sua esposa viviam nas montanhas, longe de qualquer cidade. Seu único vizinho era um texugo mau e malicioso[22]. O texugo costumava sair de sua toca todas as noites e correr até o campo do fazendeiro, onde estragava os legumes e o arroz que o homem cultivava com todo o cuidado. O animal tornou-se tão implacável em sua perniciosa atividade e causou tantos danos por toda a parte, que o fazendeiro de boa índole não aguentou mais e decidiu acabar com aquilo. Assim, dia após dia e noite após noite, ele ficou à espera do texugo com um grande porrete, mas foi tudo em vão. Então instalou armadilhas para pegar o perverso animal.

O trabalho e a paciência do fazendeiro foram recompensados, pois, um belo dia, ao fazer sua ronda, encontrou o texugo preso em um buraco que havia cavado para esse fim. Ele ficou encantado por ter capturado seu inimigo e o carregou para casa amarrado com segurança por uma corda. Ao chegar em casa, o fazendeiro disse à esposa:

— Finalmente, capturei o texugo malvado. Fique de olho nele enquanto trabalho e não o deixe escapar, porque quero transformá-lo em sopa esta noite.

---

[21] Baseado no conto "*Kachi-kachi Yama*" (かちかち, "kachi-kachi" sendo uma onomatopeia do som que um fogo faz, e "yama" significando "montanha", traduzindo aproximadamente como "Montanha do estalo do fogo" ou "Montanha do fogo crepitante"), "Montanha Kachi-Kachi". Kachi-kachi Yama é um *satoyama* (里山, さとやま), termo japonês aplicado à zona de fronteira ou área entre as montanhas e terras planas aráveis. O dia a dia das pessoas perto da natureza gerou muitos contos populares japoneses. "O fazendeiro e o texugo" é um conto popular japonês em que o vilão é um tanuki (cão-guaxinim japonês), em vez do alcoólatra mais barulhento e bem-dotado.

[22] O cão-guaxinim, ou texugo, (*tanuki*) na cultura japonesa, é retratado como travesso e alegre, mestre no disfarce e de formas. As histórias de *tanuki*, em geral, são divertidas e mais ingênuas, ao contrário daquelas que envolvem o *kitsune* ("raposa"). Dizem que o tanuki adora saquê e é frequentemente retratado com uma garrafa de saquê em uma mão e uma nota promissória na outra.

Dizendo isso, pendurou o texugo nas vigas de seu armazém e saiu para trabalhar no campo. O animal estava muito angustiado, pois a ideia de ser transformado em sopa para o jantar não o agradava em nada. Pensou e pensou por um longo tempo, tentando arquitetar um plano que o fizesse escapar. Era difícil pensar com clareza em sua posição desconfortável, pois havia sido pendurado de cabeça para baixo. Bem perto dele, na entrada do armazém, olhando para os campos verdes, as árvores e o sol agradável, estava a esposa do fazendeiro, triturando cevada. Ela parecia velha e cansada. Seu rosto tinha muitas rugas, a pele era escura como couro, e de vez em quando ela parava para enxugar o suor que escorria pelo rosto.

— Querida senhora — disse o texugo astuto —, deve estar muito cansada de fazer um trabalho tão pesado em sua velhice. Por que não me deixa fazê-lo pela senhora? Meus braços são muito fortes, e eu poderia aliviá-la um pouco!

— Obrigada por sua gentileza — disse a velha —, mas não posso deixar que faça este trabalho por mim porque não devo desamarrá-lo. Você poderia escapar se o fizesse, e meu marido ficaria muito bravo ao voltar para casa e descobrir que fugiu.

Mas o texugo, que é um dos animais mais astutos que existe[23], insistiu novamente com uma voz muito triste e gentil:

— A senhora é muito cruel. Pode me desamarrar, prometo não tentar escapar. Se tem medo de seu marido, assim que terminar de triturar a cevada, deixarei que me amarre novamente. Estou tão cansado e dolorido amarrado desse jeito. Se me deixasse ficar no chão por alguns minutos, ficaria realmente muito grato!

A velha tinha uma natureza boa e simples, e não conseguia pensar mal de ninguém. Nem passava por sua cabeça que o texugo estivesse tentando enganá-la para poder fugir. Ela sentiu pena do animal ao se virar para olhá-lo; ele parecia em uma situação tão triste, de cabeça para baixo, pendurado no teto pelas pernas amarradas juntas com tanta força a ponto de a corda e os nós estarem cortando sua pele. Então, com a bondade de seu coração, e acreditando na promessa da criatura de que não fugiria, ela desamarrou a corda e o deixou no chão.

Em seguida, a velha deu-lhe o pilão de madeira e disse-lhe que fizesse o trabalho um pouco enquanto ela descansava. Ele pegou o pilão, mas, em vez de fazer o trabalho como lhe foi dito, o texugo imediatamente saltou sobre a velha e a derrubou no chão com o pesado pedaço de madeira. O animal então a matou, cortou-a em pedaços, fez dela uma sopa e esperou pelo retorno do fazendeiro. O velho trabalhou arduamente nos campos o dia todo e, enquanto trabalhava, pensava com prazer que agora seu trabalho não seria mais danificado pelo texugo destrutivo.

Próximo à hora do pôr do sol, deixou o trabalho e voltou para casa. Estava muito cansado, mas a ideia da bela sopa quente de texugo que o aguardava na volta o animou. O pensamento de que o animal poderia se libertar e se vingar da pobre velha nunca lhe passou pela cabeça.

---

[23] O *tanuki* é uma figura antiga nas lendas e mitos japoneses. É uma espécie de *yôkai* (ser sobrenatural), como *bake-danuki*. Embora o *tanuki* seja um animal existente, o *bake-danuki* que aparece na literatura sempre foi descrito como um animal estranho, sobrenatural. Sua primeira aparição na literatura foi no épico "Nihon Shoki", ou "Nihongi", capítulo referente à imperatriz Suiko, escrito durante o Período Nara (710-784).

Enquanto isso, o texugo assumiu a forma da velha e, assim que viu o velho fazendeiro se aproximando, saiu para saudá-lo na varanda da casinha, dizendo:

— Finalmente voltou! Preparei a sopa de texugo e estava esperando por você há muito tempo.

O velho fazendeiro descalçou rapidamente as sandálias de palha e sentou-se diante de sua minúscula bandeja de jantar. O pobre nem mesmo sonhou que não era sua esposa, mas o texugo que o aguardava, e imediatamente pediu a sopa. Então, de repente, o texugo assumiu novamente sua forma natural.

— Seu velho comedor de esposas! — gritou o animal. — Cuidado com os ossos na cozinha!

Rindo alto e zombeteiramente, ele escapou da casa e fugiu para sua toca nas colinas. O velho foi deixado sozinho. Ele mal podia acreditar no que tinha visto e ouvido. Quando entendeu toda a verdade, ficou tão assustado e horrorizado que desmaiou no mesmo instante. Algum tempo depois, ele se recuperou e começou a chorar. Chorou alto e amargamente, balançando o corpo para a frente e para trás em sua tristeza desesperada. Parecia terrível demais para ser verdade que sua fiel e velha esposa tivesse sido morta e cozida pelo texugo enquanto ele trabalhava tranquilamente nos campos, sem saber o que estava acontecendo em casa e se regozijando por ter se livrado de uma vez por todas do animal perverso que tantas vezes estragou seus campos. E, oh! Um pensamento horrível veio à sua mente: ele quase havia tomado a sopa que a criatura fizera de sua pobre esposa. "Oh, querida, oh, querida, oh, querida!" lamentou em voz alta. Ocorre que, não muito longe dali, vivia na mesma montanha um velho coelho bondoso e bem-humorado. Ele ouviu o velho chorar e soluçar, e imediatamente saiu para ver o que estava acontecendo e se havia algo que pudesse fazer para ajudar o vizinho. O velho contou-lhe tudo o que acontecera. Quando o coelho[24] ouviu a história, ficou muito zangado com o texugo malvado e traiçoeiro, e pediu ao velho que deixasse tudo com ele, pois vingaria a morte de sua esposa. O fazendeiro sentiu-se finalmente consolado e, enxugando as lágrimas, agradeceu ao coelho por sua bondade em ajudá-lo em sua angústia.

O coelho, vendo que o homem estava mais calmo, voltou para casa para traçar seus planos e punir o texugo.

No dia seguinte, o tempo estava bom, e o coelho saiu à procura da criatura. Não o viu no bosque, nem na encosta, nem no campo, em lugar nenhum.

---

[24] A entrada do personagem do coelho confere uma reviravolta no conto. Esperto, ardiloso e sem escrúpulos, o coelho aproveita-se da suposta amizade e confiança que tem com o texugo.

Então o coelho foi até sua toca e encontrou o texugo escondido lá, com medo de se mostrar desde que fugira da casa do fazendeiro, temendo a ira do velho.

— Por que não sai em um dia tão lindo? — gritou o coelho. — Venha comigo, vamos cortar grama nas colinas juntos.

O texugo, sem duvidar nem por um minuto que o coelho fosse seu amigo, aceitou de boa vontade sair com ele, muito satisfeito por se afastar da vizinhança do fazendeiro e do medo de encontrá-lo. O coelho, sempre à frente, tomou o caminho que os levou a quilômetros de distância de suas casas, nas colinas onde a grama crescia alta, densa e doce. Os dois começaram a trabalhar para cortar o máximo que pudessem carregar para casa e armazenar o alimento do inverno. Quando cada um cortou a quantidade desejada, amarraram-na e partiram para casa, cada um carregando seu feixe de grama nas costas. Desta vez, o coelho fez o texugo ir na frente.

Quando avançaram um pouco, o coelho pegou uma pederneira e um pedaço de aço e, acertando-o nas costas do texugo enquanto ele caminhava, pôs fogo em seu feixe de grama. Ouvindo o som da pederneira, o texugo perguntou:

— Que barulho de *crack, crack* é esse?

— Oh, não é nada — respondeu o coelho. — Eu só disse *"crack, crack"* porque esta montanha é chamada de Montanha Crepitante[25].

O fogo logo se espalhou no maço de grama seca que o texugo carregava nas costas. O animal, ouvindo o estalar da grama queimando, perguntou:

— O que é isso?

— Agora chegamos à Montanha Ardente — respondeu o coelho.

Àquela altura, o feixe estava quase todo queimado, e o pelo das costas do texugo havia sido atingido. O animal havia percebido o que tinha acontecido pelo cheiro da fumaça da grama queimada. Gritando de dor, ele correu o mais rápido que pôde para sua toca. O coelho o seguiu e o encontrou deitado na cama, gemendo de dor.

— Que cara azarado você é! — disse o coelho. — Não consigo imaginar como isso aconteceu! Vou trazer um remédio que vai curar suas costas rapidamente!

O coelho foi embora feliz e sorridente ao pensar que o castigo do texugo já havia começado. Ele esperava que o texugo morresse em decorrência das queimaduras e achava que nada seria punição suficiente para o animal, culpado

---

[25] Esse crepitar do fogo remete ao nome do conto, "Kachi-Kachi Yama", explicado anteriormente.

de assassinar uma pobre velha indefesa que confiara nele. Então foi para casa e fez uma pomada misturando um pouco de molho e pimenta vermelha.

O coelho levou a pomada para o texugo, mas, antes de aplicá-la, disse-lhe que isso lhe causaria muita dor, mas que deveria suportar com paciência, porque era um remédio maravilhoso para queimaduras, escaldaduras e feridas semelhantes. O texugo agradeceu e implorou que lhe aplicasse sem mais demora. Nenhuma palavra pode descrever a agonia do texugo assim que a pimenta vermelha foi colocada em suas costas doloridas. Ele rolou e uivou alto. O coelho, assistindo à cena, sentiu que a esposa do fazendeiro começava a ser vingada.

O texugo ficou de cama por cerca de um mês, mas, apesar da aplicação da pimenta vermelha, as queimaduras sararam, e ele se recuperou. Quando o coelho viu que o texugo estava melhorando, pensou em outro plano que pudesse provocar a morte da criatura. Assim, certo dia, resolveu fazer uma visita ao texugo e felicitá-lo por sua recuperação.

Durante a conversa, o coelho mencionou que iria pescar e descreveu como é agradável pescar quando o tempo está bom e o mar, calmo.

O texugo ouviu com prazer o relato do coelho sobre a maneira como passava o tempo agora e, esquecendo-se de todas as suas dores e a doença que o acometera naquele mês, pensou como seria divertido se ele também pudesse ir pescar. Então perguntou ao coelho se ele o levaria consigo da próxima vez. Era exatamente o que o coelho queria, e ele prontamente concordou.

Assim que foi para casa, o coelho construiu dois barcos, um de madeira e outro de barro. Quando, por fim, os dois ficaram prontos, olhando para o seu trabalho, ele sentiu que todo o esforço seria bem recompensado se o plano desse certo e ele pudesse matar o texugo malvado de uma vez por todas.

Chegado o dia combinado para que o coelho levasse o texugo para pescar, ele mesmo ficou com o barco de madeira e deu ao texugo o barco de barro. A criatura, que nada sabia sobre barcos, ficou encantada com sua nova embarcação e pensou como fora gentil da parte do coelho dá-la de presente. Os dois embarcaram e partiram. Depois de se afastar um pouco da costa, o coelho propôs que experimentassem seus barcos para ver qual deles iria mais rápido. O texugo aceitou a proposta, e os dois começaram a remar o mais rápido que puderam por um tempo. No meio da corrida, o texugo descobriu que seu barco estava se despedaçando, pois, a água agora começava a amolecer o barro. Ele gritou em grande aflição para que o coelho o ajudasse, mas o coelho respondeu que estava vingando o assassinato da velha e que essa tinha sido sua intenção o tempo todo. Disse ainda que estava feliz em pensar que o texugo finalmente encontraria o que merecia por todos os seus crimes malignos e se afogasse sem ninguém para ajudá-lo. Então ele ergueu o remo e golpeou o texugo com toda a força até que o animal caiu com o barco de barro que estava afundando e não foi mais visto[26].

Assim, finalmente, o coelho cumpriu sua promessa ao velho fazendeiro. Ele se virou e remou em direção à praia e, tendo atracado e puxado seu barco, foi correndo contar ao velho fazendeiro sobre como o texugo, seu inimigo, fora morto.

O velho fazendeiro agradeceu com lágrimas nos olhos. Disse que, até aquele momento, não tinha conseguido dormir à noite nem estar em paz durante o dia, pensando que a morte de sua esposa ainda não fora vingada, mas que, a partir daquele instante, poderia dormir e comer como antes. Ele implorou ao coelho que ficasse com ele e compartilhasse de sua casa[27]. Assim, a partir daquele dia, o coelho ficou com o velho fazendeiro, e os dois viveram juntos como bons amigos até o fim de seus dias.

---

[26] Existem outras versões desse conto que alteram alguns detalhes, como a gravidade do que o *tanuki* fez à mulher, a forma como o *tanuki* conseguiu o barco de barro e a forma como o coelho afundou o texugo.

[27] Na versão escrita por Osamu Dasai (1909–1948), o coelho é uma linda e cruel adolescente, e o *tanuki* é um homem estúpido, apaixonado e complacente.

Carruagem.
Kubo Shunman, séc. XIX.

SHINANSHA, OU A CARRUAGEM QUE APONTAVA PARA O SUL

A bússola, com sua agulha sempre apontando para o norte, é um objeto bastante comum nos dias de hoje, e ninguém a julga tão notável; mas, quando foi inventada, deve ter sido considerada uma maravilha.

Há muito tempo, na China, havia uma invenção ainda mais maravilhosa chamada *shinansha*[28]. Era uma espécie de carruagem que trazia a figura de um homem sempre apontando para o sul. Não importava em que posição a carruagem estivesse, a figura sempre girava e apontava para o sul.

Esse curioso instrumento foi inventado por Kotei, um dos três imperadores chineses da Era Mitológica. Kotei era filho do imperador Yuhi. Antes de ele nascer, sua mãe teve uma visão predizendo que seu filho seria um grande homem.

Certa noite de verão, ela saiu para passear pelos prados em busca da brisa fresca que soprava ao final do dia e para contemplar com prazer o céu estrelado. Quando olhou para a Estrela do Norte, algo estranho aconteceu: ela disparou flashes vívidos como relâmpagos em todas as direções. Logo depois desse evento, seu filho Kotei veio ao mundo.

---

[28] Um antigo veículo chinês de duas rodas que carregava um ponteiro móvel para indicar o sul, não importando o sentido de giro. Normalmente, o ponteiro tinha a forma de um boneco ou figura com o braço estendido. A carruagem era supostamente usada como bússola para navegação e em campo de batalha. Na China Antiga, esse veículo foi projetado como uma espécie de carroça protetora móvel com um teto semelhante ao de um galpão. Servia para ser usado nas fortificações da cidade para fornecer proteção e orientação aos sapadores que cavavam embaixo, visando enfraquecer a fundação de uma parede.
O épico Nihongi menciona que o uso dessa carruagem no Japão foi supervisionado pelos monges budistas Zhi Yu e Zhi You a serviço do imperador Tenji do Japão em 658.

Com o tempo, Kotei tornou-se adulto e sucedeu seu pai, o imperador Yuhi. O início de seu reinado foi muito conturbado em razão de Shiyu. Este rebelde queria se tornar rei, e muitas foram as batalhas que travou para alcançar esse objetivo. Shiyu era um mago perverso, sua cabeça era feita de ferro, e não havia homem que pudesse vencê-lo.

Por fim, Kotei declarou guerra contra o rebelde e liderou seu exército para a batalha, até que os dois exércitos se encontraram em uma planície chamada Takuroku. O imperador corajosamente atacou o inimigo, mas o mago fez baixar uma densa névoa sobre o campo de batalha e, enquanto o exército real vagava confuso, tentando encontrar o caminho, Shiyu recuou com suas tropas, rindo por ter enganado o exército real.

Não importava o quão fortes e corajosos fossem os soldados do imperador, o rebelde, por meio de sua magia, sempre conseguia escapar no final.

Kotei voltou ao palácio, pensou e ponderou profundamente sobre como poderia vencer o mago, pois estava determinado a não desistir. Depois de muito tempo, inventou o *shinansha* com a figura de um homem sempre apontando para o sul, pois naquela época não havia bússolas. Com esse instrumento para lhe indicar o caminho, ele não precisaria temer as densas neblinas criadas pelo mago para confundir seus homens.

Kotei novamente declarou guerra contra Shiyu. Colocou o *shinansha* à frente de seu exército e liderou o caminho para a batalha.

A batalha começou feroz. O rebelde estava sendo rechaçado pelas tropas reais quando novamente recorreu à magia e, ao dizer algumas palavras estranhas em voz alta, uma densa névoa desceu imediatamente sobre o campo de batalha.

Mas, dessa vez, nenhum soldado se importou com a névoa, ninguém ficou confuso. Kotei, guiando-se pelo *shinansha*, podia encontrar o caminho e conduzir o exército sem qualquer erro. Ele perseguiu de perto as tropas do rebelde e o forçou a recuar até que chegaram a um grande rio, que fora inundado pelas enchentes e era impossível de se cruzar.

Shiyu, usando sua magia, rapidamente transpôs o rio com seu exército e se trancou em uma fortaleza na margem oposta.

Quando Kotei viu sua marcha interrompida, ficou extremamente decepcionado, pois estava prestes a derrotar o rebelde quando o rio o deteve.

Não havia mais nada que pudesse fazer, pois não existiam barcos naquela época. O imperador então ordenou que sua tenda fosse armada no local mais agradável possível.

Certo dia, ele saiu de sua tenda e, depois de caminhar um pouco, chegou a um lago. Ele se sentou na margem e ali permaneceu, perdido em pensamentos.

Era outono: as árvores que cresciam ao longo da margem perdiam as folhas, que flutuavam de um lado para o outro na superfície do lago. Aos poucos, a atenção de Kotei foi atraída para uma aranha à beira da água. O pequeno inseto tentava alcançar uma das folhas que flutuavam próximo dali. Ela finalmente conseguiu subir e logo estava flutuando sobre a água para o outro lado do lago.

Aquele pequeno evento fez o esperto imperador pensar que poderia criar algo para transportar a si mesmo e a seus homens pelo rio da mesma forma que a folha havia transportado a aranha. Ele começou a trabalhar e perseverou até que inventou o primeiro barco. Quando percebeu que funcionava perfeitamente, ordenou que todos os seus homens fizessem mais e, depois de um tempo, havia barcos suficientes para todo o exército.

Assim, Kotei levou seu exército para o outro lado do rio e atacou o quartel-general de Shiyu. Ele obteve uma vitória gloriosa e pôs fim à guerra que há tanto tempo perturbava seu país.

Esse sábio e bom imperador não descansou até que assegurasse paz e prosperidade em todos os seus domínios. Era amado por seus súditos, que agora poderiam desfrutar da felicidade e da paz por muitos anos. Dedicou muito tempo à criação de invenções que beneficiariam seu povo e foi bem-sucedido em muitas delas, além do barco e do *shinansha* que apontava para o sul.

Ele já reinava por cerca de cem anos quando, certo dia, enquanto Kotei olhava para o alto, o céu tornou-se repentinamente vermelho, e algo cintilou como ouro em direção à Terra. Kotei notou que era um grande dragão, que se aproximou e inclinou a cabeça diante do imperador. A imperatriz e os cortesãos ficaram com tanto medo que fugiram gritando.

Mas o imperador apenas sorriu e pediu que parassem, dizendo:

— Não tenham medo. Este é um mensageiro do Céu. Meu tempo aqui acabou! — Ele então montou no dragão, que começou a subir em direção ao céu.

Ao verem aquilo, a imperatriz e os cortesãos gritaram:

— Espere um momento! Queremos ir também. — E todos correram e agarraram a barba do dragão na tentativa de montá-lo.

Mas era impossível que tantas pessoas cavalgassem no dragão. Várias delas se agarraram à barba da criatura de modo que, quando ela tentou subir, os pelos foram arrancados e caíram no chão.

Enquanto isso, a imperatriz e alguns dos cortesãos conseguiram montar em segurança nas costas do dragão, que voou tão alto nos céus que, em pouco tempo, os súditos do palácio, que haviam ficado para trás, decepcionados, não os puderam mais ver.

Algum tempo depois, um arco e uma flecha caíram no chão do pátio do palácio. Eles foram reconhecidos como pertences do imperador Kotei. Os cortesãos os pegaram com cuidado e os preservaram como relíquias sagradas.

A Carpa gigante.
Tsukioka Yoshitoshi, década de 1880.

AS AVENTURAS DE KINTARO, O MENINO DE OURO[29]

Há muito, muito tempo, vivia em Quioto um bravo soldado chamado Kintoki. Ele se apaixonou por uma linda jovem e se casou com ela. Não muito tempo depois, pela malícia de alguns de seus amigos, ele caiu em desgraça na corte e foi demitido. Esse infortúnio o atormentou tanto que não aguentou por muito tempo a demissão e veio a falecer, deixando para trás sua bela e jovem esposa para enfrentar o mundo sozinha. Temendo os inimigos de seu marido, ela fugiu para as montanhas de Ashigara assim que seu esposo morreu, e lá, nas florestas solitárias onde ninguém se aventurava, exceto lenhadores, ela deu à luz um menino. Ela o chamava de Kintaro ou de o Menino de Ouro. O mais notável sobre aquela criança era sua grande força que, à medida que ele crescia, ficava maior, de modo que, aos oito anos, era capaz de cortar árvores com a mesma rapidez com que os lenhadores o faziam. Então sua mãe deu a ele um grande machado, com o qual ele costumava sair pela floresta ajudando os lenhadores, que o chamavam de Criança-Maravilha, e sua mãe, de a Velha Enfermeira das Montanhas, já que não sabiam de seu passado nobre. Outro passatempo favorito de Kintaro era quebrar rochas e pedras. Com isso, pode-se imaginar o quão forte ele era!

Ao contrário dos outros meninos, Kintaro cresceu sozinho nos confins das montanhas e, como não tinha amigos, fez amizade com todos os animais,

---

[29] *Kintaro*, ou *Kintarô* (金太郎, "Menino de ouro"), é uma criança com forças sobre-humanas, criada por uma feiticeira no Monte Ashigara, amiga e aliada dos animais das montanhas. Ele é uma figura popular nos teatros *bunraku* e *kabuki*, e é costume usar um boneco de *kintarô* no Dia dos Meninos (*kodomo no hi*), data comemorada no Japão, na esperança de que os meninos se tornem igualmente corajosos e fortes.

e aprendeu a entendê-los e a falar sua estranha língua. Aos poucos, todos eles se tornaram bastante dóceis e passaram a considerar Kintaro um mestre, que os usava como servos e mensageiros. Dentre eles, os mais especiais eram a ursa, o cervo, o macaco e a lebre.

A ursa frequentemente trazia seus filhotes para brincar com Kintaro e, quando vinha para levá-los para casa, Kintaro subia em suas costas e dava uma volta até sua caverna. Ele também gostava muito do cervo e costumava abraçar o pescoço do animal para mostrar que seus longos chifres não o assustavam. Grande era a diversão de todos eles quando estavam juntos.

Certo dia, como de costume, Kintaro subiu às montanhas, seguido pela ursa, o cervo, o macaco e a lebre. Depois de caminhar por um tempo, subindo e descendo o vale, por caminhos acidentados, eles de repente chegaram a uma planície ampla e gramada coberta com lindas flores silvestres.

Ali, de fato, era um bom lugar onde todos poderiam se divertir juntos. O cervo esfregou seus chifres contra uma árvore por prazer, o macaco coçou suas costas, a lebre alisou suas longas orelhas, e a ursa deu um grunhido de satisfação.

— Este é o lugar perfeito para um bom jogo — disse Kintaro. — O que me dizem de uma partida de luta livre?

Sendo a ursa a maior e mais velha, respondia pelos demais:

— Será muito divertido — disse ela. — Como sou o animal mais forte, farei a plataforma para os lutadores — e começou a trabalhar com vontade para cavar a terra e dar-lhe forma.

— Tudo bem — disse Kintaro —, vou assistir enquanto vocês lutam entre si. Darei um prêmio para aquele que vencer em cada rodada.

— Que divertido! Todos devemos tentar ganhar o prêmio — disse a ursa.

O cervo, o macaco e a lebre começaram a trabalhar para ajudar a ursa a montar a plataforma na qual todos deveriam lutar. Quando foi concluída, Kintaro gritou:

— Agora comecem! O macaco e a lebre devem iniciar a disputa, e o cervo será o árbitro. Agora, Sr. Cervo, deve ser o árbitro!

— Estou pronto! Estou pronto! — respondeu o cervo. — Serei o árbitro. Agora, Sr. Macaco e Sra. Lebre, se estiverem prontos, por favor, tomem seus lugares na plataforma.

Então o macaco e a lebre pularam, rápida e agilmente, para a plataforma de luta livre. O cervo, como árbitro, ficou entre os dois e gritou:

— Costas vermelhas! Costas vermelhas! — (isso para o macaco, que tem as costas vermelhas no Japão) — Está pronto?

Em seguida, virou-se para a lebre:

— Orelhas compridas! Orelhas compridas! Está pronta?

Os dois lutadores se enfrentaram enquanto o cervo erguia uma folha bem alto como sinal. Quando ele a deixou cair, o macaco e a lebre correram um em direção ao outro, gritando "*Yoisho, yoisho!*"[30]

Enquanto o macaco e a lebre lutavam, o cervo gritava de modo encorajador ou para alertá-los quando um dos dois empurrava um ao outro muito próximo à borda da plataforma e um lutador corria o risco de cair.

— Costas vermelhas! Costas vermelhas! Mantenha sua posição! — gritou o cervo.

— Orelhas compridas! Orelhas compridas! Seja forte, seja forte, não deixe o macaco derrotar você! — grunhiu a ursa.

Assim, o macaco e a lebre, encorajados pelos amigos, tentaram ao máximo vencer um ao outro. A lebre finalmente venceu o macaco. O macaco pareceu tropeçar, e a lebre lhe deu um bom empurrão, fazendo-o voar para fora da plataforma com um salto.

---

[30] Expressão japonesa de difícil tradução. É uma interjeição, que pode ser usada quando se levanta algo pesado ou se termina um trabalho e esforço árduo.

O pobre macaco sentou-se esfregando as costas e seu semblante transparecia dor, enquanto gritava com raiva:

— Ai! Ai! Como minhas costas doem! Minhas costas doem!

Vendo o macaco em situação difícil no chão, o cervo, segurando sua folha no alto, disse:

— Esta rodada terminou, a lebre venceu.

Kintaro então abriu a caixa onde guardava seu almoço, tirou um bolinho de arroz e deu-o à lebre dizendo:

— Aqui está o seu prêmio! Você fez por merecer, muito bem!

O macaco levantou-se com ar muito zangado e, como se costuma dizer no Japão, com "o estômago revirado", pois sentiu que não havia sido derrotado de forma justa. Então ele disse a Kintaro e aos outros que estavam esperando:

— Não fui derrotado de forma justa. Meu pé escorregou e caí. Por favor, me dê outra chance e deixe a lebre lutar comigo por mais uma rodada.

Kintaro resolveu consentir e, assim, a lebre e o macaco começaram a lutar novamente. No entanto, como todos sabem, o macaco é um animal astuto por natureza e decidiu tirar o melhor proveito da lebre daquela vez, se fosse possível. Para isso, pensou que a melhor e mais segura maneira seria agarrar suas longas orelhas; e logo conseguiu o que queria. A lebre foi pega totalmente desprevenida com a dor de ter suas longas orelhas puxadas com tanta força, e o macaco, aproveitando a oportunidade, agarrou-se a uma das pernas da lebre e jogou-a no meio da plataforma. O macaco saiu vitorioso e recebeu um bolinho de arroz de Kintaro, que o agradou tanto que esqueceu por completo a dor nas costas.

O cervo então se aproximou e perguntou se a lebre se sentia pronta para outra rodada. Caso consentisse, ele mesmo tentaria uma rodada contra ela. A lebre respondeu que sim, e os dois se posicionaram para iniciar a luta. A ursa avançou como árbitra.

O cervo com chifres longos e a lebre com orelhas compridas, deve ter sido uma visão divertida para aqueles que assistiam àquela disputa estranha. De repente, o cervo caiu de joelhos, e a ursa, com a folha para o alto, declarou que ele havia sido derrotado. Assim, ora um, ora outro, vencia a luta e o pequeno grupo se divertiu até cansar.

— Já chega por hoje — disse Kintaro por fim, levantando-se. — Que belo lugar encontramos para lutar, voltaremos amanhã. Agora, vamos todos para casa!

Dizendo isso, Kintaro liderou o caminho de volta enquanto os animais o seguiam.

Depois de uma breve caminhada, eles chegaram às margens de um rio que fluía por um vale. Kintaro e seus quatro amigos peludos pararam e procuraram algum meio de travessia. Não havia nenhuma ponte por perto. As águas do rio corriam agitadas. Todos os animais pareciam sérios, perguntando-se como poderiam atravessar o riacho e chegar em casa naquela noite.

— Esperem um momento — disse Kintaro. — Farei uma boa ponte para todos nós em alguns minutos.

A ursa, o cervo, o macaco e a lebre olharam para ele para ver o que faria em seguida.

Kintaro foi de uma árvore a outra que crescia ao longo da margem do rio. Por fim, parou em frente a uma árvore muito grande que crescia à beira da água. Agarrou o tronco e puxou-o com toda a força, uma, duas, três vezes! Na terceira puxada, sua força era tão grande que as raízes cederam e "*meri, meri*"[31] (*crack, crack*), a árvore foi derrubada, formando uma excelente ponte sobre o riacho.

— Pronto — disse Kintaro —, o que acham da minha ponte?

Os quatro animais o seguiram. Eles nunca tinham visto alguém tão forte, e todos exclamaram:

— Quão forte ele é! Quão forte ele é!

Enquanto tudo isso acontecia, perto do rio, um lenhador, que por acaso estava de pé em uma rocha com vista para o riacho, viu tudo o que se passava abaixo dele. Ele observou com grande surpresa Kintaro e seus amigos animais. Esfregou os olhos para ter certeza de que não estava sonhando quando viu aquele menino puxar uma árvore pelas raízes e jogá-la por sobre o riacho para formar uma ponte.

O lenhador, que assim parecia pela maneira como estava vestido, maravilhou-se com tudo o que viu e disse a si mesmo:

— Esta não é uma criança comum. De quem pode ser filho? Descobrirei antes do fim do dia.

Ele correu atrás do estranho grupo e cruzou a ponte logo atrás. Kintaro de nada sabia e mal podia imaginar que estava sendo seguido. Ao chegar à outra margem do rio, ele e os animais se separaram: os animais rumaram para seus covis na mata, e o menino, para sua mãe, que o aguardava.

Assim que entrou na cabana, que parecia uma caixa de fósforos no meio dos pinheiros, foi cumprimentar a mãe:

---

[31] (めりめり) Expressão que indica que houve lascamento ou rachadura, seja por um vento forte, seja por força.

— *Okkasan* (mãe), aqui estou eu!

— O, *Kimbo*! — disse a mãe com um sorriso radiante, feliz por ver o filho em casa a salvo depois de um longo dia. — Está muito atrasado hoje. Temi que algo tivesse lhe acontecido. Onde esteve todo esse tempo?

— Levei meus quatro amigos, a ursa, o cervo, o macaco e a lebre, para as colinas e lá os fiz travar uma luta, para ver qual era o mais forte. Todos nós gostamos muito do esporte e voltaremos ao mesmo lugar amanhã para mais uma disputa.

— Agora, me diga, quem é o mais forte de todos? — perguntou a mãe, fingindo não saber.

— Ah, mãe — disse Kintaro —, não sabe que sou o mais forte? Não havia necessidade de lutar com nenhum deles.

— Mas, depois de você, quem é o mais forte?

— Em termos de força, a ursa é a que mais se aproxima de mim — respondeu Kintaro.

— E depois da ursa? — perguntou a mãe novamente.

— Depois da ursa não é fácil dizer, pois o cervo, o macaco e a lebre parecem igualmente fortes — respondeu Kintaro.

De repente, Kintaro e a mãe foram surpreendidos por uma voz vinda do lado de fora.

— Ouça-me, garotinho! Da próxima vez que for, leve este velho com você para a luta livre. Ele gostaria de participar do esporte também!

Era o velho lenhador que havia seguido Kintaro desde o rio. Ele tirou os tamancos e entrou na cabana. Yama-uba e seu filho foram pegos de surpresa. Eles olharam para o intruso com admiração e viram que ele era alguém que não conheciam.

— Quem é você? — ambos exclamaram.

Então, o lenhador riu e disse:

— Não importa quem sou ainda — respondeu o lenhador, rindo —, mas vamos ver quem tem o braço mais forte: esse menino ou eu.

Kintaro, que viveu toda a vida na floresta, respondeu ao velho sem qualquer cerimônia:

— Podemos tentar se quiser, mas não deverá ficar com raiva se for derrotado.

Assim, Kintaro e o lenhador estenderam o braço direito e seguraram as mãos um do outro. Por um longo tempo, Kintaro e o velho lutaram juntos dessa maneira, cada um tentando dobrar o braço do outro, mas o velho era muito forte, e a estranha dupla estava equilibrada. Por fim, o velho desistiu, declarando que o jogo terminara em empate.

— Você é, de fato, uma criança muito forte. Poucos homens podem se gabar de possuir a mesma força do meu braço direito! — disse o lenhador. — Eu o vi pela primeira vez às margens do rio, algumas horas atrás, quando arrancou aquela grande árvore para criar uma ponte sobre o rio. Quase incapaz de acreditar no que vi, eu o segui até aqui. A força de seu braço, que acabei de testar, prova o que vi nesta tarde. Quando se tornar adulto, com certeza será o homem mais forte de todo o Japão. É uma pena que esteja escondido nestas montanhas selvagens.

Então, ele se virou para a mãe de Kintaro e disse:

— E você, mãe, não pensou em levar seu filho para a capital e ensiná-lo a carregar uma espada, como convém a um samurai?

— É muito gentil em se interessar tanto pelo meu filho — respondeu a mãe —, mas ele é, como pode ver, selvagem e ignorante, e temo que seja muito difícil fazer o que diz. Por ser tão forte ainda criança, eu o escondi nesta parte desconhecida do país, pois ele machucou todos que se aproximaram dele. Muitas vezes desejei poder, um dia, ver meu menino como um cavaleiro usando duas espadas, mas como não temos nenhum amigo influente para nos apresentar na capital, temo que minha esperança nunca se concretize.

— Não precisa se preocupar mais com isso. Para dizer a verdade, não sou um lenhador! Sou um dos grandes generais do Japão. Meu nome é Sadamitsu e sou um súdito do poderoso lorde Minamoto-no-Raiko[32]. Ele me ordenou que percorresse o país à procura de meninos que possuíssem uma força notável, para que pudessem ser treinados como soldados de seu exército. Achei que seria melhor fazer isso assumindo o disfarce de lenhador. Por sorte, assim, inesperadamente, encontrei seu filho. Agora, se realmente deseja que ele seja um samurai, vou levá-lo e apresentá-lo ao senhor Raiko como um candidato para servi-lo. O que acha?

À medida que o gentil general descrevia seu plano, o coração da mãe se enchia de grande alegria. Ela percebeu que ali estava uma oportunidade maravilhosa para concretizar o único desejo de sua vida: ver Kintaro se tornar um samurai antes que ela morresse.

---

[32] Também conhecido como Minamoto no Yorimitsu (944–1021), que serviu ao poderoso clã dos Fujiwaras com seu irmão, Yorinobu. Foi um dos primeiros membros do clã dos Minamotos a ter relevância histórica, por sua capacidade de liderança em campanhas de batalhas.

— Sendo assim — respondeu ela, fazendo uma reverência —, se realmente tem intenção de cumprir o que diz, confiarei meu filho ao senhor.

Kintaro ficou o tempo todo sentado ao lado da mãe ouvindo o que diziam. Quando sua mãe terminou de falar, ele exclamou:

— Que alegria! Que alegria! Vou com o general e um dia serei samurai!

Assim o destino de Kintaro foi traçado, e o general decidiu partir imediatamente para a capital, levando o menino com ele. Nem é preciso dizer que Yama-uba estava triste por se separar de seu filho, pois ele era tudo o que lhe restava. Mas ela escondeu sua dor com uma cara forte, como dizem no Japão. Sabia que era para o bem de seu filho que ele a deixasse agora e que não deveria desencorajá-lo no momento em que estava partindo. Kintaro prometeu nunca a esquecer e disse que, assim que fosse um cavaleiro com duas espadas, construiria uma casa e cuidaria dela em sua velhice.

Todos os animais que ele havia domesticado para servi-lo, a ursa, o cervo, o macaco e a lebre, assim que souberam que ele estava partindo, vieram perguntar se poderiam servi-lo como de costume. Quando souberam que ele iria embora para sempre, seguiram-no até o sopé da montanha para se despedirem dele.

— *Kimbo* — disse a mãe —, tome cuidado e seja um bom menino.

— Sr. Kintaro — disseram os fiéis animais —, desejamos-lhe boa saúde em suas viagens.

Então todos eles subiram em uma árvore para vê-lo pela última vez e, daquela altura, observaram sua sombra diminuir gradualmente, até se perder de vista.

O general Sadamitsu seguiu seu caminho regozijando-se por ter encontrado tão inesperadamente um prodígio como Kintaro[33].

Tendo chegado ao seu destino, o general levou Kintaro imediatamente ao seu senhor, Minamoto-no-Raiko, e contou-lhe tudo sobre o menino e sobre como encontrara a criança. Lorde Raiko ficou encantado com a história e, tendo ordenado que Kintaro fosse trazido até sua presença, fez dele um de seus súditos imediatamente.

O exército do lorde Raiko era famoso por um grupo chamado "Os Quatro Bravos". Esses guerreiros eram escolhidos por ele mesmo dentre os mais bravos e fortes de seus soldados. O pequeno e seleto grupo se distinguia em todo o Japão pela coragem destemida de seus homens.

---

[33] Já adulto, Kintarô mudou seu nome para Sakata no Kintoki. Ele conheceu o samurai Minamoto-no-Raiko (ou Yorimitsu) enquanto este passava pela área ao redor do Monte Kintoki. Yorimitsu ficou impressionado com a enorme força de Kintarô, então ele o tomou como um de seus servidores pessoais para viver com ele em Quioto. Com o tempo, Kintoki aprimorou suas forças e habilidades marciais e se tornou o chefe do *Shitennô* de Yorimitsu ("Os Quatro Bravos").

Quando Kintaro se tornou um homem, seu mestre fez dele o líder dos Quatro Bravos. Ele era, de longe, o mais forte de todos. Logo após esse evento, chegou à cidade a notícia de que um monstro canibal havia se instalado não muito longe e que as pessoas estavam apavoradas. Lorde Raiko ordenou que Kintaro os salvasse de tal monstro. Ele imediatamente partiu, encantado com a perspectiva de usar sua espada.

Surpreendendo o monstro em sua toca, ele rapidamente cortou sua grande cabeça e a levou em triunfo para seu mestre.

Kintaro se tornou o maior herói do país, e grandes foram o poder, a honra e a riqueza que recebeu como recompensa. Ele cumpriu sua promessa e construiu uma casa confortável para sua velha mãe, que viveu feliz ao seu lado, na capital, até o fim de seus dias.

Não é esta a história de um grande herói?

Chūjō-hime (Hase Hime).
Tsukioka Yoshitoshi, 1881.

A HISTÓRIA DA PRINCESA HASE[34] — UMA HISTÓRIA DO JAPÃO ANTIGO

Há muitos, muitos anos, vivia em Nara, a antiga capital do Japão, um sábio ministro de Estado chamado príncipe Toyonari Fujiwara. Sua esposa era uma mulher nobre, boa e bonita, chamada princesa Murasaki (Violeta). O casamento foi acordado por suas respectivas famílias quando ainda eram muito jovens, de acordo com o costume japonês, de modo que o casal vivia junto e feliz desde então. Havia, no entanto, um motivo para grande tristeza, pois com o passar dos anos o casal não era abençoado com a chegada de filhos. Isso os deixava muito infelizes, pois ambos desejavam ter um filho que crescesse para alegrar sua velhice, perpetuar o nome da família e manter os ritos ancestrais quando os pais morressem. O príncipe e sua adorável esposa, após longa consulta e muita reflexão, decidiram fazer uma peregrinação ao templo de Hase-no-Kwannon (Deusa da Misericórdia de Hase), pois acreditavam, de acordo com a bela tradição de sua religião, que a Deusa da Misericórdia, Kwannon, respondia às orações dos mortais da forma que eles mais precisavam. Certamente, depois de todos aqueles anos de oração, a Deusa viria a eles na forma de uma criança amada, em resposta à sua peregrinação especial, pois isso era o que mais necessitavam em suas

---

[34] A princesa Hase, também referida como Chujô Hime ou Hase-Hime (c. 753?–781?), foi, segundo relatos e lendas, filha do nobre da corte Fujiwara no Toyonari (ou Toyonari Fujiwara). Escapou de perseguições nas mãos de sua madrasta tornando-se freira em Taima-dera em Nara. Lá, assumiu o nome de Zenshin-ni ou Honyo (法如). Com o tempo, Hase-Hime consolidou-se uma heroína, tema de numerosos contos japoneses que celebram sua piedade filial.

vidas. Eles já tinham tudo o que a vida poderia lhes proporcionar, mas nada tinha valor, porque o clamor de seus corações não era atendido.

Assim, o príncipe Toyonari e sua esposa foram ao templo de Kwannon, em Hase, e lá permaneceram por um longo tempo, ofertando incenso diariamente e orando a Kwannon, a Mãe Celestial, para lhes conceder o desejo de suas vidas inteiras. E suas preces foram atendidas.

Finalmente, nasceu a filha da princesa Murasaki, e grande foi a alegria que tomou conta de seu coração. Ao apresentar a criança ao marido, os dois decidiram chamá-la de Hase-Hime, ou princesa de Hase, porque ela era o presente de Kwannon naquele lugar. Ambos a criaram com grande cuidado e ternura, e a criança cresceu em força e beleza.

Quando a menina tinha cinco anos, sua mãe adoeceu gravemente, e nem todos os médicos e remédios puderam salvá-la. Um pouco antes de dar seu último suspiro, ela chamou a filha e, acariciando suavemente sua cabeça, disse:

— Hase-Hime, sabe que sua mãe não poderá viver mais? Embora minha morte seja iminente, deverá crescer como uma boa menina. Faça o seu melhor para não causar problemas para sua aia ou qualquer outro membro da família. Talvez seu pai se case novamente e alguém ocupe meu lugar como sua mãe. Se assim for, não sofra por mim, mas considere a segunda esposa de seu pai como sua verdadeira mãe, seja obediente e uma boa filha para os dois. Quando for adulta, lembre-se: seja submissa àqueles que são seus superiores e gentil para com todos aqueles que estão abaixo de você. Não se esqueça disso. Morro com a esperança de que você cresça como um modelo de mulher.

Hase-Hime ouviu em atitude de respeito enquanto sua mãe falava e prometeu fazer tudo o que lhe recomendava. Há um provérbio que diz "Assim como a alma é aos três anos, também será aos cem", e então Hase-Hime cresceu como sua mãe desejava, uma princesa boa e obediente, embora ainda fosse muito jovem para entender quão grande fora a perda de sua mãe.

Não muito depois da morte de sua primeira esposa, o príncipe Toyonari se casou novamente com uma dama, nobre de nascimento, chamada princesa Terute. Muito diferente em caráter, infelizmente! Para a boa e sábia princesa Murasaki, aquela mulher tinha um coração mau e perverso. Ela não amava sua enteada de forma alguma, e muitas vezes era muito cruel com a menina órfã de mãe, dizendo para si mesma: "Ela não é minha filha! Ela não é minha filha!"

Mas Hase-Hime suportava toda a crueldade com paciência e até atendia gentilmente sua madrasta, obedecendo-lhe em todos os sentidos, sem lhe causar problemas, exatamente como fora instruída por sua bondosa mãe, de modo que Lady Terute não tinha motivos para reclamar de seu comportamento.

A pequena princesa era muito diligente, e seus estudos preferidos eram música e poesia. Ela passava várias horas praticando todos os dias, e seu pai selecionou o mais competente dos mestres que pôde encontrar para lhe ensinar a tocar o *koto* (harpa japonesa), assim como a arte de escrever letras e versos. Aos doze anos de idade, já tocava tão bem que ela e sua madrasta foram chamadas ao palácio para se apresentarem diante do imperador.

Era o Festival da Florada das Cerejeiras, e havia grandes festividades na corte. O imperador se entregou aos entretenimentos da temporada e ordenou que a princesa Hase se apresentasse diante dele tocando o *koto* enquanto sua madrasta, a princesa Terute, a acompanhasse na flauta.

O imperador se sentou em uma plataforma elevada, diante da qual fora pendurada uma cortina de bambu finamente cortado e borlas roxas, para que Sua Majestade pudesse ver tudo sem ser vista, pois nenhuma pessoa comum tinha permissão para olhar seu rosto sagrado.

Hase-Hime era uma musicista habilidosa, embora muito jovem, e muitas vezes surpreendia seus mestres com sua memória e talento maravilhosos. Nesta importante ocasião, ela tocou muito bem. Já a princesa Terute, sua madrasta, que era uma mulher preguiçosa e nunca se dava ao trabalho de praticar diariamente, falhou em seu acompanhamento e teve de pedir a uma das damas da corte para substituí-la. Isso foi uma grande desgraça, e ela se deixou dominar pela fúria e inveja ao pensar que havia falhado em algo que sua enteada obtivera tanto sucesso. Para piorar a situação, o imperador mandou muitos presentes bonitos para a pequena princesa como recompensa por tocar tão bem no palácio.

Outra razão pela qual a princesa Terute odiava sua enteada era que seu próprio filho, nascido por sorte, poderia ter o amor do pai todo para si se não fosse por Hase-Hime.

E, como nunca conseguia se controlar, ela permitiu que esse pensamento perverso se transformasse em um desejo terrível de tirar a vida de sua enteada.

Então, certo dia, ela secretamente encomendou um frasco de veneno e utilizou a substância em um pouco de vinho doce, colocando-o em uma garrafa. Em outra garrafa semelhante, despejou vinho não envenenado. Era Festival dos Meninos no dia 5 de maio, e Hase-Hime estava brincando com seu irmão mais novo. Todos os seus brinquedos de guerreiros e heróis estavam espalhados, e ela contava histórias maravilhosas sobre cada um deles. Os dois estavam se divertindo e rindo alegremente com seus acompanhantes quando sua mãe entrou com as duas garrafas de vinho e alguns bolos deliciosos.

— Vocês estão tão comportados e felizes — disse a perversa princesa Terute, com um sorriso — que trouxe um pouco de vinho doce como recompensa. E aqui estão alguns bolos bonitos para meus bons filhos.

Ela encheu dois copos com vinhos diferentes.

Hase-Hime jamais poderia imaginar o papel terrível que sua madrasta estava representando, pegou uma das taças de vinho e deu a seu irmão mais novo a outra que lhe havia sido servida.

A mulher perversa havia marcado cuidadosamente o copo envenenado, mas, ao entrar na sala, ficou nervosa e, servindo o vinho às pressas, inconscientemente deu a taça envenenada para o próprio filho. Durante todo o tempo, ela observou ansiosamente a pequena princesa, mas, para seu espanto, nenhuma mudança ocorreu no rosto da jovem. De repente, o menino gritou e se jogou no chão, contorcendo o corpo de dor. Sua mãe correu até ele, tomando o cuidado de entornar as duas garrafas de vinho que havia trazido para o quarto, e ergueu o garoto. Os criados correram para buscar o médico, mas nada foi capaz de salvar a criança, que morreu uma hora depois, nos braços da mãe. Nos tempos antigos, os médicos não tinham muito conhecimento, e pensaram que o vinho fizera mal ao menino, causando convulsões em consequência das quais ele veio a falecer.

Assim a mulher perversa, na tentativa de assassinar sua enteada, foi punida com a perda de seu próprio filho. Mas, em vez de se culpar pelo ocorrido, começou a odiar Hase-Hime mais do que nunca e, na amargura e miséria de seu coração, aguardou ansiosamente uma oportunidade de lhe fazer mal, o que, entretanto, demorou a acontecer.

Aos treze anos, Hase-Hime já era considerada uma poetisa de algum mérito. Essa era uma conquista muito cultivada pelas mulheres do Japão Antigo e tida em alta estima.

Era estação das chuvas em Nara, e as inundações eram relatadas todos os dias como causadoras de danos à vizinhança. O nível do rio Tatsuta, que corria pelos jardins do Palácio Imperial, havia subido até o topo de suas margens, e o rugido das torrentes de água correndo ao longo do leito estreito perturbou tanto o descanso do imperador, dia e noite, que um sério distúrbio nervoso o acometeu. Um decreto imperial foi enviado a todos os templos budistas, ordenando aos sacerdotes que oferecessem orações contínuas ao Céu para cessar o barulho do dilúvio. Mas foi inútil.

Em seguida, correu a notícia nos círculos da corte de que a princesa Hase, filha do príncipe Toyonari Fujiwara, segundo-ministro da corte, era a poetisa mais talentosa da época, embora ainda tão jovem, e seus mestres confirmaram o relato. Há muito tempo, uma bela e talentosa donzela-poetisa moveu o céu ao orar em versos, trazendo chuva sobre a terra dizimada pela seca, assim disseram os antigos biógrafos da poetisa Ono-no-Komachi. Se a princesa Hase escrevesse um poema e o oferecesse em oração, não poderia ela também interromper o barulho do rio correndo e remover a causa da doença imperial? O que se comentava na corte finalmente chegou aos ouvidos do próprio imperador, e ele enviou uma ordem ao ministro príncipe Toyonari com esse propósito.

O medo e o espanto tomaram conta de Hase-Hime quando seu pai mandou chamá-la e disse o que lhe era exigido. Pesado, de fato, era o dever que recaía sobre seus jovens ombros: salvar a vida do imperador pelo mérito de seu verso.

Por fim, chegou o dia e seu poema estava concluído. Ele fora escrito em um folheto de papel inteiramente salpicado de ouro em pó. Na companhia de seu pai, dos criados e de alguns dos oficiais da corte, ela procedeu à margem da torrente rugindo e elevando seu coração ao céu, leu o poema que havia composto, em voz alta, erguendo-o com suas duas mãos.

De fato, pareceu estranho para todos aqueles que estavam em volta, mas as águas pararam de rugir, e o rio ficou quieto em resposta direta à sua oração. Depois disso, o imperador logo recuperou a saúde.

Sua Majestade ficou muito satisfeita e mandou chamá-la ao palácio, recompensando-a com o posto de *chinjo*, tenente-general, para distingui-la.

Desde então, ela foi chamada de *Chinjo-hime*, ou princesa Tenente-General, e respeitada e amada por todos.

Houve apenas uma pessoa que não gostou do sucesso de Hase-Hime: sua madrasta. Sempre remoendo a perda do próprio filho que matara ao tentar envenenar a enteada, ficou mortificada ao vê-la ascender ao poder e à honra, marcada pelos favores imperiais e pela admiração de toda a corte. A inveja e o ciúme queimavam em seu coração como fogo. Muitas foram as mentiras que inventou para o marido sobre Hase-Hime, mas todas em vão. Ele não quis ouvir nenhuma de suas histórias, dizendo-lhe com clareza que estava completamente enganada.

Por fim, a madrasta, aproveitando a oportunidade da ausência do marido, ordenou a um de seus antigos criados que levasse a inocente menina para as montanhas Hibari, a parte mais selvagem do país, e ali a matasse[35]. Ela inventou uma história terrível sobre a pequena princesa, dizendo que a única maneira de evitar que a desgraça recaísse sobre a família seria matando-a.

Katoda, o criado, foi obrigado a obedecer à sua senhora. De qualquer forma, ele concluiu que o mais sábio seria fingir obediência na ausência do pai da menina. Assim, ele colocou Hase-Hime em um palanquim e a acompanhou até o lugar mais solitário que pôde encontrar no distrito selvagem. A pobre criança sabia que não adiantava protestar com sua cruel madrasta por ter sido mandada embora daquela maneira estranha, então obedeceu.

Mas o velho criado sabia que a jovem princesa era totalmente inocente de todas as mentiras que a madrasta havia inventado como justificativas para suas ordens ultrajantes, e decidiu salvar sua vida. No entanto, se não a matasse, não poderia retornar para sua cruel senhora e, assim, decidiu permanecer naquela região selvagem. Com a ajuda de alguns camponeses, ele logo construiu uma pequena cabana e, tendo mandado secretamente buscar sua esposa, os dois bons velhos fizeram tudo ao seu alcance para cuidar da agora infeliz princesa. Ela confiava em seu pai e tinha certeza de que, assim que voltasse para casa e a encontrasse ausente, iria procurá-la.

Após algumas semanas, o príncipe Toyonari voltou para casa e foi informado pela esposa de que sua filha havia feito algo errado e fugira por medo de ser punida. Ele quase ficou doente de ansiedade. Todos na casa contaram-lhe a mesma história: que Hase-Hime havia desaparecido de repente e que

---

[35] Em algumas versões da história, sua madrasta ordena que ela seja levada para as montanhas e abandonada para morrer. Em outras, Hase-Hime permanece em casa e faz cópias dos sutras budistas para a salvação de sua mãe, e essa devoção ganhou ainda mais a inimizade de sua madrasta.

nenhum deles sabia por que ou para onde fora. Por medo de um escândalo, ele manteve o assunto em segredo e procurou em todos os lugares de que se lembrou, mas de nada adiantou.

Certo dia, tentando esquecer sua terrível preocupação, ele reuniu todos os seus homens e disse-lhes que se preparassem para uma caçada de vários dias pelas montanhas. Eles logo se aprontaram e montaram, esperando no portão por seu senhor. Ele cavalgou com força e rapidez até o distrito das Montanhas Hibari, seguido por sua grande comitiva. Logo estava muito à frente de todos e finalmente se viu em um vale estreito e pitoresco.

Olhando ao redor e admirando a paisagem, notou uma casinha em uma das colinas bem próximas e então ouviu nitidamente uma bela e clara voz lendo em voz alta. Atraído pela curiosidade de saber quem poderia estudar tão diligentemente em um local tão solitário, ele desmontou e, entregando o cavalo para o cavalariço, subiu a encosta e se aproximou da cabana. À medida que se aproximava, sua surpresa aumentava, pois percebeu que a leitora era uma linda garota. A casa estava aberta, e ela estava sentada admirando a paisagem. Ouvindo mais atentamente, ele percebeu que lia as escrituras budistas com grande devoção. Cada vez mais curioso, ele correu na direção do pequeno portão, avançou pelo pequeno jardim e, erguendo os olhos, viu sua filha perdida, Hase-Hime. Ela estava tão concentrada na leitura, que não ouviu nem viu o pai até ele falar.

— Hase-Hime! — gritou. — É você, minha Hase-Hime!

Pega de surpresa, ela mal pôde perceber que era seu querido pai a chamá-la e, por um momento, foi totalmente privada da força de falar e se mover.

— Meu pai, meu pai! É realmente o senhor! Ah, meu pai! — Foi tudo o que ela conseguiu dizer. Correndo em sua direção, agarrou-o pela manga grossa e, enterrando o rosto, explodiu em lágrimas de alegria.

Seu pai acariciou seus cabelos escuros, pedindo-lhe gentilmente que lhe contasse tudo o que havia acontecido, mas ela apenas chorou; ele se perguntou se não estava realmente sonhando.

Então, o fiel criado Katoda saiu e, curvando-se ao chão diante de seu mestre, contou-lhe a longa sucessão de enganos e como fora ele que encontrara sua filha em um local tão selvagem e desolado com apenas dois velhos criados para cuidar dela.

O espanto e a indignação do príncipe não conheceram limites. Ele desistiu da caça imediatamente e correu para casa com sua filha. Alguém da comitiva imperial galopou à frente para informar a família da boa notícia, e a madrasta, ouvindo o que havia acontecido e temerosa de encontrar seu marido agora que sua maldade fora descoberta, fugiu de casa e voltou em desgraça para se abrigar sob o teto de seu pai, e nada mais se ouviu sobre ela.

O velho servo Katoda foi recompensado com a mais alta promoção no serviço de seu senhor e viveu feliz até o fim de seus dias, devotado à pequena princesa, que nunca se esqueceu de que devia sua vida àquele fiel criado. Ela não era mais incomodada por uma madrasta cruel, e seus dias transcorreram de maneira feliz e silenciosa ao lado de seu pai.

Como o príncipe Toyonari não tinha filhos, adotou o filho mais novo de um dos nobres da corte para ser seu herdeiro e se casar com sua filha, e em poucos anos o casamento foi celebrado. Hase-Hime viveu até idade avançada, e todos diziam que ela era a dama mais sábia, mais devota e mais bela que já reinou na antiga casa do príncipe Toyonari. Ela teve a alegria de apresentar seu filho, o futuro senhor da família, ao pai, pouco antes de ele se aposentar da vida ativa.

Até hoje, é preservada uma peça de bordado em um dos templos budistas de Quioto. É uma bela tapeçaria, com a figura de Buda bordada em fios de seda tirados do caule do lótus. Diz-se que isso foi obra das mãos da boa princesa Hase[36].

---

[36] É creditada a Hase-Hime a tecelagem do Fio de Lótus, a mandala Taima, que descreve a enorme cosmografia da Terra Pura, vertente do budismo maaiano devotos do Amitaba ou Buda Amida, ser iluminado. Diz-se que ela conseguiu esse milagre em uma única noite. Algumas versões da história dizem que ela foi auxiliada na tarefa por uma aparição do Amitaba em resposta às suas orações. A cópia original da mandala Taima, do século VIII, está no templo Taima-dera em Nara, no Japão. A mandala é considerada um dos maiores tesouros do país.

Quatro ermitões de Shozan.
Yashima Gakutei, séc. XIX.
The MET Museum.

A HISTÓRIA DO HOMEM QUE NÃO QUERIA MORRER

Há muito, muito tempo, vivia um homem chamado Sentaro. Seu sobrenome significava "Milionário", mas, embora não fosse tão rico assim, ainda estava muito longe de ser pobre. Ele herdou uma pequena fortuna de seu pai e viveu desses recursos, dispendendo seu tempo descuidadamente, sem qualquer intenção séria de trabalhar, até os trinta e dois anos de idade.

Certo dia, sem qualquer motivo aparente, foi acometido pelo pensamento de morte e doença, o que o deixou muito infeliz.

— Gostaria de viver — disse a si mesmo — até ter pelo menos quinhentos ou seiscentos anos, livre de todas as doenças. O período normal de vida de um homem é muito curto.

Ele se perguntou se seria possível, desse momento em diante, vivendo de forma simples e frugal, prolongar sua vida pelo tempo que desejasse.

Sabia que havia muitos relatos na História Antiga sobre imperadores que viveram mil anos, e havia uma princesa de Yamato que, diziam, viveu até os quinhentos anos de idade. Esta foi a última vez que se registrou uma vida tão longa.

Sentaro sempre ouvia a história do rei chinês chamado Shin-no-Shiko[37]. Ele foi um dos governantes mais hábeis e poderosos da história chinesa. O monarca construiu todos os grandes palácios, além da famosa Grande Muralha da China. Tinha tudo que poderia desejar no mundo, mas apesar de toda a

---

[37] Essa figura chinesa, naturalmente, nos leva a considerar a vida de um dos primeiros imperadores chineses, da dinastia Qin, Shi Huang Di ou Zhao Zheng (r. 221–210 a. C.). Seu reinado extraordinário foi marcado pela centralização de inúmeros reinos chineses e pela construção de grandes obras, incluindo as fortificações contra os povos das estepes ao norte e oeste. Além disso, entrou para a posteridade sua obsessão pela imortalidade. Em busca desesperada pelo elixir da vida, que supostamente permitiria que ele vivesse para sempre, foi vítima de muitos que lhe ofereciam soluções mágicas.
Certa vez, o imperador chinês visitou a ilha Zhifu três vezes para alcançar a imortalidade. Em outro caso, enviou Xu Fu, um ilhéu de Zhifu, com navios transportando centenas de rapazes e moças em busca da montanha mística de Penglai. Eles foram enviados para encontrar Anqi Sheng, um mágico de mil anos de idade que Qin Shi Huang supostamente conheceu em suas viagens e que o convidou a procurá-lo no local. Essas pessoas nunca retornaram, talvez porque soubessem que, se voltassem sem o elixir prometido, seriam executadas. As lendas chinesas afirmam que elas alcançaram o Japão e lá se estabeleceram.

felicidade, luxo e esplendor de sua corte, a sabedoria de seus conselheiros e a glória de seu reinado, era muito infeliz porque sabia que, um dia, viria a morrer e deixar tudo para trás.

Quando Shin-no-Shiko ia para a cama à noite, quando se levantava pela manhã e durante todo o dia, a ideia da morte não o abandonava. Ele não conseguia fugir daquele pensamento. "Ah! Se pudesse encontrar o 'Elixir da Vida', ficaria tão feliz."

O imperador finalmente convocou uma reunião com seus cortesãos e perguntou a todos se não poderiam encontrar para ele o "Elixir da Vida" sobre o qual tantas vezes tinha lido e ouvido a respeito.

Um velho cortesão, chamado Jofuku, disse que muito longe, do outro lado do mar, havia um país chamado Horaizan e que lá viviam certos eremitas que possuíam o segredo do "Elixir da Vida". Quem bebesse desse maravilhoso elixir viveria para sempre.

O imperador ordenou que Jofuku partisse para a terra de Horaizan, encontrasse os eremitas e trouxesse um frasco do elixir mágico. Ele deu a Jofuku uma de suas melhores embarcações, equipou-a e carregou-a com enorme quantidade de tesouros e pedras preciosas para que pudesse levar como presente aos eremitas.

Jofuku navegou para a terra de Horaizan, mas nunca retornou para o imperador que o aguardava. Desde então, o Monte Fuji é considerado não apenas o lendário Horaizan, mas também o lar dos eremitas que possuíam o segredo do elixir[38]. Jofuku, por sua vez, tem sido adorado como seu Deus Protetor.

Sentaro decidiu então sair à procura dos eremitas e, se pudesse, tornar-se um deles, a fim de obter o líquido da vida eterna. Ele se lembrou de que, quando criança, ouvira que esses eremitas não apenas viviam no Monte Fuji, mas que habitavam todos os picos mais altos.

Assim, ele deixou sua antiga casa aos cuidados de seus parentes e começou a busca. Viajou por todas as regiões montanhosas da Terra, escalando até o topo dos picos mais altos, mas nunca encontrou um eremita.

Por fim, depois de vagar por muitos dias por uma região desconhecida, encontrou um caçador.

— Poderia me dizer — perguntou Sentaro — onde vivem os eremitas que possuem o Elixir da Vida?

---

[38] Mais sobre o Monte Fuji e o Elixir da Vida no próximo conto.

— Não — disse o caçador. — Não sei dizer onde vivem esses eremitas, mas há um ladrão notório por aqui. Diz-se que ele é o chefe de um bando de duzentos seguidores.

Essa estranha resposta irritou Sentaro profundamente e o fez pensar como seria tolice perder mais tempo procurando os eremitas daquela forma. Assim, ele decidiu ir imediatamente ao santuário de Jofuku, que é adorado como o Deus Patrono dos eremitas no sul do Japão.

Sentaro chegou ao santuário e orou por sete dias, implorando a Jofuku para lhe mostrar o caminho até um eremita que pudesse lhe dar o que tanto desejava.

À meia-noite do sétimo dia, quando Sentaro se ajoelhou no templo, a porta do santuário mais íntimo se abriu, e Jofuku apareceu sobre uma nuvem luminosa, ordenando a Sentaro que se aproximasse:

— Seu desejo é muito egoísta e não pode ser concedido facilmente. Pensa em se tornar um eremita para encontrar o Elixir da Vida. Sabe como é difícil a vida de um eremita? Um eremita só pode comer frutas, bagas e a casca dos pinheiros. Um eremita deve se isolar do mundo para que seu coração se torne tão puro como o ouro e livre de todos os desejos terrenos. Gradualmente, após seguir essas regras estritas, o eremita deixa de sentir fome ou frio ou calor, e seu corpo se torna tão leve que pode montar em uma garça ou carpa, e pode andar sobre a água sem molhar os pés.

"Você, Sentaro, gosta de viver bem e com todo o conforto. Nem mesmo é um homem comum, pois é excepcionalmente ocioso e mais sensível ao calor e ao frio que a maioria das pessoas. Nunca seria capaz de andar descalço ou usar apenas um traje de tecido fino no inverno! Acredita que algum dia teria paciência ou resistência para viver uma vida de eremita? No entanto, em resposta à sua oração, vou ajudá-lo de outra maneira. Vou mandá-lo para o país da Vida Eterna, aonde a morte nunca chega, e o povo vive para sempre!"

Dizendo isso, Jofuku colocou na mão de Sentaro uma pequena garça[39] feita de papel, dizendo-lhe que se sentasse em suas costas, pois ela o levaria até lá.

Sentaro obedeceu com admiração. A garça cresceu em tamanho, de modo a permitir que ele a montasse com conforto. Em seguida, abriu as asas, ergueu-se no ar e voou sobre as montanhas, direto para o mar.

A princípio, Sentaro ficou bastante assustado, mas aos poucos se acostumou ao voo rápido. Eles avançaram por milhares de quilômetros. O pássaro

---

[39] A garça, em especial a branca, é símbolo da pureza, elegância e boa sorte, além de ter habilidade de se transportar pelos três mundos, terra, ar e água. Recomenda-se apreciar a tradicional Dança da Garça Branca (*Shirasagi-no Mai*) no Templo Sensoji ou Akasuka, em Tóquio.

nunca parava para descansar ou se alimentar, mas como era feito de papel, sem dúvida, não precisava de nenhum alimento e, por mais estranho que parecesse, Sentaro também não.

Depois de vários dias, eles chegaram a uma ilha. A garça voou um pouco mais em direção ao continente e depois pousou.

Assim que Sentaro desembarcou, a garça dobrou-se sozinha e voou para seu bolso.

Sentaro começou a olhar em volta com admiração, curioso para ver como era o país da Vida Eterna. Caminhou primeiro pelo campo e depois pela cidade. Tudo era, é claro, muito estranho e diferente de sua própria terra. Mas tanto a terra quanto o povo pareciam prósperos, então julgou que seria bom permanecer ali e alojou-se em um dos hotéis.

O proprietário era um homem gentil e, quando Sentaro lhe disse que era um estrangeiro e tinha intenção de morar ali, prometeu acertar tudo o que fosse necessário com o governador da cidade para a estadia do novo morador. Ele até encontrou uma casa para seu hóspede e, dessa forma, Sentaro realizou seu grande desejo e tornou-se residente no país da Vida Eterna.

Na memória de todos os locais, nenhum homem jamais morrera ali, onde a doença era algo desconhecido. Sacerdotes tinham vindo da Índia e da China e contado a eles sobre um belo país chamado Paraíso, onde felicidade, bem-aventurança e contentamento enchem o coração de todos os homens, mas seus portões só poderiam ser alcançados através da morte. Essa tradição foi transmitida por séculos, de geração em geração, mas o fato era que ninguém sabia exatamente o que era a morte, exceto que ela conduzia ao Paraíso.

Ao contrário de Sentaro e de outras pessoas comuns, em vez de ter um grande pavor da morte, todos eles, ricos e pobres, ansiavam por ela como algo bom e desejável. Todos estavam cansados de suas longas e intermináveis vidas e ansiavam por ir para a feliz terra de contentamento chamada Paraíso, da qual os sacerdotes lhes haviam falado séculos atrás.

Tudo isso Sentaro logo descobriu conversando com os habitantes da ilha. Ele se viu, assim lhe pareceu, na terra do *Topsyturvydom*[40]. Tudo estava de cabeça para baixo. Ele desejou escapar da morte. E, com esse objetivo, viera para a terra da Vida Eterna com grande alívio e alegria, apenas para descobrir que os próprios habitantes, condenados a nunca morrer, consideravam uma felicidade encontrar o fim da vida.

O que até então ele considerava veneno, aquelas pessoas comiam como iguaria, e tudo aquilo que estava habituado a comer, elas rejeitavam. Sempre que chegavam mercadores de outros países, os ricos corriam até eles, ansiosos para comprar veneno. Eles engoliam com avidez, esperando que a morte viesse para que pudessem chegar ao Paraíso.

Mas o que eram venenos mortais em outras terras não tinham efeito naquele lugar estranho, e as pessoas que os consumiam na esperança de morrer, descobriam que, em pouco tempo, se sentiam melhor e com saúde, em vez de pior.

Tentavam, em vão, imaginar como seria a morte. Os ricos dariam todo o seu dinheiro e todos os seus bens se pudessem abreviar suas vidas para duzentos ou trezentos anos. Sem qualquer mudança, viver para sempre parecia, àquele povo, cansativo e triste.

Nas farmácias, havia uma droga de grande demanda, porque depois de cem anos de uso acreditava-se que deixaria os cabelos ligeiramente grisalhos e provocaria distúrbios estomacais.

Sentaro ficou surpreso ao descobrir que o venenoso peixe baiacu era servido em restaurantes como um prato delicioso e que os vendedores ambulantes vendiam molhos feitos de moscas espanholas. Ele nunca viu ninguém doente depois de comer aquelas coisas horríveis, nem mesmo um resfriado acometia aquelas pessoas.

---

[40] Aqui a autora evidencia a influência da cultura britânica. Topsyturvydom foi uma opereta escrita por W. S. Gilbert, estreada em Londres em 1874, cujo título remete a uma terra utópica às avessas, algo similar a outra obra de Gilbert, "*Happy Arcadia*", de 1872, ou à obra conhecida de Jonathan Swift, *As viagens de Gulliver*.

Sentaro ficou maravilhado. Disse a si mesmo que nunca se cansaria de viver e que considerava profano desejar a morte. Ele era o único homem feliz na ilha. De sua parte, desejava viver milhares de anos e aproveitar a vida. Estabeleceu-se no mundo dos negócios e, por muito tempo, nem mesmo sonhou em retornar à sua terra natal.

Com o passar dos anos, contudo, as coisas não correram mais tão bem como no início. Experimentou grandes perdas nos negócios e, por várias vezes, teve dissabores com seus vizinhos. Isso o incomodou profundamente.

O tempo passou para ele como o voo de uma flecha, pois estava ocupado de manhã até a noite. Trezentos anos se passaram daquela maneira monótona e, finalmente, ele começou a se cansar da vida naquele país, passando a ansiar por retornar à sua terra natal, ao seu antigo lar. Não importaria o quanto vivesse ali, a vida seria sempre a mesma. Assim, perguntava-se: "Não era tolo e cansativo ficar ali para sempre?"

Sentaro, em sua ânsia de escapar do país da Vida Eterna, lembrou-se de Jofuku, que o havia ajudado quando desejou escapar da morte. Ele orou ao santo para levá-lo de volta à sua terra natal.

Assim que orou, a garça de papel saltou de seu bolso. Sentaro ficou surpreso ao ver que ela permanecera intacta depois de todos aqueles anos. Mais uma vez, o pássaro cresceu e cresceu, até ficar grande o suficiente para que o homem pudesse montá-lo. Com isso, abriu as asas e voou rapidamente através do mar em direção ao Japão.

Tal é a obstinação da natureza humana que Sentaro olhou para trás e se arrependeu de tudo o que havia deixado por lá. Tentou deter o pássaro em vão. A garça sustentou seu caminho por milhares de quilômetros através do oceano.

Então veio uma tempestade, e a maravilhosa garça de papel ficou úmida, amassada, e caiu no mar, levando Sentaro consigo. Muito assustado com a ideia de se afogar, o homem clamou em voz alta para que Jofuku o salvasse. Olhou em volta, mas não havia navio algum. Engoliu uma grande quantidade de água salgada, o que só aumentou sua situação desesperadora. Enquanto lutava para se manter à tona, viu um tubarão monstruoso nadando em sua direção. À medida que se aproximava, abria sua enorme boca, pronto para devorá-lo. Sentaro estava quase paralisado de medo, agora que sentia o fim tão próximo, e gritou o mais alto que pôde para que Jofuku viesse ao seu resgate

E eis que Sentaro foi despertado pelos próprios gritos, ao descobrir que, durante a longa oração, adormecera diante do santuário e que todas as suas extraordinárias e assustadoras aventuras haviam sido apenas um sonho estranho. Suava frio de susto e estava totalmente perplexo.

De repente, uma luz brilhante veio em sua direção, e à luz estava um mensageiro, que segurava um livro na mão.

— Fui enviado até você por Jofuku que, em resposta à sua oração, permitiu-lhe em sonho vislumbrar a terra da Vida Eterna. Mas você se cansou de viver lá e implorou para ser autorizado a retornar à sua terra natal para que pudesse morrer. Jofuku, a fim de testá-lo, permitiu que caísse no mar e enviou um tubarão para engoli-lo. Seu desejo de morte não era real, pois mesmo naquele momento você gritou e implorou por ajuda.

"Também é vão querer se tornar um eremita ou encontrar o Elixir da Vida Eterna. Essas coisas não são para você; sua vida não é suficientemente austera. É melhor voltar para a casa paterna e viver uma vida boa e laboriosa. Nunca se esqueça de guardar os aniversários de seus antepassados e honre o dever de cuidar do futuro de seus filhos. Assim, você terá uma boa velhice e será feliz, mas desistirá do vaidoso desejo de escapar da morte, pois nenhum homem é capaz disso, e a esta altura certamente já descobriu que mesmo quando os desejos egoístas são concedidos, não trazem felicidade.

"Neste livro, apresento-lhe muitos preceitos que deve conhecer. Se estudá-los, será guiado da maneira que lhe indiquei."

O anjo desapareceu assim que terminou de falar, e Sentaro levou a lição a sério. Com o livro em mãos, voltou para sua antiga casa e, desistindo de todos os antigos desejos vãos, tentou viver uma vida boa e útil e observar as lições ensinadas no livro. Dali em diante, ele e sua casa prosperaram.

O Conto do cortador de Bambu.
Descoberta da Princesa Kaguya
Século XVII. The MET Museum.

O CORTADOR DE BAMBU E A CRIANÇA DA LUA[41]

Há muito, muito tempo, vivia um velho cortador de bambu. Ele era muito pobre e muito triste, pois nenhuma criança lhe fora enviada pelos Céus para alegrar sua velhice e, em seu coração, não havia esperança de descanso do trabalho até que morresse e fosse acomodado em uma sepultura silenciosa. Todas as manhãs, ia para os bosques e colinas, onde quer que o bambu erguesse suas plumas verdes e esguias na direção do céu. Uma vez feita a seleção dos melhores espécimes, ele cortava essas penas da floresta e, dividindo-as no sentido do comprimento, ou cortando-as em juntas, levava a madeira de bambu para casa e a transformava em vários artigos úteis para venda, o que proporcionava o próprio sustento e o de sua velha esposa.

Certa manhã, como de costume, ele havia saído para trabalhar e, tendo encontrado um belo bambuzal, começou a trabalhar para cortar alguns deles. De repente, o bosque verde foi inundado por uma luz brilhante e suave, como se a lua cheia tivesse surgido sobre o local. Olhando ao redor com espanto, viu que o brilho fluía de um dos troncos de bambu. O velho, maravilhado, largou o machado e foi em direção à luz. Ao se aproximar, percebeu que aquele esplendor suave vinha de uma cavidade na haste verde do bambu e que, ainda mais

---

[41] Na literatura japonesa, o Monte Fuji guarda em si incontáveis lendas e histórias. Este conto baseou-se em uma do século X, *Taketori Monogatari*, uma das mais conhecidas sobre a imponência e atemporalidade do Monte Fuji.
Há 1200 anos, um velho cortador de bambu encontrou um bambu dourado na floresta. Ao cortá-lo, encontrou uma garotinha dentro. O pequeno bebê cresceu e se tornou a princesa Kaguya, a mais bonita do Japão. Era uma princesa vinda da Lua e, chegada a hora, teve de voltar para casa. Diz-se que o imperador do Japão recebeu o elixir da vida eterna como um presente da princesa Kaguya. No entanto, o imperador estava tão triste com a partida dela que não queria a vida eterna. Em vez disso, escondeu o elixir no topo de uma montanha, que ficou conhecida como "Montanha da Vida Eterna" ou Monte Fuji.

maravilhoso de se ver, no centro do brilho, havia um minúsculo ser humano, com apenas sete centímetros de altura e uma aparência primorosamente bela.

— Você deve ter sido enviada para ser minha filha — disse o velho —, pois a encontro aqui entre os bambus, que são meu trabalho diário.

Tomando a criaturinha nas mãos, levou-a para casa para que sua esposa a criasse. A menininha era tão linda e tão pequena que a velha a colocou em uma cesta para protegê-la da menor possibilidade de se machucar de alguma forma.

O velho casal agora estava muito feliz, pois havia sido um pesar para toda a vida não terem filhos próprios e, com alegria, eles agora dedicavam todo o amor de sua velhice àquela criança que havia chegado em suas vidas de maneira tão maravilhosa.

A partir daquele dia, ao derrubar e cortar os entalhes dos bambus, o velho passou a encontrar não apenas ouro, mas pedras preciosas, de modo que aos poucos se tornou rico. Com isso, construiu para si uma bela casa e deixou de ser conhecido como o pobre lenhador de bambu para ficar conhecido como um homem rico.

Três meses se passaram rapidamente e, durante esse período, a criança vinda do bambu se tornara, maravilhoso dizer, uma jovem adulta. Então seus pais adotivos prenderam seu cabelo e a vestiram com lindos quimonos. Ela era de uma beleza tão maravilhosa que a colocaram atrás de biombos como uma princesa e não permitiram que ninguém a visse. Parecia feita de luz, pois preenchia a casa com um brilho suave, de modo que, mesmo com a escuridão da noite, era como se fosse dia. Sua presença parecia ter uma influência benigna sobre os presentes. Sempre que o velho se sentia triste, bastava olhar para a filha adotiva para que a tristeza desaparecesse e ele ficasse tão feliz como quando era jovem.

Por fim, chegou o dia de dar um nome à filha recém-encontrada, então o casal de velhos chamou um famoso designador de nomes, que a nomeou princesa Luz-da-Lua, porque seu corpo emitia tanta luz suave e brilhante, que ela poderia ter sido uma filha do Deus da Lua.

Durante três dias, um festival foi realizado com dança e música. Todos os amigos e parentes do velho casal estiveram presentes, e foi grande a alegria das festividades realizadas em comemoração ao batismo da princesa Luz-da-Lua. Todos que a conheceram declararam que nunca haviam visto ninguém tão adorável e que todas as belezas, em toda a extensão da Terra, empalideceriam comparadas a ela. A fama da beleza da princesa se espalhou, e muitos foram os pretendentes que desejaram tomar sua mão ou mesmo simplesmente vê-la.

Pretendentes de longe e de perto postaram-se do lado de fora da casa e abriram pequenos buracos na cerca, na esperança de verem a princesa de relance enquanto ela ia de um cômodo a outro através da varanda. Eles ficaram lá dia e noite, sacrificando até o sono por uma chance de vê-la, mas tudo em vão. Então se aproximaram da casa e tentaram falar com o velho e a esposa ou com algum dos criados, mas nem isso lhes foi concedido.

Mesmo assim, apesar de toda a frustração, continuaram dia após dia, noite após noite, sem se importarem com tamanho sacrifício, tão grande era o desejo de ver a princesa.

A maioria dos homens, porém, vendo que sua busca era infrutífera, perdeu o ânimo e a esperança, e retornou para casa; todos, exceto cinco cavaleiros, cujo ardor e determinação, em vez de diminuir, pareciam aumentar ainda mais frente aos obstáculos. Esses cinco homens ficaram até mesmo sem comer, limitando-se a uma alimentação de pedaços do que quer que conseguissem, a fim de permanecerem do lado de fora da casa. Esperaram ali, mesmo sob as intempéries do clima, ao sol e à chuva.

Às vezes, escreviam cartas para a princesa, mas nenhuma resposta lhes era concedida. Então escreveram-lhe poemas sobre o amor desesperado que os impedia de dormir, comer, descansar e até mesmo retornar para casa. Mesmo assim, a princesa Luz-da-Lua não deu qualquer sinal de ter recebido seus versos.

Naquele estado desesperador, o inverno passou. A neve, a geada e os ventos frios gradualmente deram lugar ao suave calor da primavera. Então, chegou o verão, e o sol queimava escaldante no céu acima e na terra abaixo, e ainda assim aqueles fiéis cavaleiros vigiaram e esperaram. Ao final desses longos meses, eles chamaram o velho cortador de bambu e rogaram-lhe que tivesse misericórdia e lhes mostrasse a princesa, mas ele respondeu que, como não era seu verdadeiro pai, não podia insistir para que o obedecesse contra sua vontade.

Os cinco cavaleiros, ao receberem tal severa resposta, retornaram para as respectivas casas e ponderaram sobre a melhor maneira de tocar o coração da orgulhosa princesa para que lhes concedesse uma audiência. Pegaram seus rosários, ajoelharam-se diante dos santuários domésticos e queimaram incensos preciosos, orando a Buda para lhes conceder o desejo de seu coração. Vários dias se passaram, mas mesmo assim eles não conseguiram permanecer em casa.

Partiram uma vez mais rumo à casa do cortador de bambu. Desta vez, o velho saiu para vê-los, e eles pediram que os informasse se era a resolução da princesa nunca ver homem algum e imploraram que o pai lhe falasse em seus nomes, contando à princesa sobre a grandeza de seu amor e quanto tempo esperaram sob o frio do inverno e o calor do verão, sem dormir e sem se abrigar, sem comer e sem descansar, na ardente esperança de conquistá-la. Disseram ainda que estavam dispostos a considerar aquela longa vigília com prazer se ele lhes concedesse apenas uma chance de defender sua causa para a filha.

O velho ouviu com atenção às súplicas de amor, pois, no fundo do seu coração, sentia pena daqueles fiéis pretendentes e gostaria de ver sua adorável filha adotiva casada com um deles. Então procurou a princesa Luz-da-Lua:

— Embora sempre tenha me parecido um ser celestial — disse ele solenemente —, tive o trabalho de criá-la como minha própria filha, e você viveu feliz sob a proteção de meu teto. Você se recusa a atender o meu desejo?

A princesa Luz-da-Lua respondeu que não havia nada que não fizesse por ele, que o honrava e amava como seu próprio pai e que, quanto a si mesma, não conseguia se lembrar da época antes de vir à Terra.

O velho ouviu com grande alegria enquanto ela dizia aquelas palavras zelosas. Em seguida, disse à filha como estava ansioso para vê-la segura em um casamento feliz antes de morrer.

— Sou um homem velho, com mais de setenta anos de idade, e meu fim pode chegar a qualquer momento. É necessário e correto que você atenda a estes cinco pretendentes e escolha um deles.

— Ah, por que devo fazê-lo? — perguntou a princesa, angustiada. — Não tenho desejo de me casar agora.

— Eu a encontrei — respondeu o velho — muitos anos atrás, quando era uma criaturinha de sete centímetros de altura, no meio de uma grande luz branca. A luz fluiu do bambu em que estava escondida e me levou até você. Portanto, sempre pensei que fosse mais do que uma mulher mortal. Enquanto eu viver, é certo que permaneça como está, se quiser, mas um dia deixarei de estar ao seu lado e, então, quem cuidará de você? Rogo para que conheça esses cinco homens corajosos, um de cada vez, e decida se casar com um deles!

Então a princesa respondeu que tinha certeza de que não era tão bonita quanto os relatos a faziam parecer e que, mesmo que consentisse em se casar com qualquer um deles, sem que a conhecessem bem antes, o sentimento deles certamente mudaria depois de um tempo. Assim, como não tinha certeza sobre quem eram de fato, embora seu pai dissesse que eram cavaleiros dignos, ela não considerava sábio conhecê-los.

— Tudo o que diz é muito razoável — disse o velho —, mas que tipo de homem consentiria em ver? Não posso dizer que esses cinco homens que esperaram por você durante meses estejam felizes. Eles permaneceram do lado de fora desta casa durante o inverno e o verão, muitas vezes negando-se a comer e dormir na esperança de conquistá-la. O que mais pode exigir?

Então a princesa Luz-da-Lua disse que eles deveriam provar seu amor antes de ela atender a seu pedido para vê-la. Os cinco guerreiros provariam seu amor trazendo de países distantes algo que ela desejava possuir.

Naquela mesma noite, os pretendentes chegaram e começaram a tocar suas flautas alternadamente e a cantar suas canções compostas por eles mesmos, contando sobre seu grande e incansável amor. O cortador de bambu foi até eles e manifestou sua solidariedade por tudo o que haviam suportado e toda a paciência que demonstraram em nome do desejo de conquistar sua filha adotiva. Em seguida, transmitiu-lhes a mensagem da princesa de que consentiria em se casar com qualquer um que tivesse sucesso em lhe trazer o que queria. Isso seria para testá-los.

Todos os cinco aceitaram a prova, considerando-a uma excelente alternativa que evitaria a disputa entre si.

A princesa Luz-da-Lua mandou uma mensagem ao primeiro cavaleiro pedindo que lhe trouxesse a tigela de pedra que pertencera a Buda na Índia.

O segundo cavaleiro foi convidado a ir à Montanha de Horai, que se diz estar situada no Mar Oriental, e trazer-lhe um galho da árvore maravilhosa que crescia no cume. As raízes dessa árvore eram de prata, e o tronco, de ouro, e os galhos davam frutas como joias brancas.

O terceiro cavaleiro recebeu ordens de ir à China procurar o rato de fogo e trazer-lhe sua pele.

O quarto cavaleiro foi instruído a procurar pelo dragão que carregava na cabeça a pedra que irradia cinco cores e trazê-la para a princesa.

O quinto cavaleiro deveria encontrar uma andorinha específica e trazer para a princesa a concha que o pássaro carregava no estômago.

O velho considerou aquelas tarefas muito difíceis e hesitou em transmiti-las aos cavaleiros, mas a princesa não impôs outras condições. Assim, suas ordens foram repetidas, palavra por palavra, aos cinco homens que, ao ouvirem as exigências, ficaram desanimados e aborrecidos com o que lhes parecia a impossibilidade das tarefas que lhes eram confiadas e voltaram para casa em desespero.

Depois de um tempo, contudo, quando voltaram a pensar na princesa, o amor em seus corações reviveu, e eles resolveram tentar realizar os seus desejos.

O primeiro cavaleiro mandou recado para a princesa, dizendo que estava iniciando, naquele dia, a busca pela tigela de Buda e que esperava em breve trazê-la. Mas ele não teve coragem de ir até a Índia, pois naquela época viajar era algo muito difícil e repleto de perigos, então foi a um dos templos de Quioto e pegou uma tigela de pedra do altar, pagando ao sacerdote uma grande soma de dinheiro por ela. Ele a embrulhou em um pano de ouro e, esperando em silêncio por três anos, voltou e levou-a para o velho.

A princesa Luz-da-Lua se perguntou se o cavaleiro deveria ter retornado tão cedo. Tirou a tigela de seu invólucro dourado, esperando que iluminasse o ambiente, mas o objeto não brilhou absolutamente, então ela teve a certeza de que era falsa, não a verdadeira tigela de Buda. Ela a devolveu imediatamente e se recusou a vê-lo. O cavaleiro jogou a tigela fora e voltou para casa em desespero, desistindo de todas as esperanças de um dia conquistar a princesa.

O segundo cavaleiro disse a seus pais que precisava mudar de ares para cuidar da saúde, pois tinha vergonha de lhes dizer que o amor pela princesa

Luz-da-Lua era a verdadeira causa de sua partida. Ele, então, deixou sua casa, ao mesmo tempo que mandou dizer à princesa que estava partindo para o Monte Horai na esperança de conseguir um galho da árvore de ouro e prata que ela tanto desejava. Permitiu que seus servos o acompanhassem apenas até a metade do caminho e depois ordenou que retornassem. Chegando à praia, embarcou em um pequeno navio e, depois de navegar por três dias, desembarcou e contratou vários carpinteiros para construir uma casa planejada de forma que ninguém pudesse ter acesso a ela. Em seguida, reuniu-se com seis joalheiros habilidosos e esforçou-se para fazer um ramo de ouro e prata que julgava satisfazer à princesa por ter vindo da maravilhosa árvore que crescia no Monte Horai. Todos a quem ele perguntou declararam que o Monte Horai pertencia à terra da fantasia, não existindo de verdade.

Quando o galho ficou pronto, ele voltou para casa e tentou se passar por cansado e degastado pela viagem. Colocou o galho com joias em uma caixa de laca e levou-o para o cortador de bambu, implorando que o apresentasse à princesa.

O velho se iludiu com a aparência suja e cansada do cavaleiro e pensou que ele acabara de retornar de uma longa jornada com o galho. Assim, tentou persuadir a princesa a consentir em ver o homem. Mas ela permaneceu em silêncio e parecia muito triste. O velho começou a tirar o galho e elogiou-o como um tesouro maravilhoso que não se encontra em parte alguma da Terra. Em seguida, falou-lhe sobre o cavaleiro, como era bonito e corajoso por ter empreendido uma viagem a um lugar tão remoto como o Monte Horai.

A princesa Luz-da-Lua pegou o galho na mão e examinou-o com atenção. Disse a seu pai adotivo que sabia que era impossível para o homem obter um galho da árvore de ouro e prata que crescia no Monte Horai com tanta rapidez ou facilidade e lamentava dizer que acreditava ser falso.

O velho foi até o ansioso cavaleiro, que agora se aproximara da casa, e perguntou onde ele havia encontrado o galho. O homem não teve escrúpulos em inventar uma longa história.

— Há dois anos, embarquei com uma tripulação em um navio e parti em busca do Monte Horai[42]. Depois de um tempo, chegamos ao mar do Extremo Oriente. Então, surgiu uma grande tempestade que sacudiu a embarcação por muitos dias e, sem poder contar com a bússola, finalmente desembarcamos

---

[42] Na literatura chinesa, conhecida como Monte Penglai, supostamente localizada no Mar de Bohai, de acordo com o "Clássico de montanhas e mares" (*Shan Hai Jing*). O mesmo monte almejado pelo imperador chinês Qin Shi Huang Di pela sua imortalidade.

em uma ilha desconhecida. Lá encontramos um lugar habitado por demônios que ameaçaram me matar e devorar. No entanto, consegui fazer amizade com aquelas criaturas horríveis, e elas ajudaram a mim e aos meus marinheiros a consertar o barco, permitindo que zarpássemos novamente. Nossa comida acabou, e sofremos com muitas doenças a bordo. Por fim, no quinquagésimo dia a partir do dia da partida, vi ao longe, no horizonte, o que parecia o pico de uma montanha. Aproximando-me, o local provou ser uma ilha, no centro da qual se erguia uma alta montanha. Atraquei e, depois de vagar por dois ou três dias, vi um ser brilhante se aproximando em minha direção na praia, segurando nas mãos uma tigela de ouro. Fui até ele e perguntei se tinha, por acaso, encontrado a ilha do Monte Horai, ao que ele respondeu: "Sim, este é o Monte Horai!"

"Com muita dificuldade, subi ao cume, onde encontrei a árvore dourada crescendo com raízes prateadas no solo. As maravilhas daquela terra estranha são muitas, e, se começasse a lhe contar sobre elas, nunca poderia parar. Apesar do meu desejo de lá permanecer por muito tempo, ao quebrar o galho, corri de volta. Mesmo com toda rapidez, demorei quatrocentos dias para voltar, e, como pode ver, minhas roupas ainda estão úmidas em virtude da exposição à longa viagem por mar. Não esperei para mudar de roupa, tal era minha ansiedade em trazer o galho para a princesa rapidamente."

Naquele exato momento, os seis joalheiros, que haviam trabalhado na confecção do ramo, mas ainda não haviam sido devidamente pagos pelo cavaleiro, chegaram à casa e enviaram uma petição à princesa para que fossem pagos por seu trabalho. Eles disseram que haviam trabalhado por mais de mil dias confeccionando o ramo de ouro, com seus galhos de prata e suas frutas adornadas com joias, que agora lhe era oferecido pelo cavaleiro, mas que ainda não haviam recebido nada em pagamento. Assim, a mentira do homem foi descoberta, e a princesa, feliz por ter escapado de mais um pretendente importuno, ficou muito satisfeita em devolver-lhe o ramo. Ela chamou os trabalhadores e fez com que fossem generosamente pagos, e eles foram embora felizes. Mas, no caminho de volta para casa, foram surpreendidos pelo homem desapontado, que os espancou quase até a morte por terem revelado seu segredo; eles escaparam por pouco com vida. O cavaleiro voltou para casa, furioso em seu coração, e, no desespero por jamais conquistar a princesa, desistiu do convívio em sociedade e retirou-se para uma vida solitária nas montanhas.

Como o terceiro cavaleiro tinha um amigo na China, escreveu-lhe pedindo a pele do rato de fogo, que tinha a propriedade de jamais ser danificada pelo fogo. Ele prometeu ao amigo qualquer quantia de dinheiro que solicitasse em troca do artigo desejado. Assim que chegou a notícia de que o navio em que seu amigo voltava para casa atracara no porto, ele cavalgou por sete dias para recebê-lo. Entregou ao amigo uma grande soma em dinheiro e recebeu a pele do rato de fogo. Quando chegou em casa, guardou-a cuidadosamente em uma caixa e mandou-a para a princesa enquanto aguardava por sua resposta do lado de fora.

O cortador de bambu pegou a caixa do cavaleiro e, como de costume, levou-a para a filha, tentando persuadi-la a vê-lo imediatamente. Mas a princesa Luz-da-Lua se recusou, dizendo que deveria primeiro colocar a pele à prova, submetendo-a à ação do fogo. Se fosse verdadeira, não queimaria. Assim, ela removeu a embalagem de crepe, abriu a caixa e, então, jogou a peça no fogo. A pele estalou e queimou no mesmo instante, então a princesa soube que o terceiro cavaleiro também falhara ao não cumprir sua palavra.

O quarto cavaleiro não era mais empreendedor do que os outros. Em vez de iniciar a busca pela joia radiante de cinco cores que o dragão carregava na cabeça, chamou todos os seus servos e ordenou-lhes que procurassem-na por todo o Japão e toda a China, e proibiu estritamente qualquer um deles de retornar até que a tivessem encontrado.

Seus numerosos servos partiram em direções diferentes, sem nenhuma intenção, porém, de obedecer ao que consideravam uma ordem impossível de ser cumprida. Simplesmente tiraram férias, foram juntos para lugares agradáveis no campo e reclamaram da irracionalidade de seu mestre.

Enquanto isso, o cavaleiro, pensando que seus lacaios não poderiam deixar de encontrar a joia, dirigiu-se à sua casa e preparou-a lindamente para recepcionar a princesa, pois tinha certeza de que a conquistaria.

Um ano se passou em uma espera cansativa sem que seus homens retornassem com a joia do dragão. O cavaleiro ficou desesperado, não podia esperar mais. Então, levando consigo apenas dois homens, alugou um navio e ordenou ao capitão que fosse em busca do dragão. O capitão e os marinheiros se recusaram a empreender o que consideraram uma busca absurda, mas o cavaleiro os obrigou finalmente a embarcar.

Há apenas alguns dias da partida, viram-se em meio a uma grande tempestade que durou tanto tempo que, reduzida sua fúria, o cavaleiro decidiu desistir da caça ao dragão. Por fim, foram lançados em terra, pois a navegação era primitiva naquela época. Esgotado pelas viagens e pela ansiedade, o quarto pretendente entregou-se ao descanso. Pegou um resfriado muito forte e teve de ficar de cama, com o rosto inchado.

O governador do lugar, sabendo de sua situação, enviou mensageiros com uma carta convidando-o para sua casa. Enquanto pensava em todas as dificuldades pelas quais passara, seu amor pela princesa transformou-se em raiva, e ele a culpou por tudo de ruim que lhe havia acontecido. Pensou que era bastante provável que ela desejasse matá-lo para que pudesse se livrar dele e, para realizar seu desejo, enviou-o naquela busca impossível.

Naquele momento, todos os servos que enviara para encontrar a joia vieram vê-lo e ficaram surpresos ao encontrar elogios em vez de descontentamento os aguardando. O patrão lhes disse que estava farto de aventuras e que nunca mais tinha a intenção de voltar a se aproximar da casa da princesa.

Como todos os outros, o quinto cavaleiro falhou em sua busca, já que não conseguiu encontrar a concha da andorinha.

Àquela altura, a fama da beleza da princesa Luz-da-Lua havia chegado ao conhecimento do imperador, que enviou uma das damas da corte para ver se a jovem era realmente tão linda quanto diziam. Se fosse o caso, ele a convocaria ao palácio e a tornaria uma das damas de companhia.

Quando a dama da corte chegou, apesar das súplicas de seu pai, a princesa Luz-da-Lua se recusou a vê-la. A mensageira imperial insistiu, dizendo que era ordem do imperador. A princesa então disse ao velho que, se fosse forçada a ir ao palácio em obediência à ordem do imperador, desapareceria da Terra.

Quando o imperador foi informado da persistente recusa da princesa a obedecer à sua convocação e que, se pressionada, desapareceria por completo, decidiu visitá-la pessoalmente. Assim, ele planejou fazer uma excursão de caça nas proximidades da casa do cortador de bambu para ver a princesa. Ele enviou uma mensagem ao velho sobre sua intenção e recebeu o consentimento para colocar o plano em prática. No dia seguinte, o imperador partiu com sua comitiva, mas logo cavalgou bem à frente de todos. Encontrou a casa do cortador de bambu e desceu do cavalo. Em seguida, entrou na casa e foi direto aonde a princesa estava sentada com suas criadas.

Ele nunca tinha visto alguém tão maravilhosamente bela e não conseguia deixar de admirá-la, pois ela era mais adorável que qualquer ser humano e resplandecia no próprio suave esplendor. Quando a princesa Luz-da-Lua percebeu que um estranho olhava para ela, tentou escapar da sala, mas o imperador a segurou e implorou que ouvisse o que tinha a lhe dizer. Sua única resposta foi esconder o rosto com as mangas de seu traje.

O imperador se apaixonou profundamente por ela e implorou-lhe que fosse à corte, onde lhe daria um cargo de honra e tudo o que pudesse desejar.

Ele estava prestes a mandar chamar um dos palanquins imperiais para levá-la de volta imediatamente, dizendo que sua graça e beleza deveriam adornar a corte, em vez de estarem escondidas na casa de um cortador de bambu.

Mas a princesa o deteve dizendo que, se fosse forçada a ir ao palácio, se tornaria imediatamente uma sombra e, enquanto falava, começou a perder sua forma. Sua figura desapareceu da vista do imperador enquanto ele a olhava.

O imperador então prometeu deixá-la livre se ela retomasse sua forma anterior, o que ela consentiu.

Chegou o momento de retornar; sua comitiva já se perguntava o que teria acontecido ao seu mestre real quando perceberam sua ausência prolongada. Assim, ele se despediu e deixou a casa com o coração entristecido. A princesa Luz-da-Lua era para ele a mulher mais bonita do mundo, todas as outras ficavam obscurecidas ao seu lado, e ele pensava nela dia e noite. Sua Majestade agora passava muito tempo escrevendo e enviando poemas sobre seu amor e devoção a ela. Embora a princesa se recusasse a vê-lo novamente, respondia com muitos versos de sua própria composição, dizendo-lhe gentilmente que nunca poderia se casar com ninguém da Terra. Essas pequenas canções sempre lhe davam muito prazer.

Naquela época, seus pais adotivos notaram que, noite após noite, a princesa se sentava na varanda e olhava por horas para a Lua, com um espírito de profundo abatimento que sempre terminava em uma explosão de lágrimas. Certa noite, o velho a encontrou chorando, como se seu coração estivesse partido, e implorou que lhe contasse o motivo de sua tristeza.

Com muitas lágrimas, ela lhe contou que estava certo ao supor que ela não pertencia àquele mundo, que viera, de fato, da Lua e que seu tempo na Terra logo findaria. No décimo quinto dia daquele mesmo mês de agosto, seus amigos da Lua viriam buscá-la, e ela teria de retornar. Seus pais estavam lá, mas, tendo passado uma vida inteira na Terra, ela os esquecera e também o mundo lunar ao qual pertencia. Disse que chorava ao pensar em deixar seus amáveis pais adotivos e a casa onde fora feliz por tanto tempo.

Quando os criados ouviram aquilo, ficaram muito tristes e não conseguiam comer nem beber de tristeza com a perspectiva de que a princesa os deixaria em breve.

Assim que soube da notícia, o imperador enviou mensageiros à casa do cortador de bambu para saber se a notícia era verdadeira, e o velho saiu ao encontro dos mensageiros imperiais.

Os últimos dias de tristeza afetaram o pai da princesa, que envelhecera muito e aparentava ter muito mais que seus setenta anos. Chorando amargamente, disse-lhes que o relato era verdadeiro, mas que pretendia fazer prisioneiros os enviados da Lua e tudo o mais que pudesse para impedir que a princesa fosse levada de volta.

Os homens voltaram e contaram a Sua Majestade tudo o que havia acontecido. No décimo quinto dia daquele mês, o imperador enviou uma guarda de dois mil guerreiros para vigiar a casa. Mil posicionaram-se no telhado, outros mil vigiaram todas as entradas da casa. Todos eram guerreiros bem treinados, munidos de arco e flechas. O cortador de bambu e sua esposa esconderam a princesa Luz-da-Lua em uma sala interna.

O velho deu ordens para que ninguém dormisse naquela noite, todos na casa deviam manter-se em vigilância estrita e estar prontos para proteger a princesa. Com tais precauções e a ajuda da guarda do imperador, ele esperava resistir aos mensageiros da Lua, mas a princesa lhe disse que todas essas medidas para mantê-la seriam inúteis e que, quando seu povo viesse buscá-la, nada poderia impedi-los de cumprir seu propósito. Mesmo os homens do imperador seriam impotentes. Em seguida, ela acrescentou, em meio a lágrimas, que estava muito, muito triste por deixar a ele e à sua esposa, a quem havia aprendido a amar como seus pais, e que, se pudesse fazer o que desejasse, ficaria com eles na velhice e tentaria, de alguma forma, retribuir-lhes por todo o amor e bondade que lhe dedicaram durante toda a sua vida terrestre.

E a noite foi passando! A lua cheia e amarela ergueu-se bem alto nos céus, inundando o mundo adormecido com sua luz dourada. O silêncio reinou sobre as florestas de pinheiros e bambus e sobre o telhado onde os mil guardas esperavam.

Então a noite tornou-se mais cinzenta com a proximidade do amanhecer, e todos esperaram que o perigo houvesse passado e que a princesa Luz-da-Lua não tivesse de deixá-los, afinal. De repente, os observadores viram uma nuvem se formar ao redor da Lua e, enquanto olhavam, a nuvem começou a baixar em direção à Terra. Ela se aproximava cada vez mais, e todos viam com desânimo que seu curso se dirigia para a casa.

Em pouco tempo, o céu ficou totalmente obscurecido, até que finalmente a nuvem cobriu a casa, pairando a apenas três metros do solo. No meio da nuvem, havia uma carruagem voadora e, na carruagem, um grupo de seres luminosos. Um deles, que tinha a aparência de um rei e parecia o chefe do grupo, saiu da carruagem e, flutuando no ar, pediu ao velho que saísse.

— É chegada a hora — disse ele — de a princesa Luz-da-Lua retornar à Lua, de onde veio. Ela cometeu uma falta grave e, como punição, foi enviada para viver aqui por um tempo. Sabemos que cuidou muito bem dela, e o recompensamos por isso enviando-lhe riqueza e prosperidade. Colocamos ouro nos bambus para que o encontrasse.

— Criei essa princesa por vinte anos, e ela nunca fez nada de errado, portanto a jovem que procura não pode ser essa — disse o velho. — Rogo para que procure em outro lugar.

— Princesa Luz-da-Lua — chamou o mensageiro em voz alta —, saia desta humilde morada. Não permaneça aqui nem mais um instante.

Àquelas palavras, as janelas do quarto da princesa se abriram sozinhas, revelando a jovem que brilhava no próprio esplendor, radiante, maravilhosa e repleta de beleza.

O mensageiro a conduziu e a acomodou na carruagem. Ela olhou para trás e viu, com pena, a profunda tristeza do velho. Dirigiu-lhe muitas palavras de consolo e disse-lhe que não era sua vontade deixá-lo e pediu para que ele sempre se lembrasse dela ao olhar para a Lua.

O cortador de bambu implorou para acompanhá-la, mas isso não lhe foi permitido. A princesa tirou sua vestimenta externa bordada e entregou-lhe como uma lembrança.

Um dos seres lunares na carruagem segurava um maravilhoso manto de asas, outro tinha um frasco cheio com o Elixir da Vida, que foi dado para a princesa beber. Ela sorveu um pouco e quis dar o resto ao velho, mas foi impedida.

Quando o manto de asas estava prestes a ser colocado em seus ombros, ela disse:

— Espere um pouco. Não devo esquecer meu bom amigo, o imperador. Devo lhe escrever mais uma vez para dizer adeus enquanto ainda guardo a forma humana.

Apesar da impaciência dos mensageiros e cocheiros, ela os fez esperar enquanto escrevia. Juntou o frasco do Elixir da Vida à carta e, dando-os ao velho, pediu-lhe que os entregasse ao imperador.

Então a carruagem começou a subir ao céu em direção à Lua. Enquanto todos olhavam com os olhos marejados para a princesa que se afastava, o amanhecer rompeu, e, sob a luz rosada do dia, a carruagem lunar e tudo em seu interior se perderam entre as nuvens que agora flutuavam pelo céu, nas asas do vento matinal.

A carta da princesa Luz-da-Lua foi levada ao palácio. Sua Majestade teve medo de tocar no Elixir da Vida, então o enviou com a carta para o topo da montanha mais sagrada da Terra, o Monte Fuji. Lá os emissários reais o queimaram no cume ao nascer do sol. Portanto, até hoje as pessoas dizem que se pode ver fumaça subindo do topo do Monte Fuji até as nuvens.[43]

---

[43] Para aqueles interessados nas versões desse belo conto, recomenda-se a animação produzida pelo Estúdio Ghibli, *O conto da princesa Kaguya*, lançado em 2013.

Matsuyama no Kojo Karumo 松山の孝女刈摸.
Utagawa Kuniyoshi, 1842/43.
British Museum.

O ESPELHO DE MATSUYAMA
UMA HISTÓRIA DO JAPÃO ANTIGO

Há muitos anos, no Japão Antigo, na província de Echigo, uma parte muito remota até hoje, vivia um homem e sua esposa. No momento em que essa história começa, eles já estavam casados havia alguns anos e tinham sido abençoados com uma filha pequena. Ela era a alegria e o orgulho de suas vidas e nela guardavam uma fonte inesgotável de felicidade para a velhice.

Que dias gloriosos, escritos em letras douradas em sua memória, foram aqueles que marcaram seu crescimento desde a infância. A visita ao templo quando ela tinha apenas trinta dias de vida, sua mãe orgulhosa carregando-a, vestida com um quimono cerimonial, para ser colocada sob a proteção do deus de devoção da família. Depois, seu primeiro festival de bonecas, quando seus pais lhe deram um conjunto de bonecas e seus pertences em miniatura, que receberiam novas peças ano após ano e, talvez a ocasião mais importante de todas, em seu terceiro aniversário, quando seu primeiro *OBI* (faixa larga de brocado) de cor escarlate e ouro foi amarrado em volta de sua fina cintura, um sinal de que havia cruzado o limiar da infância, deixando-a para trás. Quando ela tinha sete anos de idade, já tendo aprendido a falar e a servir daquelas várias pequenas maneiras tão queridas aos pais amorosos, sua taça de felicidade parecia repleta. Não se encontrava em toda a Ilha Imperial uma pequena família mais feliz.

Certo dia, houve grande agitação na casa, pois o pai fora repentinamente chamado à capital a negócios. Naqueles dias de ferrovias, riquixás e outros modos rápidos de viajar, era difícil conceber o que significava uma viagem como a de Matsuyama a Quioto. As estradas eram acidentadas e ruins, e as pessoas comuns tinham de percorrer o caminho a pé, a distância sendo de uma centena ou de várias centenas de quilômetros. Na verdade, naquela época, ir à capital era uma tarefa tão grande quanto um japonês fazer uma viagem para a Europa atualmente.

Portanto, a esposa estava muito ansiosa enquanto ajudava o marido a se preparar para a longa jornada, sabendo da árdua tarefa que o aguardava. Em vão, desejou poder acompanhá-lo, mas a distância era grande demais para mãe e filha percorrerem e, além disso, era dever da esposa cuidar do lar.

Tudo estava finalmente pronto, e o marido estava na varanda, rodeado pela pequena família.

— Não fique ansiosa, voltarei logo — disse o homem. — Enquanto estiver fora, cuide de tudo, principalmente de nossa filhinha.

— Sim, ficaremos bem, mas deve se cuidar e não demorar um dia além do necessário para retornar para junto de nós — disse a esposa, enquanto as lágrimas caíam como chuva de seus olhos.

A menina foi a única a sorrir, pois ignorava a tristeza da separação e não sabia que ir à capital era diferente de caminhar até a próxima aldeia, o que seu pai fazia com frequência. Ela correu para junto dele e agarrou sua manga comprida para segurá-lo por um momento.

— Pai, vou me comportar muito bem enquanto aguardo seu retorno, então, por favor, traga-me um presente.

Quando o pai se virou para dar uma última olhada em sua esposa chorosa e na criança sorridente e ansiosa, sentiu como se alguém o estivesse puxando pelos cabelos, tão difícil foi deixá-las para trás, pois eles nunca haviam se separado. Mas ele sabia que precisava ir, pois o chamado era imperativo. Com grande esforço, parou de pensar e, decididamente, afastando-se, desceu apressado pelo pequeno jardim e atravessou o portão. Sua esposa, pegando a criança nos braços, correu até o portão e observou-o enquanto ele descia a estrada entre os pinheiros até se perder na névoa ao longe. Só o que ela pôde ver foi seu singular chapéu pontudo, até que isso também desapareceu.

— Agora que papai se foi, devemos cuidar de tudo até ele voltar — disse a mãe, enquanto entrava em casa.

— Sim, vou me comportar muito bem — disse a criança, acenando com a cabeça —, e quando papai chegar em casa, diga-lhe como fui obediente e, assim, talvez ele me dê um presente.

— Papai certamente trará algo que você deseja muito. Eu sei, pois pedi a ele que lhe trouxesse uma boneca. Deve pensar em papai todos os dias e orar por uma jornada segura até que ele volte.

— Ah, sim, quando ele voltar para casa, ficarei muito feliz — disse a criança, batendo palmas, com o rosto brilhando de alegria àquela expectativa. Pareceu à mãe, ao olhar para o rosto da filha, que seu amor por ela se tornava cada vez mais profundo.

Então ela começou a trabalhar para criar as roupas de inverno para os três. Montou sua roda de fiar de madeira simples e girou o fio antes de começar a tecer as vestimentas. Nos intervalos de seu trabalho, conduzia as brincadeiras da menina e a ensinava a ler as velhas histórias de seu país. Assim, a esposa encontrou consolo no trabalho durante os dias solitários de ausência do marido. Enquanto o tempo passava rapidamente na casa silenciosa, o marido concluiu seus negócios e retornou.

Teria sido difícil, para qualquer pessoa que não conhecesse bem o homem, reconhecê-lo. Ele viajara por dias, exposto a todos os tipos de climas por cerca de um mês, e fora queimado pelo sol até o bronze, mas sua querida esposa e filha o reconheceram e voaram para encontrá-lo, cada uma agarrando uma de suas mangas em saudação ansiosa. Tanto o homem quanto sua esposa se alegraram por se encontrarem bem. Pareceu muito tempo para todos, até que a mãe, com o auxílio da criança, desamarrou as sandálias de palha, retirou o grande chapéu em formato de guarda-chuva e percebeu que ele estava novamente no meio delas, na velha e familiar sala de estar que estivera tão vazia durante o tempo em que ficara fora.

Assim que se sentaram nas esteiras brancas, o pai abriu uma cesta de bambu que trouxera consigo, tirou uma linda boneca e uma caixa de laca repleta de bolos.

— Eis aqui — disse ele à menina — um presente para você. É um prêmio por cuidar tão bem de sua mãe e da casa enquanto estive fora.

A criança agradeceu enquanto abaixava a cabeça em direção ao chão e estendia a mão como uma folha de bordo, com seus dedos ansiosos para pegar a boneca e a caixa, ambas vindas da capital, os presentes mais bonitos que já vira. Nenhuma palavra pode descrever o quão encantada estava a menina. Seu rosto parecia se derreter de alegria; não tinha olhos nem pensamentos para mais nada.

De novo, o marido debruçou-se sobre a cesta e, desta vez, tirou uma caixa quadrada de madeira, cuidadosamente amarrada com um barbante vermelho e branco.

— E isto é para você — disse ele entregando o objeto à esposa.

A mulher pegou a caixa e, abrindo-a com cuidado, tirou um disco de metal com uma alça presa a ele. Um lado era brilhante e reluzente como cristal, o outro estava coberto com figuras em relevo de pinheiros e cegonhas, que haviam sido esculpidas em sua superfície lisa, reproduzindo a realidade da natureza. Nunca tinha visto tal coisa em sua vida, pois nascera e fora criada na província rural de Echigo. Ela olhou para o disco brilhante e, voltando o olhar para cima com surpresa e admiração, enxergando o próprio rosto retratado, disse:

— Vejo alguém olhando para mim nesta coisa redonda! O que é isto que me deu?

— Ora, é o seu próprio rosto que vê nele — respondeu o marido, rindo. — O que lhe trouxe é chamado de espelho, e quem quer que olhe em sua superfície clara pode ver a própria imagem refletida. Embora não haja nenhum igual a esse por estas bandas, eles têm sido usados na capital desde os tempos mais antigos. Lá o espelho é considerado um requisito básico para uma mulher. Há um antigo provérbio que diz: "Assim como a espada é a alma de um samurai, o espelho é a alma de uma mulher" e, de acordo com a tradição popular, o espelho de uma mulher é um indicador de seu próprio coração: se ela o mantiver limpo e claro, seu coração será puro e bom. É também um dos tesouros que formam a insígnia do imperador. Portanto, deve dar muita importância ao seu espelho e usá-lo com cuidado.

A esposa ouviu tudo o que o marido lhe dizia e ficou satisfeita ao saber de tantas coisas novas. Ela ficou ainda mais satisfeita com o precioso presente, símbolo de lembrança do marido enquanto estivera fora.

— Se o espelho representa minha alma, é certo que o guardarei como um bem valioso e nunca o usarei descuidadamente.

Dizendo isso, ela o ergueu até a altura da testa, em agradecimento pelo presente, e então o colocou em uma caixa e o guardou.

A esposa viu que o marido estava muito cansado e começou a servir a refeição da noite, deixando tudo o mais confortável possível. Parecia, à pequena família, que nunca conhecera a verdadeira felicidade, tão felizes estavam por se reunirem, e, naquela noite, o pai teve muito a contar sobre sua viagem e tudo o que vira na grande capital.

O tempo passou naquele lar tranquilo, e os pais viram suas maiores esperanças realizadas quando sua filha cresceu e se tornou uma linda garota de dezesseis anos. Assim como uma joia de valor inestimável é mantida nas mãos de seu orgulhoso proprietário, eles a criaram com amor e cuidado incessantes, e agora suas dores eram mais que duplamente recompensadas. Que consolo a jovem era para a mãe enquanto andava pela casa tomando parte nas tarefas domésticas, e como o pai ficava orgulhoso dela, pois o lembrava diariamente de sua mãe quando ambos se casaram.

Mas, infelizmente, neste mundo nada dura para sempre. Mesmo a Lua nem sempre guarda um formato perfeito e perde sua redondeza com o tempo, assim como as flores desabrocham e depois murcham. Por fim, a felicidade daquela família foi interrompida por uma grande tristeza. A boa e gentil esposa e mãe um dia adoeceu.

Nos primeiros dias de sua doença, pai e filha pensaram se tratar apenas de um resfriado, então não ficaram muito preocupados. Mas os dias foram passando, e a mãe não melhorava, pelo contrário, só piorava, e o médico estava perplexo, pois, apesar de todos os seus esforços, a pobre mulher ficava mais fraca a cada dia. Pai e filha foram tomados de profunda tristeza e, dia e noite, a menina nunca se afastava da mãe. Mas, apesar de todos os seus esforços, a vida da mulher não seria salva.

Certa vez, enquanto a menina estava sentada perto da cama da mãe, tentando esconder com um sorriso alegre o problema que atormentava seu coração, a mãe se levantou e, pegando a mão da filha, olhou séria e amorosamente em seus olhos. Sua respiração estava difícil, e ela falava com dificuldade:

— Minha filha, tenho certeza de que nada pode me salvar agora. Quando eu morrer, prometa-me que cuidará de seu querido pai e tentará ser uma mulher boa e obediente.

— Oh, mãe — disse a menina enquanto as lágrimas escorriam de seus olhos —, não deve dizer essas coisas. Tudo o que precisa fazer é se apressar em ficar boa, isso trará a maior felicidade para mim e meu pai.

— Sim, eu sei, e é um conforto para mim, em meus últimos dias, saber o quanto você anseia que eu melhore, mas não é para ser. Não fique tão triste, pois foi assim determinado em minha existência anterior, que eu deveria morrer, nesta vida, neste momento. Sabendo disso, estou bastante resignada ao meu destino e agora tenho algo para lhe dar para que se lembre de mim quando eu partir.

Estendendo a mão, ela tirou da lateral do travesseiro uma caixa quadrada de madeira amarrada com um cordão de seda e borlas. Desfazendo o laço com muito cuidado, ela tirou da caixa o espelho que seu marido lhe dera anos antes.

— Quando você era criança, seu pai foi até a capital e me trouxe de presente este tesouro chamado espelho[44], e eu o dou a você antes de morrer. Se, após a minha partida para outra vida, você se sentir sozinha e desejar me ver, pegue este espelho; na superfície clara e brilhante, você sempre me verá. Assim, será capaz de se encontrar comigo frequentemente e me dizer tudo

---

[44] A ideia de que um espelho pode roubar ou reter a alma de uma pessoa é uma crença comum em muitas culturas. Normalmente, as histórias não acabam bem. Neste curioso conto, a mãe está aparentemente perdida para os poderes do espelho. No entanto, o evento é revertido como uma expressão de amor que uma filha pode ter por sua mãe. A ideia da mãe vivendo no espelho é uma fonte de conforto para a menina.

o que passa em seu coração e, embora não deva ser capaz de lhe responder, compreenderei tudo, aconteça o que acontecer com você no futuro.

Com essas palavras, a moribunda entregou o espelho à filha.

Em seguida, a mente da boa mãe parecia em repouso e, sem dizer nem mais uma palavra, seu espírito partiu silenciosamente naquele dia.

Pai e filha, enlutados, ficaram enlouquecidos pela dor e se entregaram a uma amarga tristeza. Achavam impossível se despedir da amada esposa e mãe que, até agora, ocupava toda a sua vida e entregar o corpo à terra. Mas aquela explosão frenética de dor por fim passou, eles retomaram posse dos próprios corações e, embora esmagados pela dor, conformaram-se resignados. Apesar disso, a vida da filha parecia-lhe desolada. Seu amor pela mãe morta não diminuía com o tempo, e tão viva permanecia sua lembrança que tudo na rotina, mesmo o cair da chuva e o sopro do vento, a fazia lembrar da morte da mãe e de tudo o que elas haviam amado e compartilhado juntas. Certo dia, quando o pai estava fora e ela cumpria seus deveres domésticos sozinha, a solidão e a tristeza pareciam maiores que podia suportar. Foi então para o quarto da mãe e chorou como se o coração fosse se partir. Pobre criança! Ela ansiava apenas por um vislumbre do rosto amado, o som da voz chamando-a por seu apelido ou um momento de esquecimento do vazio dolorido no coração. De repente, ela se sentou. As últimas palavras da mãe ecoaram na memória, até então entorpecida pela dor.

— Ah! Minha mãe me disse, ao me dar o espelho como um presente de despedida, que sempre que olhasse para ele deveria ser capaz de encontrá-la. Quase tinha me esquecido de suas últimas palavras, como sou estúpida! Pegarei o espelho agora mesmo e verei se é verdade!

Ela enxugou as lágrimas rapidamente e, indo até o armário, tirou a caixa que continha o espelho, o coração batendo com expectativa quando ergueu o espelho e olhou para a superfície lisa. Eis que as palavras da mãe eram verdadeiras! No espelho redondo à sua frente, viu o rosto dela, mas, ah, que surpresa alegre! Não era a imagem da mãe magra e debilitada pela doença, mas de uma jovem e bela mulher, como se lembrava dela muito tempo atrás, nos dias de sua primeira infância. Pareceu à garota que o rosto no espelho logo falaria, quase podia ouvir a voz da mãe dizendo-lhe novamente para crescer como uma boa mulher e uma filha obediente. Com muita sinceridade, os olhos no espelho se voltaram para ela.

— Certamente é a alma de minha mãe que vejo. Ela sabe como me sinto miserável sem sua presença e veio me consolar. Sempre que desejar vê-la, ela me encontrará aqui, como devo ser grata!

E, a partir daquele momento, o peso da tristeza foi grandemente aliviado para seu jovem coração. Todas as manhãs, a fim de reunir forças para os deveres do dia que tinha pela frente, e todas as noites, para consolo antes de se deitar para descansar, a jovem pegava o espelho e contemplava o reflexo que, na simplicidade de seu coração inocente, acreditava ser a alma da mãe. Diariamente ela crescia na semelhança do caráter da falecida mãe, era boa e gentil com todos, além de uma filha obediente para seu pai.

Passou-se assim um ano de luto na pequena casa quando, a conselho de seus parentes, o homem se casou novamente, e a filha se encontrou sob a autoridade de uma madrasta. Era uma situação difícil, mas os dias passados na lembrança da própria mãe amada e a tentativa de ser o que ela gostaria que a filha fosse tornaram a jovem dócil e paciente, determinada a ser filial e obediente à esposa de seu pai, em todos os aspectos. Tudo correu aparentemente bem na família por um tempo sob o novo regime, não havia ventos ou ondas de discórdia para agitar a superfície da vida cotidiana, e o pai estava contente.

Mas o perigo reside em uma mulher egoísta e mesquinha, e as madrastas assim o são notoriamente em todo o mundo, e o coração desta não era como seus primeiros sorrisos. À medida que os dias e as semanas se transformaram em meses, a madrasta começou a tratar a menina órfã de maneira indelicada e a tentar se colocar entre pai e filha.

Às vezes, ela reclamava ao marido do comportamento da enteada, mas o pai, sabendo que isso era de se esperar, não ligava para suas queixas mal-humoradas. Em vez de diminuir o afeto pela filha, como a mulher desejava, os resmungos apenas o fizeram pensar mais nela. A mulher logo viu que ele começou a demonstrar mais preocupação com sua filha solitária do que antes. Isso não a agradou nem um pouco, então começou a pensar em como poderia, de uma forma ou de outra, expulsar a enteada de casa. Tão desonesto se tornou o coração da mulher.

Ela observou a menina cuidadosamente e, certo dia, espiando em seu quarto de manhã cedo, pensou ter descoberto um pecado grave o suficiente para acusar a filha ao pai. A própria mulher também ficou um pouco assustada com o que vira.

Então foi imediatamente até o marido e, enxugando algumas lágrimas falsas, disse com voz triste:

— Por favor, me dê permissão para deixá-lo hoje.

O homem ficou completamente surpreso com a rapidez de seu pedido e quis saber o que estava acontecendo.

— Acha tão desagradável o convívio em minha casa, que não pode mais ficar? — perguntou ele.

— Não! Não! Não tem nada a ver com você! Mesmo em meus sonhos, nunca pensei que desejasse sair do seu lado, mas se continuar morando aqui, corro o risco de perder minha vida, então acho melhor para todos que me permita ir para casa!

E a mulher começou a chorar novamente. Seu marido, angustiado por vê-la tão infeliz e pensando que não poderia ter ouvido direito, exclamou:

— Diga-me o que quer dizer! Como sua vida pode estar em perigo aqui?

— Vou lhe dizer, uma vez que me pergunta. Sua filha não gosta de mim como madrasta. Há algum tempo, ela se tranca no quarto pela manhã e à noite e, olhando quando passo, estou convencida de que fez uma imagem minha e está tentando me matar por meio da magia, me amaldiçoando diariamente. Não é seguro permanecer aqui, sendo assim, devo ir embora, não podemos mais viver sob o mesmo teto.

O marido ouviu a terrível história, mas não podia acreditar que sua doce filha fosse culpada de tal ato maligno. Ele sabia que, por superstição popular, as pessoas acreditavam ser possível causar a morte gradual de alguém fazendo uma imagem de seu desafeto e amaldiçoando-o diariamente. Mas onde sua filha teria adquirido tal conhecimento? Era algo impossível. No entanto, ele se lembrava de ter notado que a menina permanecia muito tempo em seu quarto e se mantinha longe de todos, mesmo quando as visitas vinham à casa. Juntando esse fato ao alerta da esposa, pensou que algo poderia explicar a estranha história.

Seu coração estava dividido entre duvidar da esposa e confiar na filha, e ele não sabia o que fazer. Decidiu, então, procurar imediatamente a menina e tentar descobrir a verdade. Consolando a esposa e assegurando-lhe que seus temores eram infundados, aproximou-se silenciosamente do quarto da filha.

A menina há tempos era muito infeliz. Havia tentado com amabilidade e obediência mostrar sua boa vontade e apaziguar a nova esposa do pai, derrubando aquele muro de preconceito e desentendimentos que ela sabia que geralmente se erguia entre madrastas e enteadas. Mas ela logo descobriu que seus esforços eram em vão. A madrasta nunca confiou nela e parecia interpretar de forma equivocada as suas ações, e a pobre criança sabia muito bem que muitas vezes ela levava relatos rudes e inverídicos para o pai. Ela não pôde deixar de comparar sua atual condição infeliz com a época em que sua própria mãe estava viva, há pouco mais de um ano, uma mudança tão grande naquele curto período! Pela manhã e à noite, chorava por tal lembrança. Sempre que podia, ela ia para o quarto e, abaixando as cortinas, tirava o espelho da caixa e olhava para o rosto da mãe enquanto pensava. Aquele era seu único conforto em dias miseráveis.

Seu pai a encontrou ocupada dessa maneira. Empurrando o *fusuma*[45] de lado, ele a viu curvando-se sobre alguma coisa com muita atenção. Ao olhar por cima do ombro, para ver quem estava entrando em seu quarto, a menina se surpreendeu ao ver o pai, pois geralmente ele a chamava quando queria lhe falar. Também ficou confusa por ser pega olhando-se no espelho, pois nunca havia contado a ninguém a última promessa da mãe, mas a guardara como o segredo sagrado de seu coração. Então, antes de se voltar para o pai, colocou o espelho em sua manga comprida. O pai, notando sua confusão e sua tentativa de esconder algo, disse de maneira severa:

— Filha, o que está fazendo aqui? E o que esconde na manga?

---

[45] Um tipo de painel deslizante, muitas vezes decorado, utilizado no Japão como porta ou parede móvel.

A menina estava assustada com a severidade do pai. Ele nunca lhe falara naquele tom. Sua confusão mudou para apreensão, sua cor, de escarlate para branco. Ela ficou muda e envergonhada, incapaz de responder.

As aparências certamente estavam contra ela, a jovem parecia culpada, e o pai, pensando que talvez tudo o que sua esposa lhe dissera fosse verdade, falou com raiva:

— Então é mesmo verdade que está amaldiçoando diariamente sua madrasta e rezando por sua morte? Esqueceu-se do que lhe disse, que embora ela seja sua madrasta, deve lhe ser obediente e leal? Que espírito maligno tomou posse de seu coração para ser tão perversa? Você de fato mudou muito, minha filha! O que a tornou tão desobediente e infiel?

E os olhos do pai se encheram de lágrimas repentinas ao pensar que deveria repreender a filha dessa maneira.

Ela, por sua vez, não sabia o que ele queria dizer, pois nunca ouvira falar da superstição de que, orando para uma imagem, é possível causar a morte de uma pessoa odiada. Mas ela viu que precisava falar e esclarecer tudo de alguma forma. Ela amava profundamente o pai e não suportava a ideia de sua raiva. Então colocou a mão no joelho dele e disse:

— Pai! Pai! Não me diga coisas tão terríveis! Ainda sou sua filha obediente. Sou mesmo. Por mais estúpida que seja, nunca poderia amaldiçoar alguém que lhe pertenceu, muito menos orar pela morte de alguém que ama. Certamente alguém tem lhe contado mentiras, está atordoado e não sabe o que diz, ou algum espírito maligno tomou posse do SEU coração. Quanto a mim, não tenho conhecimento nem mesmo de uma gota de orvalho da maldade de que me acusa.

Mas o pai se lembrou de que ela escondera algo quando ele entrou no quarto pela primeira vez, e mesmo aquele protesto sincero não o satisfez. Ele queria esclarecer suas dúvidas de uma vez por todas.

— Então por que está sempre sozinha em seu quarto? E o que é isso que escondeu na manga, mostre-me imediatamente.

Então a filha, embora com vergonha de confessar o quanto tinha acalentado a memória da mãe, viu que precisava contar tudo ao pai para se justificar. Ela tirou o espelho da manga comprida e o colocou diante dele.

— Isso — disse ela — é o que me viu olhando há pouco.

— Ora — disse ele com grande surpresa —, este é o espelho que trouxe de presente para sua mãe quando fui à capital há muitos anos! E então o guardou todo esse tempo? Dispende tanto do seu tempo diante deste espelho?

Em seguida, contou-lhe as últimas palavras da mãe e como prometera vir ao seu encontro sempre que olhasse para o espelho. Mesmo assim, o pai não conseguia entender a simplicidade do caráter da filha em não saber que o que ela via refletido no espelho era, na realidade, seu próprio rosto, não o da mãe.

— O que quer dizer? — perguntou ele. — Não entendo como pode encontrar a alma de sua mãe perdida olhando neste espelho.

— É verdade — disse a menina, colocando o espelho diante do pai. — Se não acredita no que digo, olhe por si mesmo.

Lá, olhando para trás do disco liso de metal, estava seu próprio rosto doce. Ela apontou para o reflexo com seriedade:

— Ainda duvida de mim? — perguntou seriamente, olhando para o rosto dele.

Com uma exclamação de compreensão repentina, o pai uniu as duas mãos, batendo-as.

— Como sou estúpido! Finalmente entendi. Seu rosto é tão parecido com o de sua mãe quanto os dois lados de um melão. Assim, você tem olhado para o reflexo de seu próprio rosto todo esse tempo pensando estar diante de sua mãe perdida! É realmente uma criança fiel. A princípio parece uma coisa estúpida, mas de fato não é. Isso mostra quão profunda tem sido sua piedade filial e quão inocente é seu coração. Viver na constante lembrança de sua mãe perdida a ajudou a crescer como ela em caráter. Como foi inteligente da parte dela lhe dizer para fazer isso. Eu a admiro e respeito, minha filha, e tenho vergonha de saber que, ainda que por um instante, acreditei na história contada por sua madrasta e suspeitei de algo maléfico vindo de você. Entrei aqui com a intenção de repreendê-la severamente, quando, na verdade, foi tão boa e verdadeira todo esse tempo.

E então o pai chorou, pensando em como a pobre garota devia se sentir solitária e em tudo o que devia ter sofrido sob o tratamento cruel da madrasta. Sua filha, mantendo firmemente a fé e simplicidade em meio a tais circunstâncias adversas, suportando todos os problemas com tanta paciência e amabilidade, o fez compará-la ao lótus que desabrocha de beleza deslumbrante em meio ao limo e à lama dos fossos e lagoas, emblema adequado de um coração que se mantém imaculado enquanto passa pelo mundo.

A madrasta, ansiosa para saber o que acontecia, ficara todo o tempo parada do lado de fora do quarto. Ficou curiosa e gradualmente empurrou o painel deslizante para trás até que pudesse ver tudo o que acontecia. Naquele momento, entrou repentinamente no quarto e, caindo nas esteiras, abaixou a cabeça sobre as mãos estendidas diante da enteada.

— Estou com vergonha! Estou com vergonha! — exclamou ela com voz trêmula. — Não tinha ideia da filha amorosa que é. Não por culpa sua, mas pelo meu coração ciumento que não me permitiu gostar de você todo esse tempo. Nutrindo tal sentimento de ódio, era natural imaginar que você retribuía o sentimento, e assim, quando a vi se retirar tantas vezes para o seu quarto, a segui e, quando a vi olhar diariamente para o espelho por longos períodos, concluí que tinha descoberto como a detestava e que, por vingança, estaria tentando tirar minha vida por meio da magia. Enquanto viver, nunca esquecerei o mal que lhe causei ao julgá-la tão mal e ao fazer seu pai suspeitar de você. A partir deste dia, jogo fora meu velho e perverso coração e, em seu lugar, coloco um novo, limpo e cheio de arrependimento. Pensarei em você como uma filha que eu mesma dei à luz. Amarei e cuidarei de você com todo o meu coração e assim tentarei compensar toda a infelicidade que tenho lhe causado. Portanto, por favor, esqueça tudo o que passou e conceda-me, imploro, um pouco do amor filial que dedicou até agora à sua própria mãe perdida.

Assim, a cruel madrasta se humilhou e pediu perdão à garota que tanto injustiçou.

Tamanha era a doçura da disposição da menina, que ela perdoou de boa vontade a madrasta e nunca mais guardou um momento de ressentimento ou malícia em relação a ela[46]. O pai viu, pelo rosto da esposa, que ela realmente lamentava o passado e ficou muito aliviado ao ver o terrível mal-entendido apagado da memória tanto pela transgressora quanto pela injustiçada.

A partir daquele momento, os três viveram juntos e tão felizes quanto peixes na água. Aquele tipo de problema nunca mais levou escuridão para a casa, e a jovem aos poucos se esqueceu daquele ano de infelicidade com o terno amor e cuidado que sua madrasta agora lhe dedicava. Sua paciência e bondade foram finalmente recompensadas.

---

[46] No Japão, há uma longa tradição de respeitar e honrar os pais e a família (家族, *kazoku*), parte fundamental dos ensinamentos confucianos. Esta história serve de exemplo do que deve ser uma boa filha. Pela lealdade e o respeito filial (親孝行, *oyakoko*), ela suportou o abuso de sua madrasta sem desejar-lhe mal, guardando ainda a memória de sua mãe biológica. O pai fica emocionado com a devoção da filha, assim como a madrasta. Esta fica tão impressionada que muda seu comportamento e pede perdão pelo abuso. A boa criança a perdoa.
A história também ilustra o fato de que nossos pais estão sempre conosco, mesmo depois de terem morrido. O rosto que se refletia no espelho era o da criança, mas ela podia ver sua mãe em si mesma.

Velha de Adachigahara.
Tsukioka Yoshitoshi, 1890.

O GOBLIN DE ADACHIGAHARA

Há muito, muito tempo, havia uma grande planície chamada Adachigahara[47], na província de Mutsu, no Japão. Dizem que esse lugar é assombrado por um *goblin*[48] canibal que assumiu a forma de uma velha. De vez em quando, alguns viajantes desapareciam e nunca mais se ouvia falar deles, e as velhas em volta dos braseiros de carvão à noite e as jovens que lavavam o arroz recém-colhido nos campos pela manhã sussurravam histórias terríveis de como os desaparecidos haviam sido atraídos para a cabana do *goblin* e devorados, pois o monstro vivia apenas de carne humana. Ninguém se atrevia a se aventurar perto do local assombrado após o pôr do sol, e todos aqueles que podiam o evitavam também durante o dia. Os viajantes eram sempre advertidos acerca do temido lugar.

Certo dia, quando o sol já se punha, um monge chegou à planície. Tratava-se de um viajante tardio, e seu manto mostrava que ele era um peregrino budista andando de santuário em santuário para orar por alguma bênção ou para rogar pelo perdão dos pecados. Ele aparentemente havia se perdido e, como já era tarde, não encontrou ninguém que lhe pudesse mostrar a estrada ou avisá-lo sobre o local assombrado.

---

[47] Essa planície no Japão ficou conhecida – e temida – por ter como habitante uma velha senhora que tinha poderes mágicos de uma divindade feminina (*onibaba*). Os primeiros relatos dessa senhora apontam para o século VIII, na Era Jinki (724-728 d. C.), período de terríveis calamidades na história japonesa.

[48] Ser pertencente à classe *yôkai*, uma criatura sobrenatural cultuada como espírito (kami) em alguns santuários xintoístas e budistas. Os budistas japoneses há muito sustentavam que uma divisão dos *yôkais*, os *tengus*, eram demônios perturbadores e arautos da guerra e do massacre. Em seus comportamentos malévolos e perturbadores, os *tengus* compartilhavam semelhanças com os *goblins* europeus. Com o tempo, essa avaliação negativa foi suavizada um pouco, à medida que os budistas passaram a reconhecer a concepção popular desses espíritos como protetores moralmente ambivalentes das montanhas e florestas, propensos a trazer sorte inesperada aos humanos.

Ele havia caminhado o dia todo e agora estava cansado e com fome. As noites eram frias, pois era final do outono, e ele começou a ficar muito ansioso para encontrar uma casa em que pudesse se abrigar à noite. Encontrava-se perdido no meio da grande planície e procurou em vão por algum sinal de habitação humana.

Por fim, depois de vagar por algumas horas, avistou um grupo de árvores ao longe e, por entre elas, o brilho de um único raio de luz.

— Ah, certamente se trata de uma cabana onde conseguirei hospedagem por esta noite! — exclamou o monge com alegria.

Mantendo a luz diante dos olhos, ele arrastou os pés cansados e doloridos o mais rápido que pôde em direção ao local, e logo chegou a uma casinha de aparência miserável. Ao se aproximar, viu que estava em condição deplorável: a cerca de bambu estava quebrada, e o mato e a grama invadiam a propriedade através das fendas. As divisórias de papel que servem como janelas e portas no Japão estavam repletas de buracos, e os pilares de madeira estavam arqueados pelo tempo, mal parecendo capazes de suportar o velho telhado de palha. A cabana estava aberta e, à luz de uma antiga lanterna, uma velha fiava laboriosamente.

— *Baa San* (anciã), boa noite! — chamou o peregrino do outro lado da cerca de bambu. — Sou um viajante! Desculpe-me, mas me perdi e não sei o que fazer, pois não tenho onde descansar esta noite. Peço-lhe que seja boa o suficiente para me deixar passar a noite sob o seu teto.

A velha, assim que o ouviu falar, parou de fiar, levantou-se da cadeira e se aproximou do intruso.

— Sinto muito por você. Deve, realmente, estar angustiado por ter se perdido em um local tão solitário e tão tarde da noite. Infelizmente não posso hospedá-lo, pois não tenho uma cama para lhe oferecer e nem qualquer tipo de acomodação adequada a um hóspede neste lugar pobre!

— Ah, não se incomode — disse o monge. — Tudo o que desejo é um abrigo sob seu teto durante a noite e, se for bondosa o suficiente para me deixar deitar no chão da cozinha, ser-lhe-ei muito grato. Estou cansado demais para caminhar por mais tempo esta noite, então espero que não me recuse esse favor, do contrário, terei de dormir na planície fria. — E assim pressionou a velha para que o deixasse ficar.

— Muito bem, deixarei que fique — respondeu a velha, muito relutante. — Posso lhe oferecer apenas uma recepção, muito humilde, mas entre agora e acenderei uma fogueira, pois a noite está fria.

O peregrino ficou muito feliz em cumprir o que lhe fora dito. Tirou as sandálias e entrou na cabana. A velha então trouxe alguns pedaços de madeira e acendeu o fogo, pedindo a seu convidado que se aproximasse para se aquecer.

— Deve estar com fome depois da longa caminhada. Vou lhe preparar o jantar — Disse a velha, indo para a cozinha a fim de preparar um pouco de arroz.

Depois que o monge terminou a ceia, ela se sentou perto da lareira e os dois conversaram bastante. O peregrino pensou consigo mesmo que tivera muita sorte em encontrar uma velha tão gentil e hospitaleira. Por fim, a lenha acabou e, à medida que o fogo diminuía lentamente, começou a tremer de frio, exatamente como fizera ao chegar.

— Vejo que está com frio — disse a velha. — Vou sair e recolher um pouco de lenha, pois já usamos tudo. Fique aqui e cuide da casa enquanto eu estiver fora.

— Não, de jeito algum — disse o peregrino. — Deixe-me ir em seu lugar, pois está velha e não posso admitir que saia para buscar lenha para mim nesta noite fria!

— Não, você deve ficar quietinho aqui, pois é meu convidado — disse a velha, e assim o deixou e saiu.

Em um minuto, retornou dizendo:

— Fique onde está, não se mova e, aconteça o que acontecer, não se aproxime ou olhe para o cômodo dos fundos. Preste atenção ao que lhe digo!

— Se me diz para não chegar perto do cômodo dos fundos, é claro que não irei — disse o monge, um tanto perplexo.

A velha então saiu novamente, deixando o monge sozinho na casa. O fogo havia se apagado por completo, e a única luz na cabana era a de uma lanterna fraca. Pela primeira vez naquela noite, ele começou a sentir que estava em um lugar estranho, e as palavras da velha "aconteça o que acontecer, não se aproxime ou olhe para o cômodo dos fundos." despertaram sua curiosidade e seu temor.

O que haveria naquele quarto que ela não queria que ele visse? Por um tempo, a lembrança de sua promessa à velha o manteve quieto, mas por fim ele não resistiu mais à curiosidade de espiar o lugar proibido.

Ele se levantou e começou a se mover lentamente em direção ao quarto dos fundos. Então o pensamento de que a velha ficaria muito zangada se a desobedecesse o fez voltar para seu lugar perto da lareira.

À medida que os minutos passavam lentamente e a velha não voltava, começou a se sentir cada vez mais assustado e a se perguntar que segredo terrível haveria naquele quarto. Ele precisava descobrir.

— Ela não saberá que olhei, a menos que lhe conte. Vou apenas dar uma olhadinha antes que ela volte — disse o homem para si mesmo.

Com essas palavras, ele se levantou (pois estivera sentado o tempo todo à maneira japonesa, com os pés recolhidos sob o corpo) e furtivamente se esgueirou para o local proibido. Com as mãos trêmulas, empurrou a porta corrediça e olhou para dentro. O que viu congelou o sangue em suas veias. De ossos humanos, a sala estava repleta; de sangue, as paredes estavam salpicadas e o chão estava coberto. Em um canto, pilhas de crânios subiam até o teto, em outro, uma pilha de ossos de braços, e em um terceiro, uma pilha de ossos de pernas. O cheiro nauseante o fez desfalecer. Ele caiu para trás com horror e por um tempo ficou imóvel ao chão. Que visão lamentável! Seu corpo todo tremia, seus dentes batiam, e ele mal conseguia rastejar para longe do terrível local.

— Que horror! — exclamou. — Em que covil terrível vim parar em minhas andanças? Que Buda me ajude ou estarei perdido. É possível que aquela velha gentil seja realmente um *goblin* canibal? Quando ela voltar, assumirá sua verdadeira aparência e me comerá de uma só vez!

Com essas palavras, recuperou as forças e, agarrando o chapéu e o cajado, saiu correndo de casa o mais rápido que suas pernas conseguiram. Ele correu noite adentro, seu único pensamento era ficar o mais longe possível do esconderijo do *goblin*. Não tinha ido muito longe quando ouviu passos atrás dele e uma voz gritando "Pare! Pare!".

Ele continuou correndo, redobrando a velocidade, fingindo não ouvir. Enquanto corria, ouviu os passos atrás dele se aproximando cada vez mais e, por fim, reconheceu a voz da velha, que ficava cada vez mais alta à medida que ela se aproximava.

— Pare! Pare! Seu homem perverso, por que olhou no interior da sala proibida?

O monge se esqueceu de como estava cansado e seus pés voaram o mais rápido que puderam. O medo lhe deu força, pois sabia que, se o *goblin* o capturasse, faria dele uma de suas vítimas. De todo o coração, ele repetiu a oração a Buda:

— *Namu Amida Butsu, Namu Amida Butsu*[49].

A terrível bruxa velha[50] seguia em seu encalço, com os cabelos voando ao vento e a expressão facial mudando de raiva para o demônio que realmente era. Na mão, carregava uma grande faca manchada de sangue e ainda gritava atrás dele "Pare! Pare!".

Por fim, quando o monge sentiu que não poderia mais correr, o amanhecer rompeu e, como a escuridão da noite, o *goblin* desapareceu; finalmente estava a salvo. Ele agora sabia que havia conhecido o Goblin de Adachigahara, cuja história ouvira com frequência, mas que nunca acreditara ser verdade. Sentiu que devia sua fuga maravilhosa à proteção de Buda, a quem havia orado por ajuda, então pegou seu rosário e curvou a cabeça enquanto o sol nascia, fazendo suas orações e agradecendo sinceramente. Ele então partiu para outra região do país, muito feliz por deixar a planície assombrada para trás.

---

[49] Amida Butsu (ou Amitaba) é um ser iluminado (bodistava) cultuado por budistas maaianos da vertente Terra Pura, ser que manifesta o amor, a inteligência, a felicidade e a caridade.

[50] As origens dessa senhora, a *onibaba* de Adachigahara, são trágicas. Conta-se que se chamava Iwate e que era cuidadora de uma princesa de uma família nobre da região de Kuge, perto de Quioto. A pequena princesa era adorada por Iwate e, com o adoecimento da pequena, decidiu largar sua própria filha e buscar um fígado de uma mulher grávida para curar a princesa, acreditando nas palavras de uma curandeira. Assim, partiu em busca de uma vítima e ficou em uma caverna por anos à espera. Certo dia, uma mulher grávida apareceu na região desavisada. Iwate logo a atacou, abrindo sua barriga e retirando o fígado do feto. Naquele momento, Iwate viu um *omamori* (amuleto dedicado aos *kamis*, espíritos protetores) que havia deixado para sua filha. Iwate acabara de matar sua própria filha. Transtornada, ficou mentalmente desequilibrada, agredindo e atacando viajantes, sugando seu sangue e fígado, tornando-se uma *onibaba*.

Javali.
Utagawa Hiroshige, 1830.

O MACACO SAGAZ E O JAVALI[51]

Há muito, muito tempo, vivia na província japonesa de Shinshin um homem que ganhava a vida viajando com seu macaco e exibindo os truques do animal de cidade em cidade.

Certa noite, o homem voltou para casa muito mal-humorado e pediu à esposa que chamasse o açougueiro na manhã seguinte.

A esposa ficou perplexa e perguntou ao marido:

— Por que deseja que eu chame o açougueiro?

— Não adianta mais ficar com esse macaco, ele está muito velho e esquece seus truques. Bati nele com minha vara de todas as formas possíveis, mas ele não dança direito. Devo vendê-lo ao açougueiro e ganhar tanto quanto puder com a transação. Não há mais nada a ser feito.

A mulher sentiu muita pena do pobre animalzinho e implorou ao marido que o poupasse, mas sua súplica foi em vão; o homem estava decidido a vendê-lo ao açougueiro.

Ocorre que o macaco estava na sala ao lado e ouviu cada palavra da conversa. Ele logo entendeu que estava prestes a ser morto e disse a si mesmo:

— Cruel, de fato, é meu mestre! Há anos o sirvo fielmente e, em vez de permitir que termine meus dias de modo confortável e em paz, vai me deixar

---

[51] Na cultura japonesa, o macaco mudou ao longo dos tempos. Nos primeiros registros históricos do século VIII, os macacos eram mediadores sagrados entre os deuses e os humanos; por volta do século XIII, os macacos também se tornaram uma metáfora de "bode expiatório" para trapaceiros e pessoas desagradáveis. Esses papéis mudaram gradualmente até o século XVII, quando o macaco geralmente representava o lado negativo da natureza humana, especialmente pessoas que imitam tolamente os outros.
Já o javali tem outra representação: é visto como um animal temível e imprudente, a tal ponto que várias palavras e expressões em japonês que se referem à imprudência incluem referências a javalis. Entre os caçadores japoneses, a coragem do javali é fonte de admiração, e muitos costumam dar o nome do animal a seus filhos

ser retalhado pelo açougueiro, e meu pobre corpo servirá para ser assado, cozido e comido? Pobre de mim! O que devo fazer? Ah! Uma ideia brilhante me ocorreu agora! Há um javali que vive na floresta próxima. Já ouvi falar muitas vezes de sua sabedoria. Talvez, se eu for até lá e lhe disser que estou em apuros, ele me aconselhe. Tentarei a sorte.

Não havia tempo a perder. O macaco saiu de casa e correu o mais rápido que pôde para a floresta a fim de encontrar o javali. O animal estava em casa, e o macaco começou a contar sua triste história imediatamente.

— Bondoso senhor Javali, ouvi muito falar de sua grande sabedoria. Estou com muitos problemas, só o senhor pode me ajudar. Envelheci a serviço de meu mestre e, como não consigo mais dançar direito, ele pretende me vender ao açougueiro. O que me aconselha a fazer? Sei como é inteligente!

O javali gostou da lisonja e decidiu ajudar o macaco. Após pensar um pouco, perguntou:

— Seu mestre não tem uma criança?

— Ah, sim — respondeu o macaco —, ele tem um filho pequeno.

— Ele fica perto da porta da casa pela manhã enquanto sua patroa começa o trabalho do dia? Bem, irei até lá mais cedo e, quando tiver oportunidade, agarrarei o menino e fugirei com ele.

— E então? — quis saber o macaco.

— A mãe levará um susto tremendo e, antes que ela e seu mestre saibam o que fazer, você vai correr atrás de mim, resgatar a criança e levá-la de volta para casa em segurança, para junto de seus pais. Com isso, verá que quando o açougueiro vier buscá-lo, não terá coragem de vendê-lo.

O macaco agradeceu muitíssimo ao javali e foi para casa, mas não conseguiu dormir muito naquela noite, como se pode imaginar, pensando nos acontecimentos do dia seguinte. Sua vida dependia do sucesso ou do fracasso do plano do javali.

Ele foi o primeiro a se levantar, esperando ansiosamente pelo que aconteceria. Pareceu-lhe que demorou muito para que a mulher do patrão começasse a se movimentar e a abrir as venezianas para deixar entrar a luz do dia. Até que tudo aconteceu como o javali havia planejado. A mãe colocou o filho na varanda, como de costume, enquanto arrumava a casa e preparava o café da manhã.

A criança cantava alegremente ao sol matutino, batendo de leve nas esteiras ao brincar de luz e sombra. De repente, houve um barulho no local, e a criança deu um grito alto. A mãe correu da cozinha até lá, apenas a tempo de ver o javali desaparecer pelo portão com o filho preso às garras. Ela estendeu as mãos com um grito de desespero e correu para o quarto, onde o marido ainda dormia profundamente.

Ele se sentou devagar, esfregou os olhos e perguntou zangado porque a esposa fazia tanto barulho. No momento em que o homem soube o que havia acontecido e os dois saíam pelo portão, o javali já havia se afastado. Mas então eles viram o macaco correndo atrás do ladrão com toda a força que suas pernas permitiam.

O marido e a mulher ficaram comovidos e admirados com a conduta corajosa do macaco sagaz, e sua gratidão não teve limites quando o fiel animal trouxe a criança em segurança de volta para seus braços.

— Veja! — exclamou a esposa. — Este é o animal que você quer matar! Se o macaco não estivesse aqui, teríamos perdido nosso filho para sempre.

— Pela primeira vez, está certa, esposa — disse o homem enquanto carregava a criança para dentro de casa. — Pode mandar o açougueiro de volta quando ele vier e agora sirva a todos um bom café da manhã, inclusive ao macaco.

Quando o açougueiro chegou, foi dispensado com um pedido de carne de javali para o jantar daquela noite. O macaco foi acariciado e viveu o resto de seus dias em paz, e seu mestre nunca mais o golpeou.

越川 鷺地平九郎

Caçador no Echi River.
Utagawa Kuniyoshi, 1852.

O FELIZ CAÇADOR E O HÁBIL PESCADOR

Há muito, muito tempo, o Japão era governado por Hohodemi[52], o quarto *Mikoto* (governante) descendente da ilustre Amaterasu, a deusa do Sol. Ele não era apenas tão belo quanto sua ancestral, mas também muito forte, corajoso e famoso por ser o maior caçador da Terra. Por sua habilidade incomparável como caçador, era chamado de *Yama-sachi-hiko*, ou "Feliz Caçador das Montanhas".

Seu irmão mais velho era um pescador muito hábil e, como superava em muito todos os rivais na pesca, era chamado de *Umi-sachi-hiko*, ou "Hábil Pescador do Mar". Os irmãos, portanto, levavam uma vida feliz, desfrutando plenamente de suas respectivas ocupações, e os dias transcorriam rápida e agradavelmente enquanto cada um seguia o próprio caminho, um caçando e o outro pescando.

Certo dia, o Feliz Caçador foi até seu irmão, o Hábil Pescador, e disse:

— Bem, meu irmão, vejo-o ir para o mar todos os dias com sua vara de pescar na mão e retornar carregado de peixes. Quanto a mim, é um prazer levar meu arco e flecha para caçar os animais selvagens nas montanhas e nos vales. Por muito tempo, cada um de nós seguiu sua ocupação favorita, de modo que agora devemos estar ambos cansados, você da sua pesca e eu da minha caça. Não seria sábio promovermos uma mudança? Você tentaria caçar nas montanhas, e eu tentaria pescar no mar.

O Habilidoso Pescador ouviu o irmão em silêncio e por um momento pareceu pensativo, mas finalmente respondeu:

---

[52] Também chamado de Hohodemi no Mikoto, ou Hoori.

— Ah, sim, por que não? Sua ideia não é de todo ruim. Dê-me seu arco e flecha e irei imediatamente às montanhas para caçar.

Tudo ficou acertado com aquela conversa, e os dois irmãos começaram cada um a experimentar a ocupação do outro, sem sonhar com o que viria a acontecer. Foi muito insensato da parte deles, pois o Feliz Caçador nada sabia sobre pesca, e o Hábil Pescador, sendo muito mal-humorado, sabia menos ainda sobre caça.

O Feliz Caçador pegou o valioso anzol e a vara de pescar de seu irmão, rumou até a praia e sentou-se nas rochas. Em seguida, colocou a isca no anzol e lançou-o ao mar desajeitadamente. Ele olhou para o pequeno flutuador subindo e descendo na água e desejou que um bom peixe se aproximasse para que o fisgasse. Cada vez que a boia se movia um pouco, ele puxava a vara, mas nunca havia peixe na ponta, apenas o anzol e a isca. Se soubesse pescar, teria conseguido capturar muitos peixes, mas embora fosse o maior caçador da terra, provou ser o mais desastrado dos pescadores.

Assim, o dia inteiro transcorreu da mesma maneira: ele permaneceu nas pedras segurando a vara de pescar, esperando em vão que sua sorte mudasse. Por fim, com a chegada da noite, o céu começou a escurecer, mas ainda assim ele não havia pescado um único peixe. Lançando a linha pela última vez antes de voltar para casa, ele descobriu que havia perdido o anzol sem nem saber exatamente onde o havia deixado cair.

Começou a se sentir extremamente ansioso, pois sabia que seu irmão ficaria furioso por ele ter perdido o anzol que, para ele, por ser o único, era valorizado acima de tudo. O Feliz Caçador começou a procurar pelo objeto perdido por entre as rochas e na areia e, enquanto procurava de um lado para outro, seu irmão, o Hábil Pescador, entrou em cena. Ele não encontrara qualquer diversão durante a caça naquele dia e não apenas estava de mau humor, mas parecia terrivelmente irritado. Quando viu o Feliz Caçador procurando na praia, sabia que algo estava errado.

— O que está fazendo, meu irmão? — perguntou imediatamente.

— Ah, meu irmão, me dei muito mal — respondeu o Feliz Caçador com timidez, temendo a raiva do irmão.

— Qual é o problema? O que você fez? — perguntou o mais velho, impaciente.

— Perdi seu precioso anzol de pesca...

Enquanto ele ainda falava, seu irmão o interrompeu e gritou ferozmente:

— Perdeu meu anzol! Já esperava por isso! Por esta razão, quando propôs pela primeira vez que mudássemos nossas ocupações, fui totalmente contra, mas você parecia desejar tanto que cedi e permiti que fizéssemos como desejava. Experimentarmos tarefas desconhecidas logo se mostrou um erro! E você se saiu muito mal. Não devolverei seu arco e flecha até que tenha encontrado meu anzol. Trate de encontrá-lo e devolver-me rapidamente.

O Feliz Caçador sentiu que era o culpado por tudo o que acontecera e suportou a repreensão desdenhosa do irmão com humildade e paciência. Procurou pelo anzol em todos os lugares com mais diligência, mas não o encontrava em lugar algum. Por fim, foi obrigado a desistir de toda esperança de encontrá-lo. Foi para casa e, em desespero, quebrou sua amada espada em pedaços e fez quinhentos anzóis com ela.

Ele os levou para seu furioso irmão e os ofereceu a ele, pedindo seu perdão e implorando para que os aceitasse no lugar daquele que fora perdido. Foi inútil, ele não lhe dava ouvidos, tampouco considerava atender ao seu pedido.

O Feliz Caçador fez mais quinhentos anzóis e novamente os levou ao irmão, implorando por perdão.

— Ainda que faça um milhão de anzóis — disse o Hábil Pescador, meneando a cabeça —, eles não terão qualquer utilidade para mim. Não posso perdoá-lo a menos que me traga meu próprio anzol.

Nada apaziguaria a raiva do Hábil Pescador, pois ele tinha um temperamento ruim e sempre odiou o irmão por suas virtudes, e agora com a desculpa do anzol perdido, planejava matá-lo e usurpar seu lugar como governante do Japão. O Feliz Caçador estava ciente de tudo isso, mas não podia dizer nada, pois era o mais novo e devia obediência ao irmão mais velho. Assim, voltou para a praia e, mais uma vez, começou a procurar pelo objeto. Ele estava muito abatido, já sem esperança de encontrar o anzol do irmão. Enquanto estava na praia, perdido na perplexidade e se perguntando o que faria em seguida, um ancião apareceu de repente com uma bengala na mão. O Feliz Caçador depois se lembrou que não percebeu de onde o homem veio, nem como chegara até ali; ele simplesmente ergueu os olhos e enxergou-o vindo em sua direção.

— Você é Hohodemi, Vossa Alteza, às vezes chamado de Feliz Caçador, não é? — perguntou o velho. — O que faz sozinho em um lugar como este?

— Sim, sou eu mesmo — respondeu o jovem desaventurado. — Infelizmente, enquanto pescava, perdi o precioso anzol de meu irmão. Procurei nesta costa por toda parte, mas em vão! Não consigo encontrá-lo e estou muito preocupado, pois meu irmão não vai me perdoar até que eu o devolva. Mas quem é você?

— Meu nome é Shiwozuchino Okina, moro perto daqui. Lamento saber o infortúnio que se abateu sobre você. Deve estar realmente ansioso. Mas deixe-me dizer o que penso: o anzol não está em lugar algum por aqui... ou está no fundo do mar, ou no corpo de algum peixe que o engoliu e, por isso, mesmo que passe a vida inteira procurando-o por aqui, nunca o encontrará.

— Então, o que posso fazer? — perguntou o homem angustiado.

— É melhor ir até Ryn Gu e contar a Ryn Jin, o Rei Dragão do Mar, sobre seu problema e pedir-lhe que encontre o anzol para você. Acho que seria a melhor solução.

— Sua ideia é esplêndida — disse o Feliz Caçador —, mas temo não poder chegar ao reino do Rei do Mar, pois sempre ouvi dizer que está situado no fundo do oceano.

— Ah, não haverá qualquer dificuldade em chegar lá — disse o velho. — Em breve, providenciarei algo no qual possa navegar.

— Obrigado — disse o Feliz Caçador. — Serei muito grato por sua gentileza.

O velho começou imediatamente a trabalhar e logo confeccionou um cesto e o ofereceu ao Feliz Caçador. Ele o recebeu com alegria e, levando-o à água, embarcou e se preparou para partir. Despediu-se do velho bondoso que tanto o ajudara e disse que certamente o recompensaria assim que encontrasse seu anzol e pudesse retornar ao Japão sem receio da fúria do irmão. O velho indicou a direção que ele deveria seguir e, instruindo-o sobre como chegar ao reino de Ryn Gu, observou-o navegar pelo mar a bordo do cesto, que mais parecia um pequeno barco.

O Feliz Caçador se apressou o quanto pôde, navegando no cesto que seu amigo lhe dera. Seu estranho barco parecia atravessar as águas por conta própria, e a distância pareceu-lhe muito mais curta do que esperava, pois em poucas horas ele avistou o portão e o telhado do Palácio do Rei do Mar. E que lugar majestoso era aquele, com inúmeros telhados inclinados e frontões, enormes portões e paredes de pedra acinzentada! Ele logo atracou e, deixando o cesto na praia, caminhou até o grande portão, adornado com joias cintilantes de todos os tipos e com pilares feitos de um lindo coral vermelho. Grandes árvores *katsura* o ofuscavam. Nosso herói sempre ouvira falar das maravilhas do palácio do Rei do Mar, no fundo do oceano, mas todas as histórias ficavam aquém da realidade que presenciava pela primeira vez.

O Feliz Caçador gostaria de entrar pelo portão naquele momento, mas viu que estava fechado e que não havia ninguém a quem pudesse pedir para abri-lo, então parou por um instante para decidir o que fazer. À sombra das árvores diante do portão, notou um poço repleto de água doce da nascente. Certamente alguém sairia para tirar água de lá em algum momento. Assim, ele subiu na árvore que pendia sobre o poço, sentou-se para descansar em um dos galhos e esperou pelo que poderia acontecer. Em pouco tempo, viu o enorme portão se abrir e duas belas mulheres saírem. O *Mikoto* sempre ouvira dizer que Ryn Gu era o reino do Rei Dragão do Mar e naturalmente supôs que o lugar era habitado por dragões e criaturas terríveis, de modo que, ao ver aquelas duas lindas princesas, cuja beleza seria rara mesmo no mundo de onde acabara de sair, ficou extremamente surpreso e se perguntou o que aquilo poderia significar.

Ele não disse uma palavra e, em silêncio, olhou para as jovens através da folhagem das árvores, esperando para saber o que fariam. Viu que elas carregavam baldes de ouro. Lenta e graciosamente, em suas longas vestimentas, elas se aproximaram do poço, parando à sombra das árvores *katsura* e prestes a pegar água, sem saber do estranho que as observava, pois o Feliz Caçador estava bem escondido entre os galhos onde se posicionou.

Enquanto as duas moças se debruçavam sobre a lateral do poço para baixar seus baldes de ouro, o que faziam todos os dias do ano, viram refletido nas águas profundas e paradas o rosto de um belo jovem, que as observava por entre os galhos da árvore sob cuja sombra estavam. Elas nunca haviam visto o rosto de um homem mortal e, por isso, assustaram-se e recuaram rapidamente com os baldes de ouro nas mãos. Sua curiosidade, entretanto, logo lhes deu coragem, então olharam timidamente para cima para conhecer a causa do reflexo incomum; assim, puderam ver o Feliz Caçador sentado na árvore, olhando para elas com surpresa e admiração. As jovens o olharam diretamente, mas, como estavam maravilhadas, não conseguiram encontrar uma única palavra para dizer.

Ao perceber que fora descoberto, o *Mikoto* saltou suavemente da árvore, dizendo:

— Sou um viajante e vim ao poço na esperança de matar a sede, mas não consegui encontrar nenhum balde para tirar a água. Então subi na árvore, muito contrariado, e esperei até alguém vir. Exatamente nesse momento, enquanto aguardava sedento e impaciente, as nobres damas apareceram como se respondessem à minha grande aflição. Portanto, rogo por sua misericórdia e para que me deem um pouco de água para beber, porque sou um viajante sedento em uma terra estranha.

Sua dignidade e graciosidade sobrepujaram sua timidez e, curvando-se em silêncio, as duas mais uma vez se aproximaram do poço e, abaixando seus baldes de ouro, puxaram um pouco de água, despejaram em um copo cravejado de joias preciosas e o ofereceram ao estranho.

Ele o recebeu com ambas as mãos, erguendo-o até a altura da testa em sinal de grande respeito e prazer e, em seguida, sorveu a água rapidamente, pois sua sede era grande. Quando terminou seu longo gole, colocou o copo na beira do poço e, puxando sua pequena espada, removeu uma de suas estranhas joias curvas (*magatama*), um colar que pendia de seu pescoço até o peito. Ele colocou a joia no copo, devolveu-o às jovens e disse, curvando-se respeitosamente:

— Este é um sinal de minha gratidão!

As duas jovens pegaram o copo e, examinando-o para ver o que havia dentro, pois ainda não sabiam do que se tratava, estremeceram com a linda joia no fundo.

— Nenhum mortal comum daria uma joia como esta de forma tão desprendida. Não vai nos honrar dizendo quem é? — perguntou a donzela mais velha.

— Certamente — respondeu o Feliz Caçador. — Sou Hohodemi, o quarto *Mikoto*, também chamado no Japão de Feliz Caçador.

— Você é mesmo Hohodemi, o neto de Amaterasu, a deusa do Sol? — perguntou a donzela que falara primeiro. — Sou a filha mais velha de Ryn Jin, o Rei do Mar, e meu nome é princesa Tayotama.

— E eu — completou a donzela mais jovem, que finalmente encontrara sua língua — sou a irmã mais nova, a princesa Tamayori.

— Vocês são realmente as filhas de Ryn Jin, o Rei do Mar? Não posso descrever em palavras como estou feliz em conhecê-las — disse o Feliz Caçador. E, sem esperar resposta, continuou:

— Certo dia, fui pescar com o anzol do meu irmão e o deixei cair, mas não sei como exatamente. Por meu irmão valorizar seu anzol acima de todas as suas posses, essa foi a maior calamidade que poderia ter me acontecido. A menos que o encontre novamente, nunca terei esperança de obter o perdão de meu irmão, pois ele está muito zangado com o que fiz. Procurei pelo anzol muitas e muitas vezes, mas não consegui encontrá-lo, portanto estou muito preocupado. Enquanto buscava pelo objeto, em grande angústia, encontrei um velho sábio que me disse que a melhor alternativa seria vir a Ryn Gu e a Ryn Jin, o Rei Dragão do Mar, e pedir-lhe ajuda. Esse gentil ancião me indicou o caminho para chegar até aqui. Agora sabem como e por qual razão eu vim. Preciso perguntar a Ryn Jin se ele sabe onde está o anzol perdido. Fariam a gentileza de me levar à presença de seu pai? Acreditam que ele me receberá? — perguntou o Feliz Caçador, ansioso.

Após ouvir a longa história, a princesa Tayotama disse:

— Não apenas será fácil ir até a presença de meu pai, como também ele terá muito prazer em conhecê-lo. Tenho certeza de que dirá que a boa sorte lhe sorriu, um homem tão nobre e importante como você, neto de Amaterasu, por ter descido até o fundo do mar.

E, então, voltando-se para a irmã mais nova, continuou:

— Não acha, Tamayori?

— Sim, de fato — respondeu a outra princesa, com sua doce voz. — Como disse, não poderíamos ter honra maior do que receber o *Mikoto* em nossa casa.

— Sendo assim, peço-lhes a gentileza de me mostrarem o caminho — disse o Feliz Caçador.

— Conceda-nos a honra de entrar, *Mikoto* — conduziram-no as duas irmãs através do portão, curvando-se.

A princesa mais nova deixou a irmã acompanhar o Feliz Caçador e, adiantando-se a eles, chegou primeiro ao palácio do Rei do Mar. A jovem seguiu rapidamente para o quarto do pai e contou-lhe tudo o que lhes havia acontecido à frente do portão, e que sua irmã estava naquele exato momento trazendo o *Mikoto* para vê-lo. O Rei Dragão do Mar ficou muito surpreso com a notícia, pois raramente, talvez apenas uma vez em centenas de anos, o palácio do Rei do Mar fora visitado por mortais.

Ryn Jin comemorou batendo palmas e convocou todos os cortesãos, servos do palácio e os principais peixes do mar e, solenemente, disse-lhes que o neto da deusa do Sol, Amaterasu, estava vindo para o palácio e que deveriam ser muito cerimoniosos e educados ao servir o nobre visitante. Em seguida, ordenou que todos fossem à entrada para dar as boas-vindas ao Feliz Caçador.

Ryn Jin colocou suas vestes cerimoniais e posicionou-se para recebê-lo. Em alguns momentos, a princesa Tayotama e o Feliz Caçador chegaram à entrada do palácio, e o Rei do Mar e sua esposa se curvaram e agradeceram pela honra concedida ao visitá-los. O rei então conduziu o Feliz Caçador para o salão principal e, indicando-lhe o lugar de honra, curvou-se respeitosamente diante dele, dizendo:

— Sou Ryn Jin, o Rei Dragão do Mar, e esta é minha esposa. Honre-nos e lembre-se de nós para sempre!

— Você é mesmo Ryn Jin, o Rei do Mar, de quem tenho ouvido falar tantas vezes? — perguntou o Feliz Caçador, saudando seu anfitrião da maneira mais cerimoniosa. — Devo me desculpar por todos os problemas que lhe causei com minha visita inesperada — e curvou-se novamente, agradecendo ao rei.

— Não precisa me agradecer — disse Ryn Jin. — Sou eu quem deve agradecê-lo por ter vindo. Embora o Palácio do Mar seja um lugar simples, como pode ver, ficarei muito honrado se puder ficar conosco por um longo período.

Houve muita alegria entre o Rei do Mar e o Feliz Caçador, que se sentaram e conversaram por um longo tempo. Por fim, o Rei do Mar bateu palmas e então surgiu um enorme séquito de peixes, todos vestidos em trajes cerimoniais e trazendo nas barbatanas várias bandejas nas quais todos os tipos de iguarias do mar eram servidas. Um grande banquete foi oferecido ao rei e ao seu nobre convidado. Todos os peixes foram escolhidos dentre os melhores do mar, então pode-se imaginar que maravilhosa variedade de criaturas marinhas aguardava o Feliz Caçador naquele dia. Todos no palácio tentaram fazer o melhor para agradá-lo e mostrar-lhe que era um hóspede muito honrado. Durante a longa refeição, que durou horas, Ryn Jin mandou suas filhas tocarem um pouco de música, e as duas princesas tocaram a *koto* (harpa japonesa), cantaram e dançaram em turnos. O tempo passou tão agradavelmente que o Feliz Caçador pareceu esquecer do problema que o trouxera ao reino do Rei do Mar, entregando-se ao prazer daquele lugar maravilhoso, a terra dos peixes encantados! Quem já ouviu falar de um lugar tão maravilhoso? Mas o *Mikoto* logo se lembrou de sua missão em Ryn Gu e disse a seu anfitrião:

— Talvez suas filhas tenham-lhe contado, Rei Ryn Jin, que vim até aqui para tentar recuperar o anzol de meu irmão, que perdi enquanto pescava outro dia. Peço-lhe que tenha a gentileza de consultar todos os seus súditos para verificar se algum deles encontrou um anzol no mar.

— Decerto — disse o amável Rei do Mar. — Convocarei a todos imediatamente, e os questionarei sobre o anzol.

Ao comando do rei, o polvo, a lula, o atum, a enguia, a água-viva, o camarão, a solha e muitos outros seres do mar entraram e sentaram-se diante de Ryn Jin, pondo-se em ordem.

— Nosso visitante, sentado diante de vocês, é o *Mikoto*, neto de Amaterasu — declarou o Rei do Mar solenemente. — Seu nome é Hohodemi, o quarto *Mikoto*, e ele também é chamado de Feliz Caçador das Montanhas. Enquanto pescava outro dia, na costa do Japão, alguém roubou o anzol de seu irmão. Ele desceu até o fundo do mar, para o nosso reino, porque imaginou que um de vocês pode ter tirado o anzol dele em uma brincadeira travessa. Se algum de vocês tiver feito isso, deverá devolvê-lo imediatamente ou se algum de vocês souber quem é o ladrão, deverá nos dizer seu nome e onde ele está agora mesmo.

Todos os peixes foram pegos de surpresa ao ouvir aquelas palavras e não conseguiram dizer uma só palavra por um bom tempo. Permaneceram sentados, olhando um para o outro e para o Rei Dragão. Por fim, a lula avançou e disse:

— Creio que o *tai* (pargo japonês) seja o ladrão do anzol!

— Onde está sua prova? — perguntou o rei.

— Desde ontem à noite, o *tai* não consegue comer nada e parece sentir dor! Por isso, acho que o anzol pode estar em sua garganta. É melhor convocá-lo imediatamente!

Todos os peixes concordaram, dizendo:

— Parece muito estranho que o *tai* seja o único peixe que não obedeceu à convocação. Pode mandar chamá-lo e questioná-lo sobre o assunto. Assim, nossa inocência será provada.

— Sim — disse o Rei do Mar —, é estranho que o *tai* não tenha vindo, pois deveria ser o primeiro a chegar.

Sem esperar pela ordem do Rei, a lula já havia partido rumo à morada do *tai* e retornado na companhia deste último.

Na companhia do rei, o *tai* se sentou, parecendo assustado e doente. Ele certamente estava com muita dor, pois seu rosto, geralmente vermelho, estava pálido, e seus olhos, quase fechados, pareciam ter metade do tamanho normal.

— Responda, *tai*! — exclamou o Rei do Mar. — Por que não compareceu em resposta à minha convocação hoje?

— Estou doente desde ontem — respondeu o tai. — Por isso não pude vir.

— Nem mais uma palavra! — gritou Ryn Jin, furioso. — Sua doença é o castigo dos deuses por roubar o anzol do Mikoto.

— É verdade! — exclamou o *tai*. — O anzol ainda está entalado na minha garganta, e todos os meus esforços para tirá-lo foram em vão. Não posso comer, mal posso respirar, a cada momento sinto que vou sufocar e às vezes isso me causa muita dor. Não tinha intenção de roubar o anzol do *Mikoto*. Por um descuido, mordi a isca que vi na água, e o gancho soltou e ficou preso na minha garganta. Então espero que me perdoe.

A lula avançou e disse ao Rei:

— O que disse era verdade. Veja que o anzol ainda está preso na garganta do *tai*. Espero poder retirá-lo na presença do *Mikoto* e, assim, devolvê-lo com segurança!

— Ah, por favor, apresse-se e retire-o da minha garganta! — gritou o *tai*, lamentando-se, pois sentia que as dores voltavam a incomodá-lo. — Desejo devolver o gancho para o *Mikoto*.

— Tudo bem, *tai san* — disse sua amiga, a lula. Em seguida, abrindo a boca do *tai* o máximo possível, colocou uma de suas antenas na garganta do peixe e rápida e facilmente tirou o anzol da grande boca do sofredor. Em seguida, o lavou e entregou ao rei.

Ryn Jin pegou o anzol e o devolveu respeitosamente ao Feliz Caçador (o *Mikoto* ou governante, como os peixes o chamavam), que ficou radiante ao receber seu anzol de volta. Ele agradeceu a Ryn Jin muitas vezes, com o rosto iluminado pela gratidão e disse que aquele era o final feliz de sua busca graças à sábia autoridade e bondade do Rei do Mar.

Ryn Jin agora desejava punir o *tai*, mas o Feliz Caçador implorou que não o fizesse, pois, visto que seu anzol perdido fora recuperado com sucesso, não queria causar mais problemas para o pobre peixe. De fato, fora o *tai* quem pegara o anzol, mas ele já havia sofrido o suficiente por sua má conduta, se é que podia ser chamada assim. O acontecido fora por negligência, não com intenção. O Feliz Caçador disse que culpava a si mesmo, pois se soubesse pescar adequadamente, nunca teria perdido o anzol e, portanto, todo aquele problema fora causado, em primeiro lugar, por ele tentar fazer algo que não sabia. Então, implorou ao Rei do Mar que perdoasse seu súdito.

Quem poderia resistir ao apelo de julgamento tão sábio e compassivo? Ryn Jin perdoou seu súdito imediatamente a pedido do convidado. O *tai* ficou tão feliz que agitou suas nadadeiras de alegria, e tanto ele quanto todos os outros peixes deixaram a presença de seu rei, elogiando as virtudes do Feliz Caçador.

Agora que o anzol fora encontrado, não havia mais motivos para o Feliz Caçador permanecer em Ryn Gu, e ele estava ansioso para voltar ao seu próprio reino e fazer as pazes com seu irmão furioso, o Hábil Pescador. Mas o Rei do Mar, que aprendera a amá-lo e de bom grado o teria mantido como um filho, implorou-lhe que não partisse tão cedo, que fizesse do Palácio do Mar sua casa pelo tempo que desejasse. Enquanto o Feliz Caçador ainda hesitava, as duas adoráveis princesas, Tayotama e Tamayori, aproximaram-se e, com a mais doce das reverências e vozes, uniram-se a seu pai para pressioná-lo a ficar, de modo que, sob pena de parecer indelicado, ele não pôde dizer simplesmente "Não" e foi obrigado a ficar algum tempo.

Entre o Reino do Mar e a Terra, não havia diferença na noite do tempo, e o Feliz Caçador descobriu que três anos transcorreram rapidamente naquele país encantador. Os anos passam depressa quando se é verdadeiramente feliz. Mas embora as maravilhas daquela terra encantada parecessem se renovar a cada dia, e a bondade do Rei do Mar parecesse aumentar em vez de diminuir com o tempo, o Feliz Caçador sentia cada vez mais saudades de casa e não conseguia reprimir a grande ansiedade por saber o que se passava em sua casa, seu país e com seu irmão durante sua ausência.

Por fim, ele procurou o Rei do Mar e disse:

— Minha estadia aqui foi muito feliz, e sou-lhe muito grato por toda sua bondade para comigo, mas governo o Japão e, por mais encantador que seja este lugar, não posso me ausentar para sempre de meu país. Além disso, preciso devolver o anzol a meu irmão e pedir perdão por tê-lo privado desse objeto por tanto tempo. Na verdade, sinto muito por me separar de todos aqui, mas desta vez não posso evitar. Com sua graciosa permissão, partirei amanhã mesmo. Espero fazer-lhe outra visita algum dia. Por favor, peço que não insista para que eu permaneça por mais tempo.

O rei Ryn Jin foi dominado pela tristeza ao pensar que perderia o amigo com quem havia vivenciado momentos de grande prazer no Palácio do Mar, e as lágrimas caíram rapidamente quando respondeu:

— Sentimos muito por termos de nos separar, *Mikoto*, pois apreciamos muito a sua estadia conosco. Comportou-se como um convidado nobre e honrado e nós o recebemos de todo o coração. Entendo perfeitamente que, como governa o Japão, deve estar lá em vez de aqui, e que é inútil tentarmos mantê-lo conosco por mais tempo, por mais que desejássemos que ficasse. Espero que não nos esqueça. Circunstâncias estranhas nos uniram, e confio que a amizade assim iniciada entre a Terra e o Mar perdurará e se fortalecerá mais do que nunca.

Quando o Rei do Mar terminou de falar, virou-se para suas duas filhas e pediu-lhes que trouxessem as duas Joias das Marés do Mar. As princesas fizeram uma reverência, levantaram-se e deslizaram para fora pelo corredor. Em poucos minutos retornaram, cada qual trazendo nas mãos uma joia cintilante que encheu o ambiente de luz. Enquanto o Feliz Caçador olhava para elas, perguntava-se o que poderiam ser. O Rei do Mar as recebeu das mãos de suas filhas e disse ao seu convidado:

— Esses são dois valiosos talismãs que herdamos de nossos ancestrais desde tempos imemoriais. Agora, lhe oferecemos como um presente de despedida e um sinal de nossa grande afeição. Estas duas joias são chamadas de *nanjiu* e *kanjiu*[53].

— Nunca poderei agradecer o suficiente por toda a sua gentileza para comigo — disse o Feliz Caçador, curvando-se. — E agora rogo-lhe que me faça o favor de dizer o que são essas joias e o que devo fazer com elas.

— O *nanjiu* — respondeu o Rei do Mar — também é conhecido como Joia da Maré do Dilúvio, e quem quer que o possua pode comandar o mar para que se precipite e inunde a terra a qualquer momento. Já o *kanjiu* é também chamado de Joia da Maré Vazante e tem o poder de controlar o mar e suas ondas, fazendo com que até mesmo um maremoto retroceda.

Então Ryn Jin mostrou a seu amigo como usar os talismãs um por um e os entregou a ele. O Feliz Caçador ficou muito satisfeito por ter aquelas duas joias maravilhosas, a Joia da Maré do Dilúvio e a Joia da Maré Vazante, para levar de volta, pois sentiu que elas o protegeriam em caso de qualquer

---

[53] Joias com significado mítico e mágico na cultura japonesa. Como se constata, são joias que o deus do Mar (Watatsumi) usava para controlar as marés. Há um antigo mito que diz que esse deus, com Ryujin (ou Ryn Jin), "Deus Dragão", apresentou essas duas joias a Hoori, e lendas posteriores atestam que o imperador Jingu usou os poderes das pedras sobre as marés para conquistar a Coreia no século III d. C.

perigo imposto por inimigos, a qualquer momento. Depois de agradecer ao seu gentil anfitrião repetidas vezes, ele se preparou para partir. O Rei do Mar e as duas princesas, Tayotama e Tamayori, assim como todos os súditos do palácio, saíram para dizer adeus, e antes que o som da última despedida tivesse desaparecido, o Feliz Caçador atravessou o portal, passou pelo poço que lhe trazia memórias felizes e parou por um instante à sombra das grandes árvores *katsura* antes de seguir o caminho rumo à praia.

Ali chegando, encontrou, em vez do estranho cesto no qual tinha vindo para o Reino de Ryn Gu, um grande crocodilo esperando por ele. Ele nunca havia visto uma criatura tão grande: media quatorze metros de comprimento, da ponta da cauda até o final da longa mandíbula. O Rei do Mar ordenara que o monstro levasse o Feliz Caçador de volta ao Japão. Assim como ocorrera com o maravilhoso cesto que Shiwozuchino Okina confeccionara, ele pôde viajar mais rápido que qualquer embarcação e, dessa forma estranha, nas costas de um crocodilo, o Feliz Caçador retornou para sua própria terra.

Assim que o animal o deixou na costa, o Feliz Caçador se apressou em contar ao Hábil Pescador sobre seu retorno seguro. Ele então lhe devolveu o anzol de pesca que havia sido encontrado na boca do *tai* e que havia causado tantos problemas entre eles. Implorou sinceramente pelo perdão do irmão, contando-lhe tudo o que lhe acontecera no Palácio do Rei do Mar e as maravilhosas aventuras que o levaram a encontrar o anzol.

Na verdade, o Hábil Pescador usara o anzol perdido como desculpa para expulsar o irmão do país. Quando o Feliz Caçador o deixou naquele dia, três anos atrás, e não retornou, o pescador regozijou-se em seu coração maligno e imediatamente usurpou o lugar de seu irmão como governante do país, tornando-se rico e poderoso. Em meio ao desfrute daquilo que não lhe pertencia e à esperança de que seu irmão nunca mais retornasse para reivindicar seus direitos, eis que o Feliz Caçador inesperadamente apareceu diante dele.

O Hábil Pescador fingiu perdoar o irmão, pois não podia mais dar desculpas para mandá-lo embora novamente, mas, em seu coração, estava muito zangado e o odiava cada vez mais, até que finalmente não pôde mais suportar vê-lo dia após dia e planejou e aguardou por uma oportunidade de matá-lo.

Certo dia, quando o Feliz Caçador caminhava pelos campos de arroz, seu irmão o seguiu com uma adaga. O Feliz Caçador sabia que ele o seguia com a intenção de matá-lo e sentiu que, naquele momento de grande perigo, era a hora certa de usar as joias da Maré do Dilúvio e da Maré da Vazante e comprovar se o que o Rei do Mar lhe dissera era verdade ou não.

Assim, ele tirou a Joia da Maré do Dilúvio do bolso e levantou-a na altura da testa. Instantaneamente, sobre os campos e sobre as fazendas, o mar ergueu-se em ondas sucessivas até chegar ao local onde seu irmão se encontrava. O Hábil Pescador ficou surpreso e apavorado ao ver o que estava acontecendo. E, no minuto seguinte, lutava contra a água e pedia a seu irmão para salvá-lo de um provável afogamento.

O Feliz Caçador guardava um coração bom e não podia suportar a visão da angústia de seu irmão, então imediatamente guardou a Joia da Maré do Dilúvio e tirou a Joia da Maré Vazante. Assim que a levantou na altura da testa, o mar retrocedeu e, em pouco tempo, as violentas enchentes desapareceram, e as fazendas, campos e terra ficaram secas como antes.

O Habilidoso Pescador ficou muito assustado diante do perigo de morte que correra e impressionado com as coisas maravilhosas que vira seu irmão realizar. Ele percebeu que estava cometendo um erro fatal ao se colocar contra irmão mais jovem, tão poderoso ao ponto de comandar um dilúvio ou uma maré vazante com apenas uma palavra. Por isso, humilhou-se diante do Feliz Caçador e pediu-lhe que o perdoasse por todo o mal que lhe fizera. O Hábil Pescador prometeu restaurar os direitos do irmão e também jurou que, embora o Feliz Caçador fosse o irmão mais novo e lhe devesse fidelidade por direito de nascimento, ele, o Hábil Pescador, o exaltaria como seu superior e se curvaria diante dele como Senhor de todo o Japão[54].

Então o Feliz Caçador disse que perdoaria seu irmão se ele jogasse na Maré Vazante todos os seus malfeitos. O Hábil Pescador assim o prometeu, e a paz foi selada entre os irmãos. A partir daquele momento, ele manteve sua palavra e se tornou um homem bom e um irmão gentil.

O Feliz Caçador passou a governar seu reino sem ser perturbado por conflitos familiares, e houve paz no Japão por muito, muito tempo. Acima de todos os tesouros de sua casa, ele valorizava as maravilhosas joias do Dilúvio e da Maré Vazante, que lhe haviam sido presenteadas por Ryn Jin, o Rei Dragão do Mar.

Este é o final feliz para o Feliz Caçador e o Hábil Pescador.

---

[54] Esse conto é um daqueles que envolvem figuras lendárias que assumem a forma humana a fim de visitar uma terra estrangeira perseguindo um anzol perdido ou uma ferramenta de caça. A vingança do proprietário ao encontrar e obter esses itens pode ser vista em vários relatos e lugares.
Além disso, histórias sobre confrontos de um deus da montanha e um deus do mar causando inundação em grande escala podem ser encontradas em vários lugares do mundo. Na mitologia japonesa, a luta entre o povo de Tenson e o de Hayato é um exemplo disso.
Este conto, em particular, é o precursor do tipo *senkyo-tairyu-setsuwa* ("histórias onde vivem eremitas") e de casamentos entre deuses e humanos e Urashima Taro, personagem mítico e popular japonês, pescador humilde e gentil que salvou uma tartaruga diante dos abusos de crianças, conforme narra o terceiro conto deste livro.

O conto do velho que fazia as cerejeiras florescerem.
Ogata Gekko, 1890-1920.

A HISTÓRIA DO VELHO QUE FAZIA ÁRVORES SECAS FLORESCEREM [55]

Há muito, muito tempo, vivia um velho e sua esposa que ganhavam seu sustento cultivando um pequeno pedaço de terra. A vida deles era muito feliz e pacífica, exceto por uma grande tristeza: não tinham filhos. Seu único animal de estimação era um cachorro chamado Shiro, a quem dedicavam todo o carinho de sua velhice. Na verdade, eles o amavam tanto que sempre que tinham algo bom para comer, negavam-se a comer para dar ao cão. Shiro significa "branco", e ele era assim chamado por sua cor. Tratava-se de um verdadeiro cachorro japonês e muito parecido com um pequeno lobo em aparência.

A hora mais feliz do dia, tanto para o velho como para o seu cão, era quando o homem regressava do trabalho no campo e, tendo acabado sua ceia frugal de arroz e vegetais, levava o que reservara da refeição para a pequena varanda que contornava a casa. Ali, certamente Shiro aguardava por seu mestre e pela refeição da noite. Então o velho dizia "Venha, venha!", e Shiro se sentava, implorando pela comida. Ao lado desse bom e velho casal, vivia outro velho e sua esposa que eram perversos e cruéis e que odiavam seus bons vizinhos e o cachorro com todas as forças. Sempre que Shiro chegava perto da cozinha, eles imediatamente o chutavam ou jogavam algo nele, às vezes até ferindo-o.

---

[55] Este conto se baseia no *Hanasaka Jiisan* (花咲か爺さん), com evidente propósito educativo e pedagógico, ao denunciar o ganancioso e inescrupuloso diante do leal e puro. O cão Shiro, como muitos na literatura japonesa, é um dos maiores exemplos de dedicação e lealdade aos seus donos.
Cães (*inu*) brancos, como Shiro, são considerados especialmente auspiciosos e frequentemente aparecem em contos populares. No Período Edo, Tokugawa Tsuneyoshi (g. 1680–1704), o quinto xôgum (*shôgun*) Tokugawa, e um budista fervoroso, ordenou a proteção de todos os animais, especialmente os cães. Seus regulamentos sobre cães eram tão extremos, que ele foi ridicularizado como o Inu Shogun.

Certo dia, Shiro latiu por um longo tempo no terreno nos fundos da casa de seu dono. O velho, pensando que talvez alguns pássaros estivessem atacando o milho, correu para ver o que estava acontecendo. Assim que viu seu mestre, Shiro correu para encontrá-lo, abanando o rabo; agarrando a ponta de seu quimono, arrastou-o para debaixo de uma grande árvore *yenoki*. Ali, começou a cavar muito diligentemente com as patas, ganindo de alegria o tempo todo. O velho, incapaz de compreender o que tudo aquilo significava, permaneceu olhando com perplexidade. Mas Shiro continuou latindo e cavando com todas as forças.

O pensamento de que algo pudesse estar escondido debaixo da árvore, e que o cachorro o tivesse farejado, finalmente ocorrera ao velho. Apressou-se para dentro de casa, pegou uma pá e começou a cavar o terreno naquele local. Qual não foi o seu espanto quando, depois de cavar por algum tempo, encontrou uma pilha de moedas antigas e valiosas e, quanto mais fundo cavava, mais moedas de ouro encontrava. O velho estava tão concentrado na tarefa que não notou a presença do vizinho olhando por detrás da cerca de bambu. Por fim, todas as moedas de ouro brilharam no chão. Shiro sentou-se ereto, com orgulho, e olhou com carinho para seu dono como se dissesse: "Veja, embora seja apenas um cachorro, posso retribuir toda a bondade que me dedica."

O velho correu para chamar a esposa e, juntos, levaram o tesouro para casa. Assim, em um único dia, enriqueceu. Sua gratidão ao cão fiel não tinha limites e ele o amava e acariciava mais do que nunca, como se isso fosse possível.

O velho vizinho, atraído pelos latidos de Shiro, fora uma testemunha invisível e invejosa da descoberta do tesouro. Ele começou a pensar que também gostaria de encontrar uma fortuna. Então, alguns dias depois, visitou a casa do velho e muito cerimoniosamente pediu permissão para que Shiro lhe fosse emprestado por um curto período.

O mestre de Shiro achou aquele pedido muito estranho, pois sabia muito bem que, além de não gostar de seu cachorro de estimação, o vizinho não perdia a oportunidade de bater nele e atormentá-lo sempre que ele cruzava seu caminho. Mas o velho era muito bondoso para recusar o pedido, então consentiu em emprestar o cachorro com a condição de que fosse bem cuidado.

O velho perverso voltou para casa com um sorriso maligno no rosto e contou à esposa como havia obtido sucesso em suas astutas intenções. Em seguida, pegou uma pá e correu para seu próprio terreno, forçando o relutante Shiro a segui-lo. Assim que chegou a uma árvore *yenoki*[56], disse ao cachorro, de modo ameaçador:

— Se havia moedas de ouro sob a árvore de seu mestre, também deve haver moedas de ouro sob a minha. Deve encontrá-las para mim! Onde estão? Onde? Onde?

E, agarrando o pescoço de Shiro, forçou-lhe a cabeça ao chão, de modo que Shiro começou a arranhar e cavar para se livrar das garras do velho horrível.

---

[56] Árvore cipreste nativa da região central do Japão. É considerada uma das poucas sagradas pelo xintoísmo (como é no Santuário de Ise), em razão de sua durabilidade e altura imponente. Sua madeira tem cheiro de limão, aspecto marrom-rosado-claro, com um grão reto e rico, além de ser altamente resistente ao apodrecimento. Foi usada na construção do Templo Horyuji e no Castelo de Osaka.

Ele ficou muito satisfeito quando viu o cachorro começar a arranhar e cavar, pois imediatamente supôs que algumas moedas de ouro estavam enterradas sob a árvore, assim como sob a de seu vizinho, e que o cachorro as havia farejado como antes. Assim, empurrando Shiro para longe, começou a cavar ele mesmo, mas não havia nada a ser encontrado. Enquanto cavava, um cheiro fétido era perceptível e, por fim, encontrou um monte de lixo.

Pode-se imaginar a sensação de repulsa que tomou conta do velho. Tal sentimento logo deu lugar à raiva. Ele testemunhara a sorte de seu vizinho e, na esperança de receber o mesmo, havia pedido o cachorro Shiro emprestado. Naquele momento, quando parecia prestes a encontrar o que procurava, apenas um monte de lixo fedorento o recompensou por uma manhã de escavação. Em vez de culpar a própria ganância por sua decepção, culpou o pobre cachorro. Ele agarrou a pá e, com toda a força, atingiu Shiro, matando-o na hora. Em seguida, jogou o corpo do cachorro no buraco que cavara na esperança de encontrar um tesouro de moedas de ouro e cobriu-o com terra. Depois voltou para casa, sem contar a ninguém, nem mesmo à esposa, o que fizera.

Após vários dias de espera, como o cachorro não retornava, seu mestre começou a ficar ansioso. Dia após dia, o bondoso velhinho esperava em vão. Então foi até o vizinho e pediu-lhe que devolvesse o cachorro. Sem nenhuma vergonha ou hesitação, o perverso vizinho respondeu que havia matado Shiro por seu mau comportamento. Diante daquela terrível notícia, o mestre de Shiro derramou muitas lágrimas, tristes e amargas. Grande, de fato, foi sua lastimável surpresa, mas ele era bom e gentil demais para censurar seu cruel vizinho. Ao saber que o cão estava enterrado sob a árvore *yenoki* no campo, pediu ao velho que lhe desse a árvore, em memória de seu pobre Shiro.

Mesmo o perverso vizinho não poderia recusar um pedido tão simples, então consentiu em dar ao velho a árvore sob a qual Shiro estava enterrado. O mestre cortou a árvore e a levou para casa. A partir do tronco, confeccionou um pilão. Nele sua esposa colocou um pouco de arroz, e o velho começou a triturá-lo com a intenção de fazer uma festa em memória de seu estimado amigo.

Mas algo estranho aconteceu! Sua esposa colocou o arroz no pilão e, assim que ele começou a triturá-lo para fazer os bolos, a quantidade começou a aumentar gradualmente, até atingir cerca de cinco vezes a original, e os bolos foram saindo do pilão como se uma mão invisível os estivesse produzindo.

Quando o velho e a esposa viram aquilo, entenderam que era uma recompensa de Shiro por seu fiel amor. Eles provaram os bolos e os acharam mais agradáveis que qualquer outra iguaria. Assim, a partir daquele dia, nunca mais se preocuparam com comida, pois se alimentavam dos bolos que o pilão nunca cessava de fornecer.

O ganancioso vizinho, sabendo daquele novo golpe de sorte, encheu-se de inveja como antes, chamou o velho e pediu licença para pegar emprestado o maravilhoso pilão por um curto período, fingindo que também lamentava a morte de Shiro e queria fazer bolos para uma festa em memória do cachorro.

O velho não desejava nem um pouco emprestá-lo ao cruel vizinho, mas era gentil demais para recusar. Então o invejoso levou o pilão para casa, mas nunca mais o trouxe de volta.

Vários dias se passaram, e o mestre de Shiro esperou em vão pelo pilão. Assim, ele foi até o vizinho e pediu-lhe que fosse bom o suficiente para devolver-lhe o objeto caso já o tivesse utilizado. Ele o encontrou sentado perto de uma grande fogueira feita de pedaços de madeira. No chão, havia o que pareciam pedaços de um pilão quebrado. Em resposta à pergunta do velho, o cruel vizinho disse com altivez:

— Veio me pedir seu pilão de volta? Saiba que o parti em pedaços e agora estou fazendo uma fogueira com a lenha, pois quando tentei extrair bolos dele, só o que saiu foi uma substância com um cheiro horrível.

— Lamento muito pelo acontecido — disse o bondoso velhinho. — É uma pena que não tenha me pedido os bolos se assim os desejava. Teria lhe dado quantos quisesse. Agora, por favor, me dê as cinzas do pilão, pois desejo mantê-las em memória ao meu cachorro.

O vizinho consentiu imediatamente, e o velho levou para casa um cesto repleto de cinzas.

Não muito tempo depois, o velho acidentalmente derramou parte das cinzas resultantes da queima do pilão nas árvores de seu jardim, e algo maravilhoso aconteceu!

Era final do outono, e todas as árvores haviam perdido as folhas, mas assim que as cinzas tocaram seus galhos, as cerejeiras, as ameixeiras e todos os outros arbustos floresceram, de modo que o jardim do velho foi subitamente transformado em uma bela paisagem de primavera. O seu deleite não conhecia limites, e ele preservou cuidadosamente as cinzas restantes.

A história sobre o jardim do velho se espalhou por toda parte, e pessoas de longe e de perto vinham para ver a maravilhosa paisagem.

Certo dia, pouco tempo depois, o velho ouviu alguém batendo à sua porta e, indo até a varanda para ver quem era, ficou surpreso ao ver um cavaleiro parado ali. Esse cavaleiro lhe disse que era criado de um grande *daimiô* (conde)[57] e que uma das cerejeiras favoritas do jardim desse nobre havia murchado; que, embora todos a seu serviço tivessem tentado todos os meios para reanimá-la, nenhuma técnica surtira efeito. O cavaleiro ficara perplexo ao presenciar o grande desagrado que a perda da cerejeira favorita causara ao *daimiô*. Naquele momento, felizmente, eles ouviram que havia um velho maravilhoso que podia fazer florescer árvores secas e, assim, seu senhor o havia enviado para pedir ao velho que fosse até ele.

— E ficarei muito grato se vier imediatamente — acrescentou o cavaleiro.

O bom velho ficou muito surpreso com o que ouviu e, respeitosamente, seguiu o homem até o palácio do nobre.

O *daimiô*, que aguardava impacientemente a chegada do velho, logo que o viu, perguntou-lhe:

— É o velho que pode fazer árvores murchas florescerem mesmo fora da estação?

— Sou eu mesmo! — respondeu com uma reverência.

— Deve fazer aquela cerejeira morta em meu jardim florescer novamente por meio de suas famosas cinzas. Ficarei aqui observando — pediu o *daimiô*.

Em seguida, todos foram para o jardim, o *daimiô*, seus criados e as damas de companhia, que carregavam a espada do nobre.

O velho arregaçou as mangas de seu quimono e se preparou para subir na árvore. Pedindo licença ao nobre, pegou o pote de cinzas que havia trazido e começou a escalar sob os olhares curiosos que observavam cada movimento seu com grande interesse.

Por fim, subiu até o local onde a árvore se dividia em dois grandes galhos e, tomando posição, sentou-se e espalhou as cinzas generosamente por todos os ramos e galhos.

Maravilhoso, de fato, foi o resultado! A árvore, anteriormente murcha, de imediato explodiu em plena floração! O *daimiô* ficou tão alegre e emocionado que parecia enlouquecer. Ele se levantou, abriu seu leque e pediu ao velho que descesse da árvore, entregando-lhe uma taça repleta do melhor saquê e recompensando-o com grande quantidade de prata, ouro e muitas outras coisas preciosas. O *daimiô* ordenou que, daquele dia em diante, o velho fosse chamado pelo nome de *Hana-Saka-Jijii*, ou "O Velho que Faz as

---

[57] Daimiô (大名), grande senhor, proprietário de latifúndios que detinha amplos poderes em suas propriedades, como direitos civis, militares, policiais e fiscais. Com o tempo, com o xogunato dos Tokugawas, esses daimiôs foram gradativamente perdendo sua autonomia diante da centralização do governo a partir do final do século XVI.

Árvores Florescerem", e que todos assim o reconhecessem. Em seguida, o nobre o enviou para casa com grande honra.

    O perverso vizinho, como fizera anteriormente, ficou sabendo da fortuna do bom velho e de tudo que tão auspiciosamente lhe acontecera, e não pôde reprimir toda a inveja e ciúme que tomaram conta de seu coração. Ele se lembrou de como havia falhado na tentativa de encontrar as moedas de ouro e, em seguida, em fazer os bolos mágicos. Desta vez, ele certamente teria sucesso se imitasse o velho fazendo as árvores murchas florescerem simplesmente espalhando cinzas sobre elas. Seria a tarefa mais fácil de todas.

    Assim sendo, começou a trabalhar e juntou todas as cinzas que permaneceram na lareira da queima do pilão maravilhoso. Em seguida, partiu na esperança de encontrar algum grande homem para contratá-lo, gritando em voz alta enquanto avançava:

— Lá vem o homem maravilhoso que pode fazer florescer árvores murchas! Lá vem o velho que pode fazer florescer árvores mortas!

O *daimiô*, de dentro do palácio, ouviu os gritos e disse:

— Deve ser *Hana-Saka-Jijii* passando por aqui. Não tenho nada para fazer hoje. Deixe-o tentar sua arte novamente, vou me divertir observando-o.

Então os criados saíram e trouxeram o impostor diante de seu senhor. Pode-se imaginar a satisfação do falso velho naquele momento.

Mas, olhando para ele, o *daimiô* estranhou que não fosse nada parecido com o velho que vira anteriormente.

— É o homem a quem chamei de *Hana-Saka-Jijii*? — perguntou.

— Sim, meu senhor! — respondeu o vizinho, mentindo.

— Que estranho! — disse o *daimiô*. — Pensei que havia apenas um *Hana-Saka-Jijii* no mundo! Ele agora tem discípulos?

— Sou o verdadeiro *Hana-Saka-Jijii*. Aquele que veio diante de vós anteriormente era apenas meu discípulo! — respondeu o vizinho novamente.

— Presumo, então, que deve ser mais habilidoso que o outro. Mostre-me o que é capaz de fazer!

O vizinho invejoso, seguido pelo *daimiô* e sua corte, foi ao jardim e, aproximando-se de uma árvore morta, tirou um punhado de cinzas que carregava consigo e espalhou-as sobre a árvore.

Mas a árvore não só não floresceu como nem mesmo brotou um botão. Pensando que não tinha usado cinzas suficientes, o velho pegou outro punhado e novamente aspergiu sobre a árvore murcha. Tudo em vão. Depois de várias tentativas, as cinzas acabaram atingindo os olhos do *daimiô*. Isso o deixou muito zangado, e ele ordenou que seus criados capturassem o falso *Hana-Saka-Jijii* imediatamente e o prendessem por ser um impostor. Daquela prisão, o velho perverso jamais foi libertado. Assim, ele finalmente encontrou a punição por todas as suas maldades.

O bom velho, porém, com o tesouro de moedas de ouro que Shiro havia encontrado e todo o ouro e a prata que o *daimiô* havia lhe dado, tornou-se um homem rico e próspero em sua velhice, desfrutando de uma vida longa e feliz, amado e respeitado por todos.

Macaco agarrado a uma videira em um pinheiro e observando uma vespa.
Rokubei, período Edo.

A ÁGUA-VIVA E O MACACO

Há muito, muito tempo, no antigo Japão, o Reino do Mar era governado por um rei maravilhoso. Ele era chamado de Ryn Jin, ou o Rei Dragão do Mar. Seu poder era imenso, pois governava todas as criaturas marinhas, grandes e pequenas, e sob sua guarda estavam a Joia da Maré do Dilúvio e a Joia da Maré Vazante. A Joia da Maré Vazante, quando lançada ao oceano, fazia com que o mar recuasse da terra, e a Joia da Maré do Dilúvio fazia com que as ondas subissem montanhas e fluíssem na costa como um maremoto.

O palácio de Ryn Jin ficava no fundo do mar e era tão lindo que ninguém jamais vira algo parecido, mesmo em sonhos. As paredes eram feitas de coral, o telhado, de jade e crisoprásio, e os pisos, da mais fina madrepérola. Mas o Rei Dragão, apesar de seu vasto reino, seu belo palácio, todas as suas maravilhas e o poder insuperável em todo o mar, não estava nada feliz, pois reinava sozinho. Por fim, pensou que, ao se casar, não só seria mais feliz, mas também mais poderoso. Assim, decidiu-se por um casamento. Reunindo todos os seus criados peixes, selecionou vários deles como embaixadores para atravessar o mar e procurar uma jovem princesa Dragão para se tornar sua noiva.

Por fim, eles retornaram ao palácio trazendo uma adorável jovem Dragão. Suas escamas eram de um verde brilhante, como as asas de besouros de verão, seus olhos lançavam olhares de fogo, e ela vestia lindos trajes. Todas as joias do mar trabalhadas com bordados a adornavam.

O rei se apaixonou por ela imediatamente, e a cerimônia de casamento foi celebrada em meio a grande esplendor. Todos os seres vivos do mar, das grandes baleias aos pequenos camarões, vieram em cardumes para dar os parabéns à noiva e ao noivo e desejar-lhes uma vida longa e próspera. Nunca houvera tal reunião ou festividade tão alegre no Mundo dos Peixes. O séquito de criados que carregava os pertences da noiva para sua nova casa parecia atravessar as ondas de uma extremidade a outra do mar. Cada peixe carregava uma lanterna fosforescente e vestia túnicas cerimoniais, cintilantes em azul, rosa e prata. As ondas que subiam, desciam e quebravam naquela noite pareciam ser massas rolantes de fogo branco e verde, pois o fósforo brilhava com o dobro da intensidade em homenagem ao evento.

Por um tempo, o Rei Dragão e sua noiva viveram muito felizes. Amavam-se ternamente, e o noivo, dia após dia, deleitava-se em mostrar à noiva todas as maravilhas e tesouros de seu palácio de coral. Ela, por sua vez, nunca se cansava de passear em sua companhia pelos vastos salões e jardins. A vida parecia a ambos um longo dia de verão.

Dois meses se passaram daquela maneira feliz, mas então a Rainha Dragão adoeceu e foi obrigada a permanecer em repouso absoluto. O rei ficou profundamente perturbado quando viu sua preciosa esposa tão doente e, de imediato, mandou chamar o médico-peixe para lhe administrar um remédio. Ele deu ordens especiais aos criados para que cuidassem dela com atenção e a atendessem com diligência, mas, apesar de todos os cuidados assíduos das enfermeiras e dos remédios que o médico prescrevera, a jovem rainha não dava sinais de recuperação, piorando a cada dia.

O Rei Dragão inquiriu o médico e o culpou por não ter curado a rainha. O doutor ficou alarmado com o evidente descontentamento de Ryn Jin e desculpou sua falta de habilidade dizendo que, embora soubesse o tipo certo de remédio para dar à doente, era impossível encontrá-lo no mar.

— Está me dizendo que não pode conseguir o remédio aqui? — perguntou o Rei Dragão.

— É exatamente isso! — respondeu o médico.

— Diga-me do que a rainha precisa? — exigiu Ryn Jin.

— Precisa do fígado de um macaco vivo! — respondeu o médico.

— O fígado de um macaco vivo! Claro que será difícil de conseguir — declarou o rei.

— Se pudéssemos conseguir isso para a rainha, Sua Majestade logo se recuperaria —, disse o médico.

— Muito bem, assim será! Devemos consegui-lo de uma forma ou de outra. Mas onde é mais provável que encontremos um macaco? — perguntou o rei.

Então o médico disse ao Rei Dragão que a alguma distância ao sul, havia a Ilha dos Macacos, onde viviam muitos desses animais.

— Se pudéssemos capturar um desses macacos! — disse o médico.

— Mas como alguém do meu povo pode capturar um macaco? — perguntou o Rei Dragão, muito intrigado — Os macacos vivem em terra firme, e nós vivemos na água; fora do nosso elemento, somos completamente impotentes! Não vejo o que podemos fazer!

— Essa também tem sido minha dúvida — disse o médico. — Mas, entre seus inúmeros servos, certamente encontrará um que possa ir à costa com esse expresso propósito!

— Algo precisa ser feito — declarou o rei e, chamando seu mordomo-chefe, o consultou sobre o assunto.

O mordomo-chefe pensou por algum tempo e então, como se atingido por um pensamento repentino, disse alegremente:

— Já sei o que devemos fazer! Lá está a *kurage* (água-viva). Ela é feia de se olhar, mas se orgulha de poder andar em terra com suas quatro patas como uma tartaruga. Vamos enviá-la à Ilha dos Macacos para capturar um.

A água-viva foi então conduzida à presença do rei e informada por Sua Majestade acerca do que lhe era exigido.

A água-viva, ao saber da inusitada missão que lhe seria confiada, ficou muito perturbada e disse que nunca estivera na ilha em questão e, como nunca tivera qualquer experiência na caça de macacos, temia não ser capaz de executar a tarefa.

— Bem — disse o mordomo-chefe —, se depender apenas de sua força ou destreza, nunca pegará um macaco. A única maneira é pregar-lhe uma peça!

— Como posso pregar uma peça em um macaco? Não sei como fazer isso! — disse a água-viva, perplexa.

— Eis o que deve fazer: fazer — disse o astuto mordomo-chefe —: quando se aproximar da Ilha dos Macacos e se deparar com um deles, tente fazer amizade com o animal. Diga a ele que é uma serva do Rei Dragão e convide-o para vir visitá-la e conhecer o palácio do Rei Dragão. Tente lhe descrever da forma mais viva que puder a grandeza do palácio e as maravilhas do mar, de forma a despertar sua curiosidade e o desejo de conhecer tudo pessoalmente!

— Mas como vou trazer o macaco até aqui? Sabia que macacos não nadam? — disse a água-viva relutante.

— Deve carregá-lo nas costas. Para que serve a sua concha se não pode fazer isso! — disse o mordomo-chefe.

— Ele não será muito pesado? — perguntou a *kurage* novamente.

— Não deve se importar com isso, pois está trabalhando para o Rei Dragão — respondeu o mordomo-chefe.

— Farei o melhor que puder — disse a água-viva, e nadou para longe do palácio, partindo em direção à Ilha dos Macacos. Nadando rapidamente, chegou a seu destino em poucas horas, alcançando a costa por meio de uma oportuna onda. Ao olhar em volta, viu não muito longe um grande pinheiro com galhos pendentes, e em um desses galhos estava exatamente o que procurava: um macaco vivo.

— Estou com sorte! — pensou a água-viva. — Agora devo lisonjear a criatura, tentar induzi-la a voltar comigo ao palácio e, então, minha missão estará cumprida!

Assim, a água-viva caminhou lentamente em direção ao pinheiro. Naquela época, a água-viva tinha quatro patas e um casco duro como o de uma tartaruga. Ao chegar ao pinheiro, levantou a voz e disse:

— Como vai, Sr. Macaco? Não está um dia lindo?

— Um belo dia — respondeu o macaco de cima da árvore. — Nunca a vi nesta parte do mundo antes. De onde veio e qual é o seu nome?

— Meu nome é *Kurage*[58] ou água-viva. Sou um dos servos do Rei Dragão. Ouvi falar tanto sobre sua bela ilha que vim especialmente para conhecê-la — respondeu a água-viva.

— Estou muito feliz em conhecê-la — disse o macaco.

— A propósito — continuou a água-viva —, conhece o Palácio do Rei Dragão do Mar, onde moro?

— Já ouvi falar muitas vezes, mas nunca o vi! — respondeu o macaco.

— Então certamente deveria vir. É uma grande pena que passe pela vida sem conhecê-lo. A beleza do palácio está além de qualquer descrição, é certamente, para mim, o lugar mais adorável do mundo — disse a água-viva.

— É tão lindo assim? — perguntou o macaco com espanto.

Então a água-viva viu sua chance e continuou descrevendo da melhor maneira possível a beleza e grandiosidade do palácio do Rei do Mar, e as maravilhas do jardim com suas árvores de coral branco, rosa e vermelho, as curiosas frutas como grandes joias penduradas nos galhos. O macaco foi ficando cada vez mais interessado e, enquanto ouvia, descia aos poucos da árvore para não perder uma palavra da maravilhosa história.

"Finalmente o convenci!", pensou a água-viva.

— Sr. Macaco — disse já em voz alta —, devo voltar agora. Como nunca viu o palácio do Rei Dragão, não gostaria de aproveitar esta esplêndida oportunidade e vir comigo? Poderei atuar como guia, mostrando-lhe todas as maravilhas do mar, que serão ainda maiores para você, um amante da terra firme.

— Adoraria ir — respondeu o macaco — mas como poderei atravessar a água? Não posso nadar, como certamente você sabe!

— Não haverá dificuldade alguma. Posso carregá-lo em minhas costas.

— Isso lhe será um grande incômodo — disse o macaco.

— Posso fazer isso facilmente. Sou mais forte do que pareço, não precisa se preocupar — disse a água-viva e, carregando o macaco nas costas, entrou no mar.

— Fique bem quieto, Sr. Macaco — orientou ela. — Não deve cair no mar, pois sou responsável por fazê-lo chegar ao palácio do rei são e salvo.

— Por favor, não vá tão rápido ou certamente cairei — disse o macaco.

E assim seguiram, a água-viva deslizando pelas ondas com o macaco sentado em suas costas. Quando estavam na metade do caminho, a água-viva,

---

[58] Em tradução, "lua do mar" (海月).

que pouco sabia de anatomia, começou a se perguntar se o macaco possuía um fígado ou não!

— Sr. Macaco, diga-me, possui algo como um fígado?

O macaco ficou muito surpreso com aquela estranha pergunta e perguntou o que a água-viva queria com um fígado.

— Essa é a coisa mais importante de todas — disse a estúpida água-viva —, por isso, assim que me lembrei, perguntei-lhe se estava com o seu.

— Por que meu fígado é tão importante para você? — perguntou o macaco.

— Ah! Descobrirá o motivo mais tarde — respondeu ela.

O macaco ficou cada vez mais curioso e desconfiado, então instou a água-viva a lhe dizer o que queria com o órgão e acabou apelando para os sentimentos de sua ouvinte, dizendo que estava muito preocupado com o que lhe dissera.

A água-viva, vendo como o macaco parecia ansioso, sentiu pena e contou-lhe tudo. Descreveu como a Rainha Dragão adoecera, como o médico dissera que apenas o fígado de um macaco vivo a curaria e como o Rei Dragão a enviara com a missão de encontrar um.

— Agora fiz o que me foi ordenado e assim que chegarmos ao palácio, o médico vai querer o seu fígado, por isso estou com pena de você! — disse a ingênua água-viva.

O pobre macaco ficou horrorizado ao saber de tudo aquilo e muito zangado com a peça que lhe fora pregada. Ele tremia de medo ao pensar no que lhe estava reservado.

Mas o macaco era um animal inteligente e achou que seria mais sábio não demonstrar qualquer sinal do medo que sentia. Assim, tentou se acalmar e pensar em uma maneira de escapar.

"O médico quer me abrir e depois tirar meu fígado! Por que devo morrer?", pensou o macaco. Por fim, um pensamento brilhante lhe ocorreu, e ele disse muito alegremente para a água-viva:

— Que pena, Sra. Água-Viva, que não tenha mencionado isso antes de deixarmos a ilha!

— Se tivesse contado por que queria que me acompanhasse, certamente teria se recusado a vir — respondeu a água-viva.

— Está muito enganada! — disse o macaco. — Os macacos podem muito bem dispensar um ou dois fígados, especialmente quando é para a Rainha Dragão do Mar. Se tivesse percebido do que precisava, teria lhe presenteado com um sem esperar que me pedisse. Tenho vários fígados. Mas é realmente uma pena que, como não falou a tempo, tenha deixado todos os meus fígados pendurados no pinheiro.

— Deixou seu fígado para trás? — perguntou a água-viva.

— Sim — disse o macaquinho astuto —, durante o dia costumo deixar meu fígado pendurado em uma árvore, pois me atrapalha muito quando estou subindo de galho em galho. Hoje, ouvindo seu relato tão interessante, esqueci-o completamente, deixando-o para trás quando partimos. Se ao menos tivesse falado antes, teria me lembrado de trazê-lo comigo!

A água-viva ficou muito desapontada ao ouvir aquilo, pois acreditou em cada palavra do que o macaco dissera. O macaco não servia sem o fígado. Por fim, a água-viva parou e disse isso ao macaco.

— Bem — continuou o macaco —, isso pode ser facilmente solucionado. Lamento muito por todos os seus problemas, mas se me levar de volta ao lugar onde me encontrou, poderei pegar meu fígado rapidamente.

A água-viva não gostou nada da ideia de retornar à ilha, mas o macaco garantiu-lhe que, se tivesse a gentileza de levá-lo de volta, pegaria seu melhor fígado e o traria daquela vez. Assim persuadida, a água-viva voltou seu curso em direção à Ilha dos Macacos.

Assim que chegaram à costa, o macaquinho astuto saltou e, subindo no pinheiro onde a água-viva o vira pela primeira vez, deu várias cambalhotas por entre os galhos com alegria por estar seguro em casa novamente. Em seguida, ao olhar para baixo na direção da criatura marinha, disse:

— Muito obrigado por todo o trabalho que se deu! Por favor, apresente meus cumprimentos ao Rei Dragão em seu retorno!

A água-viva estranhou a fala e o tom zombeteiro com que foi proferida. Em seguida, perguntou ao macaco se não era sua intenção acompanhá-la imediatamente após obter o fígado.

O macaco respondeu rindo que não podia perder o fígado, pois era precioso demais.

— Mas lembre-se da sua promessa! — implorou a água-viva, muito desanimada.

— A promessa era falsa e, de qualquer forma, agora está quebrada! — respondeu o macaco. Ele começou a zombar da água-viva e disse-lhe que a estivera enganando o tempo todo e que não desejava perder a vida, o que certamente teria acontecido se tivesse ido ao palácio do Rei do Mar para encontrar o velho médico que o esperava, em vez de persuadir a água-viva a retornar à ilha sob falsos pretextos.

— É evidente que não lhe darei meu fígado, mas venha e pegue você mesma se puder! — acrescentou o macaco zombeteiramente de cima da árvore.

Não havia nada que a água-viva pudesse fazer agora a não ser se arrepender de sua estupidez, retornar ao Rei Dragão do Mar e confessar seu fracasso. Assim, começou a nadar lenta e tristemente de volta. A última coisa que ouviu enquanto se afastava, deixando a ilha atrás de si, foi o macaco rindo dela.

Enquanto isso, o Rei Dragão, o médico, o mordomo-chefe e todos os servos aguardavam impacientemente pelo retorno da criatura. Quando a avistaram se aproximando do palácio, saudaram-na com alegria. Eles começaram a agradecê-la profusamente por todo o trabalho que tivera para ir até a Ilha dos Macacos e, então, perguntaram onde estava o macaco.

O dia do ajuste de contas havia chegado para a água-viva. Ela tremia enquanto contava sua história. Descreveu como trouxera o macaco até a metade do caminho e, então, estupidamente revelara o segredo de sua missão. Contou ainda como o macaco a enganara, fazendo-a acreditar que havia deixado seu fígado para trás.

A ira do Rei Dragão foi grande, e ele imediatamente deu ordens para que a água-viva fosse severamente punida. A punição foi horrível. Todos os ossos deveriam ser arrancados de seu corpo vivo, e ela deveria ser espancada com varas.

A pobre água-viva, humilhada e horrorizada além do que podem descrever as palavras, clamou por perdão. Mas a ordem do Rei Dragão teve de ser cumprida. Os servos do palácio imediatamente trouxeram um pedaço de pau e cercaram a água-viva e, depois de arrancar-lhe os ossos, espancaram-na até virar uma massa achatada. Em seguida, levaram-na para fora dos portões do palácio e jogaram-na na água. Ali, ela foi deixada para sofrer, se arrepender de sua tagarelice tola e se acostumar com sua nova condição de ser invertebrado[59].

A partir dessa história, fica evidente que antigamente a água-viva tinha uma concha e ossos parecidos com os de uma tartaruga, mas, desde que a sentença do Rei Dragão foi executada sobre a ancestral das águas-vivas, seus descendentes nasceram todos moles e invertebrados, exatamente como os vemos hoje sendo jogados para cima pelas altas ondas nas costas do Japão.

---

[59] Assim explica-se o motivo de as águas-vivas não possuírem mais casco protetor diante de predadores, uma forma de castigo resultado do ardiloso macaco.

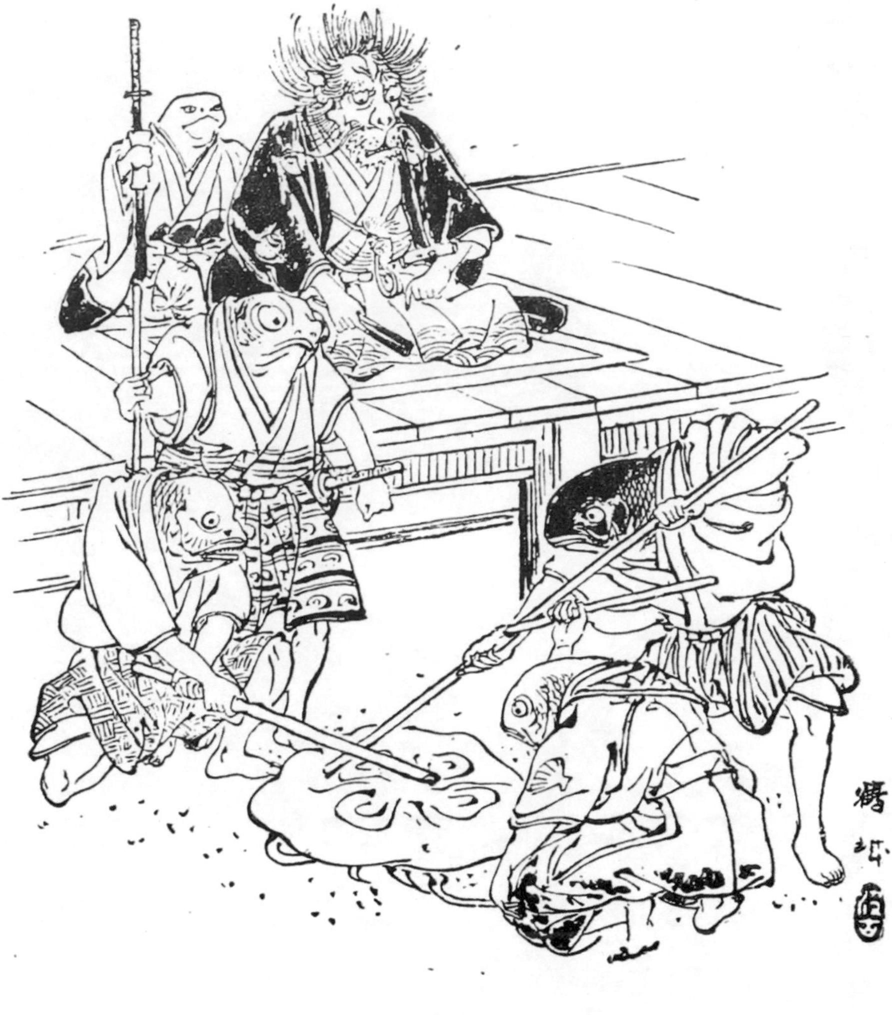

Macaco e caranguejo.
Keisai Eisen, período Edo.
Princeton University Art Museum.

A BRIGA ENTRE O MACACO E O CARANGUEJO[60]

Há muito, muito tempo, em um belo dia de outono no Japão, um macaco-de-cara-vermelha e um caranguejo amarelo divertiam-se juntos ao longo da margem de um rio. Enquanto corriam, o caranguejo encontrou um bolinho de arroz, e o macaco, uma semente de caqui.

O caranguejo pegou o bolinho de arroz e mostrou ao macaco, dizendo:
— Olha que coisa legal encontrei!
Então, o macaco ergueu sua semente de caqui e disse:
— Também encontrei algo muito bom! Veja só!
Embora o macaco normalmente goste muito de caqui, não deu muita importância à semente que acabara de encontrar. A semente do caqui é dura e quase impossível de comer, como uma pedra. Ele, portanto, com sua natureza gananciosa, sentiu muita inveja do belo bolinho de massa do caranguejo e propôs uma troca. O caranguejo, naturalmente, não viu por que deveria desistir de seu prêmio por uma semente parecida com uma pedra dura e não consentiu com a proposta do macaco.

Então o macaco astuto começou a persuadir o caranguejo, dizendo:
— Como é imprudente por não pensar no futuro! Seu bolinho de arroz pode ser comido imediatamente e, com certeza, é muito maior que minha semente. No entanto, se plantá-la no solo, ela logo germinará e, em poucos anos, se tornará uma grande árvore, capaz de produzir uma abundância de caquis maduros e delicados todos os anos. Se pudesse lhe mostrar a aparência

---

[60] Justiça retributiva é o tema principal deste conto.

de uma fruta amarela pendurada em seus galhos! Claro, se não acreditar em mim, eu mesmo plantarei. Tenho certeza de que, mais tarde, lamentará muito não ter seguido o meu conselho.

O simplório caranguejo não resistiu à inteligente persuasão do colega. Ele finalmente cedeu e consentiu à proposta do animal, e a troca foi feita. O macaco ganancioso logo devorou o bolinho e, com grande relutância, entregou o caroço de caqui ao caranguejo. Ele gostaria de ficar com a semente também, mas temia irritar o caranguejo e ser beliscado por suas garras afiadas, em forma de tesoura. Eles então se separaram: o macaco voltou para suas árvores da floresta, e o caranguejo para suas pedras ao longo da margem do rio. Assim que chegou em casa, o caranguejo plantou o caroço do caqui, como o macaco lhe dissera.

Na primavera seguinte, o caranguejo ficou maravilhado ao ver as primeiras folhas de uma árvore jovem abrindo caminho pelo solo. A cada ano ela crescia, até que finalmente floresceu em uma primavera e, no outono seguinte, deu alguns caquis grandes e finos. Entre as folhas verdes e largas, os frutos pendiam como bolas douradas e, à medida que amadureciam, mudavam de cor até se tornarem laranja-forte. Era um prazer para o caranguejo sair dia após dia, sentar-se ao sol, exibindo os olhos compridos, como um caracol mostra as antenas, e ver os caquis amadurecerem perfeitamente.

— Como serão deliciosos de comer! — disse a si mesmo.

Certo dia, sabendo que os caquis deviam estar bem maduros, teve um forte desejo de provar uma das frutas. Tentou várias vezes escalar a árvore, na vã esperança de alcançar um dos lindos caquis pendurados acima dele, mas falhou em todas, pois as patas de um caranguejo não são feitas para subir em árvores, mas para correr pelo chão e por cima das pedras, coisas que ele fazia com muita habilidade. Em seu dilema, ele lembrou-se do velho companheiro de brincadeiras, o macaco, que, tinha certeza, podia subir em árvores melhor do que qualquer outra criatura no mundo. Decidiu então pedir ajuda ao macaco e saiu para encontrá-lo.

Correndo, como condiz a um caranguejo, pela margem pedregosa do rio, ao longo dos caminhos para a sombreada floresta, o caranguejo finalmente encontrou o macaco tirando uma soneca à tarde em seu pinheiro favorito, com a cauda enrolada em um galho para evitar que caísse durante o sono. Ele, no entanto, logo ficou bem desperto ao ouvir que o chamavam e escutou com atenção o que o caranguejo lhe disse. Quando soube que a semente que há muito havia trocado por um bolinho de arroz havia se transformado em uma árvore e agora dava bons frutos, ficou encantado e imediatamente elaborou um plano astuto para que ficasse com todos os caquis somente para si.

Ele consentiu em acompanhar o caranguejo para apanhar a fruta na árvore. Quando os dois chegaram ao local, o macaco ficou surpreso ao ver que bela árvore brotara da semente e como os galhos estavam carregados de caquis maduros.

Subiu rapidamente na árvore e começou a colher e comer, o mais rápido possível, um caqui após o outro. Sempre escolhia o melhor e mais maduro que podia encontrar e continuava comendo até não poder mais. Não tinha intenção alguma de dar as frutas ao pobre caranguejo faminto, que esperava lá embaixo, e, assim, quando terminou, restava pouco além de frutas duras e verdes.

Pode-se imaginar o que sentiu o pobre caranguejo ao ver o macaco devorando todos os bons caquis, depois de ter aguardado pacientemente por tanto tempo que a árvore crescesse e os frutos amadurecessem. Ele ficou tão desapontado que deu voltas e mais voltas na árvore, chamando o macaco para que se lembrasse de sua promessa. A princípio, o macaco não deu atenção às queixas do colega, mas por fim pegou o caqui mais duro e verde que conseguiu encontrar e mirou na cabeça do caranguejo. O caqui é duro como pedra quando ainda não está maduro. O míssil do macaco atingiu o alvo, e o caranguejo ficou gravemente ferido com o golpe. Repetidamente, o mais rápido possível, o macaco arrancava os duros caquis e os jogava no caranguejo indefeso, até que este caiu morto, coberto de feridas por todo o corpo. Lá, ao pé da árvore que ele próprio plantara, acabou protagonizando uma cena lamentável.

Quando o perverso macaco viu que havia matado o caranguejo, saiu correndo do local o mais rápido que pôde, com medo e tremendo, como um covarde que era.

Ocorre que o caranguejo tinha um filho que brincava com uma amiga não muito longe do local do triste incidente. No caminho de volta para casa, encontrou seu pai morto, em um estado terrível, com a cabeça esmagada e a concha quebrada em vários lugares. Ao redor de seu corpo, jaziam os caquis verdes que haviam surtido efeito mortal. Diante daquela terrível visão, o pobre filho se sentou e chorou.

Cessado o choro, disse a si mesmo que aquele lamento de nada adiantaria e que era seu dever vingar o assassinato de seu pai, o que decidiu fazer. Procurou por alguma pista que o levasse ao assassino e, olhando para a árvore, percebeu que os melhores frutos haviam sumido e que ao redor dela havia pedaços de casca e numerosas sementes espalhadas pelo chão, assim como caquis verdes que evidentemente haviam sido atirados em seu pai. Ele compreendeu então que o macaco era o assassino, pois agora se lembrava de que seu pai, certa vez, lhe contara a história do bolinho de arroz e da semente de caqui. O jovem caranguejo sabia que os macacos gostavam de caquis acima de todas as outras frutas e tinha certeza de que sua ganância pelo cobiçado fruto fora a causa da morte do velho pai. Pobre caranguejo!

A princípio, pensou em atacar o macaco imediatamente, pois ardia de raiva. Pensando melhor, contudo, chegou à conclusão de que seria inútil, pois o macaco era um animal velho e astuto e seria difícil de superar. Ele deveria enfrentar astúcia com astúcia e pedir a alguns de seus amigos para ajudá-lo, pois sabia que estaria completamente fora de seu alcance matá-lo sozinho.

O jovem caranguejo saiu imediatamente para visitar o pilão, um velho amigo de seu pai, e contou-lhe tudo o que havia acontecido. Aos prantos, implorou ao pilão que o ajudasse a vingar a morte do pai. O pilão ficou muito triste ao ouvir a terrível história e prometeu imediatamente ajudar o jovem caranguejo a punir o macaco até a morte. Ele o advertiu, contudo, de que deveria ter muito cuidado com o que faria, pois o macaco era um inimigo forte e astuto. O pilão mandou buscar a abelha e a castanha (também velhas amigas do caranguejo) para consultá-las sobre o assunto. Em pouco tempo, as amigas chegaram. Quando foram informadas acerca de todos os detalhes sobre a morte do velho caranguejo e da maldade e ganância do macaco, as duas consentiram de bom grado em ajudar o jovem caranguejo em sua vingança.

Depois de conversarem por um bom tempo sobre as maneiras e meios de colocar em prática os planos, eles se separaram, e o Sr. Pilão foi para casa com o jovem caranguejo a fim de ajudá-lo a enterrar seu pobre pai.

Enquanto tudo isso acontecia, o macaco se regozijava (como costumam fazer os ímpios antes de receberem o merecido castigo) por tudo o que havia feito de maneira tão ordenada. Ele achou algo muito bom ter roubado do amigo todos os caquis maduros e depois tê-lo matado. Ainda assim, embora sorrisse com a maior animação possível, não conseguia banir completamente o medo das consequências caso suas más ações fossem descobertas. Se fosse pego (e disse a si mesmo que tal não poderia acontecer, porque havia escapado sem ser visto), a família do caranguejo certamente não refrearia seu ódio e tentaria se vingar dele. Por isso não saía, permanecendo em casa por vários dias. No entanto, começou a achar aquele tipo de vida extremamente enfadonho, acostumado como estava à vida livre da floresta.

— Ninguém sabe que fui eu quem matou o caranguejo! Tenho certeza de que o velho deu seu último suspiro antes de o deixar. Caranguejos mortos não têm boca! Quem pode afirmar ser eu o assassino? Já que ninguém sabe, para que me esconder e ficar pensando no assunto? O que está feito não pode ser desfeito!

Assim, ele foi até a colônia dos caranguejos e se esgueirou o mais astutamente possível perto da casa do caranguejo e tentou ouvir as fofocas dos vizinhos ao redor. Queria descobrir o que a tribo estava dizendo sobre a morte do chefe. Mas ele não ouviu nada e disse a si mesmo:

— São todos tão tolos que não sabem e não se importam com quem assassinou seu chefe!

Mal sabia ele, em sua pretensa "sabedoria de macaco", que aquela aparente despreocupação fazia parte do plano do jovem caranguejo. Ele propositalmente fingiu não saber quem matara seu pai e também acreditar que o pai havia encontrado a morte por sua própria culpa. Dessa forma, ele poderia manter em segredo o plano de vingança contra o macaco.

Assim, o macaco voltou para casa caminhando bastante satisfeito e dizendo a si mesmo que não havia nada a temer.

Um belo dia, quando estava sentado em casa, foi surpreendido pela chegada de um mensageiro enviado pelo jovem caranguejo. Enquanto se perguntava o que aquilo poderia significar, o mensageiro curvou-se diante dele e disse:

— Fui enviado por meu mestre para informá-lo de que seu pai morreu outro dia ao cair de um pé de caqui enquanto tentava apanhar alguns frutos. Este, sendo o sétimo dia, é o primeiro aniversário da morte dele, e meu mestre preparou uma pequena comemoração para homenageá-lo, e o senhor está convidado a participar como um dos melhores amigos dele. Meu mestre espera que honre sua casa com uma gentil visita.

Quando o macaco ouviu aquelas palavras, se alegrou no fundo do coração, pois todos os seus temores de ser suspeito haviam se dissipado. Não podia imaginar que uma conspiração fora arquitetada contra ele. Fingiu estar muito surpreso com a notícia da morte do caranguejo e disse:

— Lamento muito saber da morte de seu chefe. Éramos grandes amigos, como deve saber. Lembro-me de que certa vez trocamos um bolinho de arroz por uma semente de caqui. Fico muito triste em pensar que aquela semente acabou se tornando a causa de sua morte. Aceito seu amável convite com muitos agradecimentos. Terei o maior prazer em homenagear meu pobre velho amigo! — declarou o macaco, derramando algumas falsas lágrimas.

O mensageiro riu interiormente e pensou: "O macaco perverso está derramando lágrimas falsas, mas dentro de pouco tempo derramará lágrimas verdadeiras." Em seguida, agradeceu educadamente ao macaco e foi para casa.

Quando partiu, o cruel macaco riu alto do que pensava ser inocência do jovem caranguejo e, sem demonstrar a menor consideração, começou a ansiar pela festa a ser realizada naquele dia em homenagem ao caranguejo morto, para a qual fora convidado. Ele mudou de roupa e saiu solenemente para visitar o jovem caranguejo.

O macaco encontrou todos os membros da família e seus parentes esperando para recebê-lo e dar-lhe as boas-vindas. Assim que as reverências terminaram, eles o conduziram a um salão. Ali, o jovem chefe de luto veio recebê-lo. Expressões de condolências e agradecimentos foram trocadas entre eles e, então, todos se sentaram para um banquete luxuoso e entretiveram o macaco como convidado de honra.

Terminada a festa, ele foi convidado à sala de cerimônia para tomar uma xícara de chá. Assim que o jovem caranguejo conduziu o macaco ao salão, ele o deixou e se retirou. O tempo passou, e o caranguejo não retornava. Por fim, o macaco ficou impaciente e disse para si mesmo:

— A cerimônia do chá é sempre muito lenta. Estou cansado de esperar e com muita sede depois de beber tanto saquê no jantar!

Ele então se aproximou da lareira de carvão e começou a despejar um pouco de água quente da chaleira que fervia ali. De repente, algo explodiu das cinzas com um grande estalo e atingiu o macaco bem no pescoço. Era a castanha, uma das amigas do caranguejo, que se escondera na lareira. O macaco, pego de surpresa, saltou para trás e começou a correr para fora da sala.

A abelha, que estava escondida do lado de fora das telas, voou e picou-o na bochecha. O macaco sentia muitas dores, o pescoço fora queimado pela castanha, e o rosto seriamente picado pela abelha, mas ele continuava correndo, gritando e rangendo os dentes de raiva.

O pilão de pedra, por sua vez, havia se escondido com várias outras pedras no topo do portão do caranguejo e, assim que o macaco passou por ele, todos caíam sobre a cabeça do animal. Seria possível para o macaco suportar o peso do pilão caindo sobre ele do alto do portão? Ele jazia esmagado e com muita dor, incapaz de se levantar. Enquanto estava deitado, indefeso, o jovem caranguejo apareceu e, erguendo sua grande garra em forma de tesoura sobre o macaco, disse:

— Agora se lembra de que matou meu pai?

— Então você... é meu inimigo? — perguntou o macaco.

— Claro! — respondeu o jovem caranguejo.

— Foi... culpa de seu... pai, não minha! — engasgou-se o macaco, impenitente.

— Ainda é capaz de mentir? Em breve colocarei um fim à sua respiração!

E, com essas palavras, cortou a cabeça do macaco com suas garras. Assim, o macaco perverso encontrou sua punição merecida, e o jovem caranguejo vingou a morte de seu pai[61].

Este é o fim da história do macaco, do caranguejo e da semente de caqui.

---

[61] Este conto é bem popular e tem muitas variações na literatura japonesa, de acordo com a região, época e autoria. Em Kansai, um dos aliados do caranguejo é o óleo ou um ovo, como aparece em um livro didático japonês de 1887, assim como alga marinha e o esterco de vaca. As versões mais recentes costumam atenuar a violência, nomeando o conto apenas como "O caranguejo e o macaco". O romancista e "pai do conto japonês", Ryunosuke Akutagawa (1892–1927), enfatiza que os filhotes de caranguejo, depois da vingança, são presos e enfrentam a pena de morte. Em outra versão, o macaco colhe todos os caquis e é aconselhado pelo caranguejo a pendurar sua centra em um galho, que acaba caindo ao chão. Furioso, o macaco decide defecar no buraco de entrada da habitação do caranguejo, que age rapidamente e rapa o traseiro do símio, explicando assim o motivo desses não terem pelo na região (e os pelos nas garras do caranguejo). Existem inúmeras outras versões deste conto envolvendo o macaco, o caranguejo ou sapo, com o tema da vingança e trapaça, encontrado entre os povos ainos, assim como na China, Coreia e Mongólia.

A lebre branca de Inaba e os crocodilos.
Katsushika Hokusai, período Edo.

A LEBRE BRANCA E OS CROCODILOS[62]

Há muito, muito tempo, quando todos os animais podiam falar, vivia na província japonesa de Inaba, uma pequena lebre branca. Sua casa ficava na Ilha de Oki e, do outro lado do mar, ficava o continente de Inaba.

Ocorre que a lebre queria muito cruzar para Inaba. Todos os dias, ela saía e se sentava na praia, olhando ansiosamente para a água na direção da província e sonhando encontrar uma maneira de atravessar.

Certo dia, como de costume, a lebre estava parada na praia, olhando para o continente do outro lado da água, quando avistou um grande crocodilo nadando perto da ilha.

— Isso é muita sorte! — pensou a lebre. — Agora poderei realizar meu desejo. Vou pedir ao crocodilo para me carregar através do mar!

Mas ela tinha dúvidas se o animal consentiria em atender ao seu desejo. Então pensou que, em vez de pedir um favor, tentaria conseguir o que queria com um truque.

— Ah, Sr. Crocodilo, não está um dia lindo? — chamou o animal em voz alta.

O crocodilo, que saíra sozinho naquele dia para aproveitar o sol forte, estava começando a se sentir um pouco solitário quando a saudação alegre da lebre quebrou o silêncio. O crocodilo nadou mais perto da costa, muito satisfeito por ouvir alguém lhe falar.

---

[62] Este famoso conto demonstra a esperteza da lebre frente a situações adversas. Mais uma fábula japonesa a servir de ensinamento e orientação pedagógica. Impossível não pensar na belíssima obra do pintor Katsushika Hokusai, *A lebre branca de Inaba e os crocodilos*, de 1819. Acessível em: https://www.hokusai-katsushika.org/the-white-hare-of-inaba-and-the-crocodiles.html

— Estava me perguntando quem teria falado comigo há pouco! Foi você, dona Lebre? Deve estar se sentindo muito sozinha!

— Ah, não, não estou nem um pouco solitária — disse a lebre —, mas como estava um dia tão lindo, decidi vir até aqui para me divertir. Não quer parar e brincar um pouco comigo?

O crocodilo saiu do mar, sentou-se na praia, e os dois brincaram juntos por um tempo.

— Sr. Crocodilo, você mora no mar e eu nesta ilha. Não nos encontramos com frequência, então sei muito pouco sobre você. Diga-me, acredita que o número de seus semelhantes seja maior do que o meu?

— Claro, existem mais crocodilos que lebres — respondeu o crocodilo. — Não consegue perceber por si mesma? Você mora nesta pequena ilha, e eu moro no mar, que se estende por todas as partes do mundo, então, se reunir todos os crocodilos que vivem no mar, vocês, lebres, serão como nada comparadas a nós!

O crocodilo era muito vaidoso. A lebre, que pretendia pregar uma peça nele, disse:

— Acredita ser possível invocar crocodilos suficientes para formar uma linha desta ilha até Inaba[63] através do mar?

O crocodilo pensou por um momento e, então, respondeu:

— Claro, seria possível.

O crocodilo, que era muito simplório e não tinha a menor ideia de que a lebre pretendia pregar-lhe uma peça, concordou em fazer o que ela pedia.

— Espere um pouco, voltarei para o mar e convidarei meus companheiros!

Então mergulhou no mar e sumiu por um tempo. A lebre permaneceu aguardando pacientemente na praia. Por fim, o crocodilo apareceu, trazendo um grande número de companheiros.

— Veja, dona Lebre! — disse o crocodilo. — Não é nada para meus amigos formar uma linha entre aqui e Inaba. Há crocodilos suficientes para se estender daqui até a China ou a Índia. Já havia visto tantos crocodilos?

Então todo o grupo de crocodilos se acomodou na água de modo a formar uma ponte entre a Ilha de Oki e o continente de Inaba. Quando a lebre viu a ponte dos crocodilos, disse:

— Que esplêndido! Não acreditava que fosse possível. Agora deixe-me contar todos vocês! Para fazer isso, no entanto, com sua permissão, devo

---

[63] A Ilha de Oki fica a cerca de 80 quilômetros de distância da principal ilha japonesa de Honshu, na costa da província de Inaba, pelo Mar do Japão. Hoje pode-se pegar a confortável balsa no terminal de Shichiruiko até o porto de Saigo, na Ilha de Oki, por pouco menos de três horas de travessia.

andar nas costas de todos até o outro lado. Por favor, não se movam ou posso cair no mar e me afogar!

Assim, a lebre saltou da ilha para a estranha ponte de crocodilos, contando enquanto saltava das costas de um crocodilo para o outro:

— Por favor, fiquem quietos ou não conseguirei contar. Um, dois, três, quatro, cinco, seis, sete, oito, nove...

Assim, a astuta lebre caminhou direto para o continente de Inaba. Não satisfeita em realizar seu desejo, começou a zombar dos crocodilos em vez de agradecê-los e disse enquanto saltava das costas do último:

— Ah! Seus crocodilos estúpidos, enganei vocês!

Ela estava prestes a fugir o mais rápido possível, mas não conseguiu escapar tão facilmente, pois, assim que os crocodilos compreenderam que se tratava de uma peça pregada pela lebre para que pudesse atravessar o mar e que ela agora ria deles por sua estupidez, ficaram furiosos e decidiram se vingar. Então alguns deles correram atrás dela e a capturaram. Todos cercaram o pobre animalzinho e puxaram todo o seu pelo. Ela gritou alto e implorou que a poupassem, mas a cada tufo de pelo que puxavam, diziam:

— Bem feito!

Quando os crocodilos arrancaram o último tufo de pelo, jogaram a pobre lebre na praia e saíram nadando e rindo do que haviam feito.

A lebre agora estava em uma situação lamentável: todo o seu belo pelo branco fora arrancado, e seu corpinho nu tremia de dor e sangrava por toda parte. Ela mal conseguia se mexer, e tudo o que podia fazer era ficar deitada na praia, indefesa e chorando o infortúnio que se abatera sobre ela. Apesar de ter sido sua própria culpa toda aquela miséria e sofrimento ter recaído sobre ela, qualquer um que visse a pobre criaturinha não poderia deixar de sentir pena de sua triste condição, pois os crocodilos foram muito cruéis em sua vingança.

Justamente naquele momento, vários homens parecidos com os filhos do rei[64] passaram por acaso e, vendo a lebre deitada na praia, chorando, pararam e perguntaram o que estava acontecendo.

A lebre levantou a cabeça por entre as patas e respondeu-lhes:

— Tive uma briga com alguns crocodilos, mas fui espancada, arrancaram todo o meu pelo e me deixaram para sofrer aqui... é por isso que estou chorando.

Bem, um desses jovens tinha um temperamento mau e rancoroso. Mas, fingindo bondade, disse à lebre:

— Sinto muito por você. Se quiser, conheço um remédio que vai curar seu corpo dolorido. Vá se banhar no mar e depois venha se sentar ao vento. Isso fará seu pelo crescer novamente e voltará a ser exatamente como antes.

Então todos os jovens seguiram seu caminho. A lebre ficou muito satisfeita, pensando que havia encontrado uma cura. Ela foi se banhar no mar e depois saiu e sentou-se onde o vento poderia soprar sobre seu corpo.

Mas, à medida que o vento soprava e a secava, sua pele se enrijecia e endurecia, e o sal aumentava tanto a dor, que ela começou a rolar na areia em agonia, gritando alto.

Só então outro filho do rei passou, carregando uma grande bolsa nas costas. Ao ver a lebre, parou e perguntou por que estava chorando tão alto.

A pobre lebre, lembrando que havia sido enganada por alguém muito parecido com o homem que agora lhe falava, não respondeu, mas continuou a chorar.

Aquele homem, contudo, tinha um coração bondoso e olhou para a lebre com muita pena.

— Coitadinha! Vejo que seu pelo foi todo arrancado e sua pele está bem desprotegida. Quem pode ter lhe tratado com tanta crueldade?

Quando a lebre ouviu aquelas doces palavras, sentiu-se muito grata ao homem e, encorajada por seus modos gentis, contou-lhe tudo o que havia

---

[64] Súditos do imperador (*tennô*) japonês. Ou outra maneira de expressar que são japoneses.

acontecido. O bichinho não escondeu nada do amigo, mas contou-lhe francamente como havia pregado uma peça nos crocodilos e como cruzara a ponte que eles haviam feito pensando que gostaria de contar em quantos eles estavam. Disse ainda como zombara deles por sua estupidez e como os crocodilos se vingaram. Em seguida, relatou como havia sido enganada por um grupo de homens que se pareciam muito com seu bom amigo e terminou sua longa história de desgraça implorando ao homem que lhe desse um remédio para curá-la e fazer sua pele crescer novamente.

Quando a lebre terminou a história, o homem ficou com muita pena.

— Lamento muito pelo que sofreu, mas lembre-se, foi tudo consequência da peça que tentou pregar nos crocodilos.

— Eu sei — retrucou a lebre, com pesar —, mas me arrependi e decidi nunca mais enganar ninguém, então imploro que me mostre como curar meu corpo dolorido e fazer meu pelo crescer novamente.

— Vou lhe indicar um bom remédio — disse o homem. — Primeiro vá se banhar bem naquele lago ali e tente lavar todo o sal do corpo. Depois pegue algumas daquelas bétulas que estão crescendo perto da beira da água, espalhe-as no chão e role sobre elas. Se fizer isso, o pólen fará com que seu pelo cresça novamente e ficará bem em pouco tempo.

A lebre ficou muito contente pela instrução dada com tanta gentileza. Ela rastejou até o lago que lhe fora indicado, banhou-se bem em suas águas e então colheu as bétulas que cresciam perto da água e rolou sobre elas.

Para seu espanto, ainda quando o fazia, viu seu belo pelo branco crescer novamente e a dor cessar; sentiu-se exatamente como antes de todos os seus infortúnios.

A lebre ficou muito feliz por sua rápida recuperação e, pulando de alegria em direção ao jovem que tanto a ajudara, ajoelhou-se a seus pés, dizendo:

— Não posso expressar minha gratidão por tudo o que fez por mim! É meu desejo sincero fazer algo por você em troca. Por favor, me diga quem é.

— Não sou o filho do rei, como pensa. Sou um mago, e meu nome é Okuninushi-no-Mikoto[65] — respondeu o homem —, e aqueles que passaram por aqui antes de mim são meus irmãos. Eles ouviram falar de uma linda princesa chamada Yakami que mora na província de Inaba e estão a caminho para encontrá-la e pedir que se case com um deles. Mas, nesta expedição, sou apenas um criado, então estou andando atrás deles com esta grande bolsa nas costas.

---

[65] Uma das principais divindades nos mitos registrados no Kojiki e Nihongi do século VIII, ao lado da deusa do Sol, Amaterasu, e seu irmão, o deus Susano-o, considerado ancestral ou pai distante de Okuninushi.

A lebre curvou-se humildemente perante o grande mago Okuni-nushi-no-Mikoto, a quem muitos naquela parte do país adoravam como um deus.

— Ah, não sabia que era Okuni-nushi-no-Mikoto. Como foi gentil comigo! É impossível acreditar que aquele sujeito cruel que me enviou para tomar banho no mar seja um de seus irmãos. Tenho certeza de que a princesa, a quem seus irmãos foram buscar, se recusará a ser a noiva de qualquer um deles e o preferirá por sua bondade de coração. Tenho certeza de que conquistará o coração da jovem sem mesmo ter a intenção de fazê-lo e ela pedirá para ser sua noiva.

Okuni-nushi-no-Mikoto não prestou atenção ao que a lebre disse e, despedindo-se do animalzinho, seguiu seu caminho rapidamente e logo alcançou seus irmãos. Ele os encontrou entrando pelo portão da princesa.

Exatamente como a lebre previra, a princesa não pôde ser persuadida a ficar noiva de nenhum dos irmãos, mas, ao olhar para o rosto do irmão gentil, foi direto até ele e disse "Apenas a você me entregarei." E, assim, eles se casaram.

Este é o fim da história. Okuni-nushi-no-Mikoto é adorado pelo povo em algumas partes do Japão, como um deus, e a lebre tornou-se famosa como "A Lebre Branca de Inaba". O que aconteceu com os crocodilos, ninguém sabe.

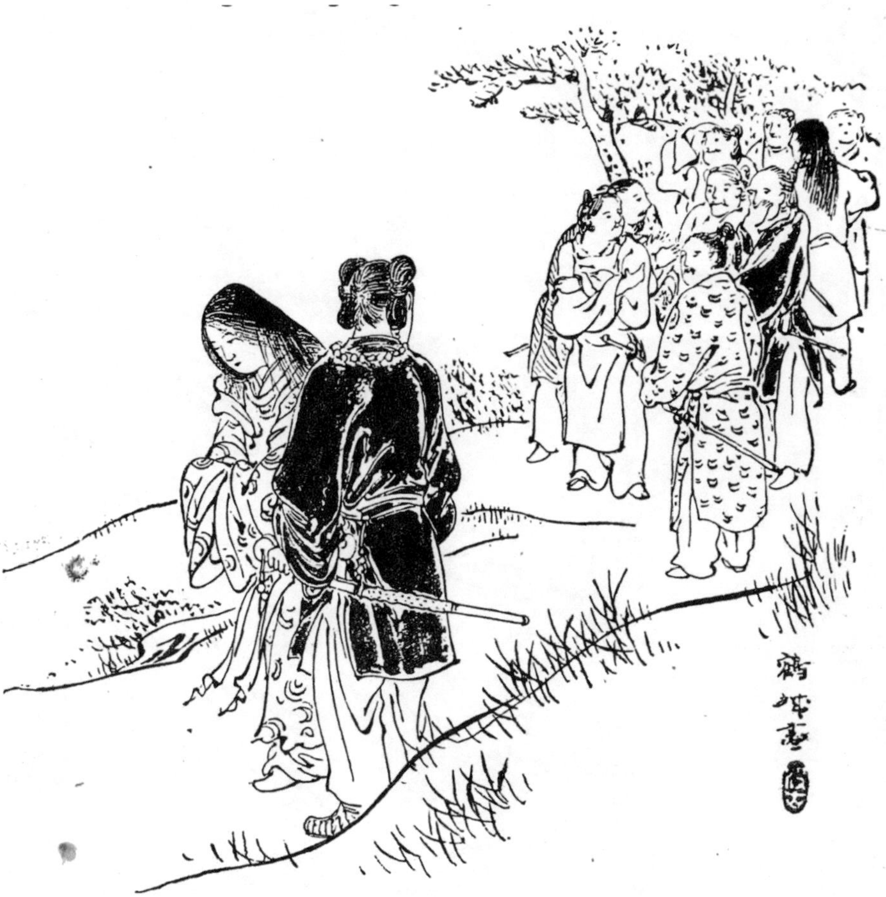

Yamato Take.
Ogata Gekko, 1887.

A HISTÓRIA DO PRÍNCIPE YAMATO TAKE

A insígnia do grande Império do Japão é composta por três tesouros considerados sagrados e guardados com zeloso cuidado desde tempos imemoriais. São estes o *Yatano-no-Kagami*, ou o Espelho de Yata, o *Yasakami-no-Magatama*, ou a Joia de Yasakami, e o *Murakumo-no-Tsurugi*, ou a Espada de Murakumo[66].

Desses três tesouros do Império, a espada de Murakumo, posteriormente conhecida como *Kusanagi-no-Tsrugugi*, ou a Espada Ceifadora da Relva, é considerada a mais preciosa e mais honrada, pois é um símbolo de força para esta nação de guerreiros e o talismã de invencibilidade para o Imperador, que o mantém como um objeto sagrado no santuário de seus ancestrais.

Quase dois mil anos atrás, essa espada era mantida nos santuários de *Ite*, templos dedicados à adoração de Amaterasu, a grande e bela deusa do Sol, de quem se diz que os imperadores japoneses descendem.

---

[66] Uma das três insígnias imperiais do Japão. A espada de Murakumo, ou *Ame-no-Murakumo-no-Tsurugi* (天叢雲剣, "Espada Celestial das Nuvens Coletivas"), depois *Kusagani-no-Tsurugi* ("Espada Ceifadora da Relva"), representando a virtude do valor.
A origem dessa espada é complexa e narrada nos épicos japoneses do século VIII. De acordo com uma das versões, havia um monstro lendário, uma serpente de oito cabeças, Yamata-no-Orochi, que aterrorizava uma rica família em Izumo. A serpente havia devorado sete das oito filhas da família e, desesperado, o chefe decidiu pedir ajuda ao deus Susano-o, mestre dos mares e tempestades. Susano-o acabou derrotando o monstro Orochi embebedando cada um das cebeças com saquê. Caindo na armadilha, Susano-o cortou todas as cabeças e, ao cortar a cauda, encontrou a espada, a Kusanagi. Susano-o não ficou muito tempo com ela e acabou entregando-a à sua irmã, a deusa Amaterasu, a fim de pôr fim ao seu exílio. A Kusagani acabou sendo presenteada por Amaterasu a um dos filhos do lendário imperador japonês Keiko (r. 71-130 d. C.), Yamato Takeru.
O conto que se segue é uma versão derivada de muitas outras da tradição japonesa.

Há uma história de aventura e ousadia de cavaleiros que explica por que o nome da espada foi mudado de Murakumo para Kusanagi, que significa "ceifadora da relva".

Há muitos e muitos anos, nasceu o segundo filho do imperador Keiko, o décimo segundo descendente do grande Jimmu, fundador da dinastia japonesa. Esse príncipe chamava-se Yamato. Desde a infância, provou ser dotado de notável força, sabedoria e coragem, e seu pai percebeu com orgulho que ele prometia realizar grandes feitos e o amava ainda mais do que a seu filho mais velho.

Quando o príncipe Yamato alcançou a idade adulta (nos velhos tempos na história japonesa, considerava-se que um menino chegava à maioridade aos dezesseis anos de idade), o reino foi ameaçado por um bando de bandidos cujos chefes eram dois irmãos, Kumaso e Takeru. Esses rebeldes pareciam ter prazer em se rebelar contra o rei, em violar as leis e desafiar toda autoridade.

Por fim, o rei Keiko ordenou a seu filho mais novo, o príncipe Yamato, que subjugasse os bandidos e, se possível, livrasse o país de sua existência maligna. O príncipe, que tinha apenas dezesseis anos e havia atingido sua maioridade de acordo com a lei, embora fosse tão jovem em idade, possuía o espírito destemido de um guerreiro experiente e não conhecia o significado da palavra "medo". Não havia homem que pudesse lhe rivalizar em ousadia e coragem, e ele recebeu a missão de seu pai com grande alegria.

O jovem se preparou imediatamente para partir e grande foi a agitação no palácio quando ele e seus fiéis seguidores se reuniram e se prepararam para a expedição, polindo e vestindo suas armaduras. Antes de deixar a corte de seu pai, Yamato foi orar no santuário de Ise e se despedir de sua tia, a princesa Yamato, pois seu coração guardava certa apreensão ao pensar nos perigos que enfrentaria e sentiu que precisava da proteção de sua ancestral Amaterasu, a deusa do Sol. A princesa veio para lhe dar as boas-vindas e felicitá-lo por ter recebido tão grande missão de seu pai, o rei. Ela então presenteou-o com um de seus lindos mantos como lembrança para acompanhá-lo e dar-lhe boa sorte, dizendo que certamente lhe seria útil naquela aventura. Desejou-lhe todo o sucesso em seu empreendimento e muito boa sorte.

O jovem príncipe curvou-se diante da tia e recebeu seu gracioso presente com muito prazer e muitas reverências respeitosas.

— Partirei imediatamente — disse o príncipe. E, voltando ao palácio, colocou-se à frente de suas tropas. Assim, animado pela bênção da tia, sentia-se pronto para tudo o que estaria por vir; marchando pela terra, desceu até a ilha de Kyushu, ao sul, lar dos insurgentes.

Passados muitos dias, ele alcançou a Ilha do Sul, e então, lenta, mas seguramente, rumou para o quartel-general dos chefes Kumaso e Takeru. Naquele momento, deparou-se com grandes dificuldades, pois achou aquela parte do país extremamente selvagem e acidentada. As montanhas eram altas e íngremes, os vales eram escuros e profundos, e enormes árvores e pedras rochosas bloqueavam a estrada, impedindo o avanço de seu exército. Era quase impossível continuar.

Embora o príncipe fosse muito jovem, possuía a sabedoria de um homem experiente e, vendo que era inútil tentar conduzir seus soldados mais longe, disse a si mesmo:

— Tentar travar uma batalha nesta terra intransponível e desconhecida para meus homens só torna nossa tarefa mais difícil. Não podemos limpar as estradas e lutar ao mesmo tempo. É mais sensato recorrer a estratagemas e atacar meus inimigos valendo-me do elemento surpresa. Posso ser capaz de matá-los sem muito esforço.

Então ordenou que seu exército interrompesse a marcha. Sua esposa, a princesa Ototachibana, o acompanhava e ele lhe pediu que trouxesse o manto que sua tia, a sacerdotisa de Ise, lhe dera e que o ajudasse a se vestir como uma mulher. Com a ajuda da esposa, ele colocou o manto e deixou o cabelo solto, caído sobre os ombros. Ototachibana então trouxe seu pente, colocou-o nas longas tranças negras e o enfeitou com fios de joias raras. Quando terminou sua incomum toalete, Ototachibana trouxe-lhe um espelho. Ele sorriu enquanto olhava para seu próprio reflexo: o disfarce era simplesmente perfeito.

Ele mal reconhecia a si mesmo, tão mudado estava. Todos os vestígios do guerreiro haviam desaparecido e, no reflexo reluzente do espelho, apenas uma bela dama o encarava.

Assim, completamente disfarçado, partiu sozinho para o acampamento do inimigo. Nas dobras de sua veste de seda, ao lado do forte coração, jazia escondida uma afiada adaga.

Os dois chefes, Kumaso e Takeru, estavam sentados em sua tenda, descansando ao frescor da noite, quando o príncipe se aproximou. Eles conversavam sobre a notícia que haviam recebido recentemente, de que o filho do rei invadira seus domínios com um grande exército determinado a exterminar seu bando. Ambos tinham ouvido falar da fama do jovem guerreiro e, pela primeira vez em suas vidas perversas, sentiram medo. Em uma pausa na conversa, ergueram os olhos e viram através da entrada da tenda uma bela mulher, vestida em trajes suntuosos, vindo em sua direção. Como uma aparição, símbolo da real beleza, ela surgiu no crepúsculo suave. Mal podiam imaginar de que se tratava do inimigo a quem tanto temiam e que agora estava diante deles sob disfarce.

— Que linda mulher! De onde veio? — questionou-se o atônito Kumaso, esquecendo-se da guerra, do conselho e de tudo o mais enquanto olhava para a gentil intrusa.

Ele acenou para o príncipe disfarçado, pedindo-lhe que se sentasse e os servisse com vinho. Yamato Take sentiu seu coração inundado por uma alegria feroz, pois agora tinha certeza de que seu plano teria sucesso. No entanto, dissimulou astutamente suas emoções e, assumindo um ar doce de timidez, aproximou-se do chefe rebelde com passos lentos e olhos fixos como os de um cervo assustado. Encantado demais com a beleza da garota, Kumaso bebia taça após taça de vinho pelo prazer de vê-la servir-lhe, até que, por fim, estava completamente dominado pela quantidade de bebida que ingerira.

Aquele era o momento que o bravo príncipe aguardava. Jogando a garrafa de vinho no chão, agarrou o bêbado e atônito Kumaso e com rapidez o esfaqueou até a morte com a adaga que secretamente carregava escondida junto ao peito.

Takeru, irmão do bandido, foi tomado pelo terror assim que viu o que estava acontecendo e tentou escapar, mas o príncipe Yamato foi mais rápido. Antes que pudesse alcançar a saída da tenda, o príncipe já estava em seus calcanhares, agarrando suas vestes com mão de ferro e mostrando-lhe o cintilar de sua adaga. Ele caiu apunhalado ao chão, moribundo, mas ainda vivo.

— Espere um momento! - disse dolorosamente o bandido, agarrando a mão do príncipe.

— Por que deveria deter-me, seu vilão? — respondeu Yamato, um pouco relaxado.

— Diga-me de onde vem e a quem tenho a honra de me dirigir! — pediu o bandido, com medo. — Até então, acreditava que meu irmão morto e eu éramos os homens mais fortes da terra e que não havia ninguém que pudesse nos vencer. Sozinho, você se aventurou nesta fortaleza, nos atacou e matou! Certamente, é mais do que um simples mortal!

Então o jovem príncipe respondeu com um sorriso orgulhoso:

— Sou filho do rei, e meu nome é Yamato. Fui enviado por meu pai como o vingador pelo mal que causaram e para trazer a morte a todos os rebeldes!

Meu povo não sofrerá mais em terror pela pilhagem e os assassinatos que causaram! — E segurou a adaga pingando sangue acima da cabeça do rebelde.

— Ah — disse o moribundo com grande esforço —, já ouvi falar de você muitas vezes. É realmente um homem forte por ter nos vencido tão facilmente. Permita-me dar-lhe um novo nome. De agora em diante, será conhecido como Yamato Take. Delego-lhe nosso título como o homem mais corajoso de Yamato.

E, com essas nobres palavras, Takeru caiu morto.

O príncipe, tendo assim erradicado do país os inimigos de seu pai, estava preparado para retornar à capital. No caminho de volta, passou pela província de Idum. Ali, deparou-se com outro fora-da-lei chamado Idzumo Takeru, que ele sabia ser o causador de muitos danos ao país. Novamente recorreu ao estratagema e fingiu amizade com o rebelde sob um nome falso. Em seguida, confeccionou uma espada de madeira e prendeu-a firmemente no cabo de sua própria espada. Assim, propositalmente, afivelou-a à sua cintura e a usava em todas as ocasiões nas quais esperava encontrar o terceiro ladrão, Takeru.

Convidou Takeru para a margem do rio Hinokawa e o persuadiu a tentar nadar com ele nas águas refrescantes.

Como era um dia quente de verão, o rebelde não relutou em mergulhar. Enquanto o inimigo ainda nadava rio abaixo, o príncipe deu meia-volta em direção à terra o mais rápido que pôde. Despercebido, conseguiu trocar as espadas, colocando a de madeira no lugar da espada de aço afiada de Takeru.

Sem perceber o que ocorrera, o bandido não tardou a sair do rio. Assim que vestiu suas roupas, o príncipe se adiantou e pediu-lhe que usassem suas espadas para testarem sua habilidade.

— Vamos provar qual dos dois é o melhor espadachim!

O ladrão concordou satisfeito, com a certeza da vitória, pois era famoso como esgrimista em sua província e não tinha noção de quem era de verdade o seu adversário. Ele agarrou rapidamente o que pensava ser sua espada e ficou em guarda para se defender. Pobre rebelde! A espada era a de madeira do jovem príncipe, e em vão Takeru tentou desembainhá-la, pois estava presa firmemente e nem toda a sua força conseguiu movê-la. Mesmo que seus esforços tivessem sido bem-sucedidos, a espada lhe seria inútil, pois era de madeira. Yamato Take, vendo que o inimigo estava em seu poder, agitou bem alto a espada que havia tirado de Takeru e desferiu um golpe com grande força e destreza, cortando a cabeça do ladrão.

Dessa forma, por vezes usando a sabedoria, por vezes usando a força corporal, por vezes recorrendo à astúcia, que era tão estimada naqueles dias quanto é desprezada atualmente, ele prevaleceu sobre todos os inimigos do rei, um por um, e trouxe paz e sossego ao país e ao povo.

Quando retornou à capital, o rei o elogiou por seus bravos feitos e fez uma festa no palácio em homenagem à sua volta segura para casa, presenteando-o com muitos artigos raros. Daquele momento em diante, o rei o amou mais do que nunca e não permitiu que Yamato Take deixasse mais sua companhia, pois seu filho se tornara tão precioso para ele quanto um de seus braços.

Mas o príncipe não teve permissão para viver uma vida ociosa por muito tempo. Quando tinha cerca de trinta anos, chegou a notícia de que a raça aino, os aborígenes das ilhas do Japão, que haviam sido conquistados e forçados a isolarem-se no Norte pelos japoneses, havia se rebelado nas províncias orientais. Eles haviam deixado a terra que lhes fora atribuída e estavam causando grandes problemas. O rei decidiu que se fazia necessário enviar um exército para batalhar com eles e trazê-los à razão. Mas quem lideraria os homens?

O príncipe Yamato Take imediatamente se ofereceu para ir e submeter os rebeldes recém-surgidos à sujeição. No entanto, como o rei amava muito o príncipe e não suportava se separar dele, nem mesmo por um dia, obviamente não queria enviá-lo naquela perigosa expedição. Mas em todo o exército não havia guerreiro tão forte ou tão bravo quanto seu filho, de modo que Sua Majestade, incapaz de fazer diferente, atendeu com relutância ao desejo de Yamato.

Chegado o momento de o príncipe partir, o rei lhe deu uma lança chamada Lança de Oito Braços de Azevinho (o cabo provavelmente fora feito de madeira de azevinho) e ordenou que partisse para subjugar os Bárbaros Orientais, como os ainos eram então chamados.

A Lança de Oito Braços de Azevinho daqueles tempos antigos era apreciada pelos guerreiros tanto quanto o estandarte ou a bandeira são valorizados por um regimento nos dias modernos, quando entregue pelo rei aos seus soldados por ocasião de sua partida para a guerra.

O príncipe, com grande respeito e reverência, recebeu a lança do rei e, deixando a capital, marchou com seu exército para o leste. No caminho, visitou primeiro todos os templos de Ise para adorá-la, e sua tia, a princesa de Yamato e alta sacerdotisa, saiu para cumprimentá-lo. Foi ela quem lhe dera o manto que provou ser uma grande bênção anteriormente, ajudando-o a vencer e matar os bandidos do Oeste.

Ele lhe contou tudo o que havia acontecido e do importante papel que o presente desempenhara no sucesso de seu empreendimento anterior, e agradeceu-lhe de coração. Quando ela soube que ele estava partindo mais uma vez para a batalha contra os inimigos de seu pai, entrou no templo e reapareceu carregando uma espada e uma linda bolsa que ela mesma confeccionara, repleta de pederneiras, que naquela época as pessoas usavam em vez de fósforos para fazer fogo. Ela os deu como um presente de despedida.

A espada era a de Murakumo, um dos três tesouros sagrados que compõem a insígnia da Casa Imperial do Japão. Ela não poderia ter dado ao sobrinho um talismã de sorte e sucesso mais auspicioso e ordenou-lhe que o usasse na hora em que mais necessitasse.

Yamato Take se despediu da tia e, mais uma vez, colocando-se à frente de seus homens, marchou para o extremo leste através da província de Owari, chegando por fim à província de Suruga. Lá o governador lhe deu as boas-vindas de todo o coração e o entreteve regiamente com muitos banquetes. Quando tudo acabou, o governador disse-lhe que sua província era famosa por seus belos cervos e propôs uma caçada para a diversão de seu convidado. O príncipe foi completamente enganado pela cordialidade do anfitrião, que era falsa, e consentiu de bom grado em se juntar à caçada.

O governador então conduziu o príncipe a uma planície extensa e selvagem, onde a relva crescia alta e em grande abundância. Ignorando que o governador lhe preparara uma armadilha com o intuito de matá-lo, o príncipe começou a cavalgar rapidamente e caçar o cervo, quando de repente, para seu espanto, viu chamas e fumaça saindo do arbusto à sua frente. Percebendo o perigo, ele tentou recuar, mas assim que virou o cavalo na direção oposta, viu que a pradaria também ardia em chamas. Ao mesmo tempo, a relva à esquerda e à direita explodiu em chamas, que começaram a se espalhar rapidamente em sua direção por todos os lados. Ele olhou em volta em busca de uma chance de fuga, mas não havia nenhuma. Estava cercado pelo fogo.

— Esta caçada ao cervo nada mais era do que um truque astuto do inimigo! — disse o príncipe, olhando em volta para as chamas e a fumaça que crepitava e o cercava. — Como fui tolo em ter sido atraído para esta armadilha como um animal selvagem! — e rangeu os dentes de raiva ao pensar na traição sorridente do governador.

Por maior que fosse o perigo em que se encontrava, o príncipe não estava nem um pouco perturbado. Mesmo naquela situação extrema, lembrou-se dos presentes que sua tia lhe dera quando se separaram, e parecia-lhe que ela, com uma previsão profética, adivinhara aquela hora de necessidade. Friamente, abriu a bolsa que ganhara e ateou fogo na relva perto dele. Então desembainhou a espada de Murakumo e começou a trabalhar para cortar a relva à sua volta com toda a velocidade. Decidira morrer, caso fosse inevitável, lutando por sua vida em vez de ficar parado esperando que a morte viesse até ele.

É estranho dizer que o vento começou a mudar e soprar na direção oposta e que a porção mais feroz da sarça ardente que, até então, ameaçava cair sobre ele foi soprada para longe. O príncipe, sem nem mesmo um arranhão ou um único fio de cabelo queimado, viveu para contar a história de sua fuga maravilhosa, e o vento, que logo evoluiu para um vendaval, atingiu o governador, queimando-o até a morte nas chamas que ateara para matar Yamato Take.

O príncipe atribuiu sua fuga inteiramente à virtude da espada de Murakumo e à proteção de Amaterasu, a deusa do Sol de Ise, que controla o vento e todos os elementos e garante a segurança de todos os que oram para ela em momentos de perigo. Erguendo a preciosa espada, ele a agitou acima da cabeça muitas vezes em sinal de grande respeito e, ao fazê-lo, renomeou-a *Kusanagi-no-Tsurugi*, ou Espada Ceifadora da Relva, e o lugar onde ateou fogo ao seu redor para escapar da morte na pradaria em chamas chamou de *Yaidzu*. Até hoje existe um local ao longo da grande ferrovia de Tokaidô[67] chamado Yaidzu, que dizem ser o mesmo local onde esse evento emocionante ocorreu.

Assim, o valente príncipe Yamato escapou da armadilha preparada por seu inimigo. Ele estava munido de recursos e coragem, e por fim enganou e subjugou todos os seus inimigos. Deixando Yaidzu, marchou para o leste e chegou à costa em Idzu, de onde desejava cruzar para Kadzusa.

Em todos os perigos e aventuras, ele fora seguido por sua fiel e amorosa esposa, a princesa Ototachibana. Pelo bem do esposo, ela desconsiderara o cansaço das longas jornadas e os perigos da guerra. Seu amor pelo marido guerreiro era tão grande, que se sentia bem recompensada por todas aquelas andanças simplesmente por poder entregar-lhe a espada quando partia para a batalha ou atender às suas necessidades quando retornava cansado para o acampamento.

Mas o coração do príncipe estava tomado pelas guerras e conquistas, e ele pouco se importava com a fiel Ototachibana. Em razão da longa exposição nas viagens e do pesar pela frieza do marido, sua beleza havia desaparecido, e sua pele de marfim estava queimada e escurecida pelo sol, de modo que o príncipe disse-lhe, certo dia, que seu lugar era no palácio, atrás dos biombos, não com ele, no campo de batalha. Apesar da rejeição e indiferença do marido, Ototachibana não conseguia encontrar em seu coração forças para deixá-lo. Contudo, talvez tivesse sido melhor para ela que assim fosse, pois no caminho para Idzu, quando chegaram a Owari, seu coração estava quase partido.

---

[67] *Tokaidô*, "Grande Estrada do Leste", foi um caminho crucial estabelecido ao longo da história japonesa. Esse caminho ligava Osaka, Quioto e, depois, Tóquio, quando esta fixou-se como residência do xogum Tokugawa. Nessa estrada, os nobres viajavam carregados em liteiras (*kago*). Ao longo do Tokaidô, havia uma série de postos do governo desde o século XVII para que os viajantes pudessem descansar. Essas estações consistiam em estábulos, além de hospedagem, restaurantes e tabernas. Originalmente, no século XVII, Tokaidô era composto de 53 estações. Com o tempo, essa estrada foi modernizando suas estruturas, dando alento ao desenvolvimento ao longo de suas estações para grandes cidades, parques industriais, acessos portuários e a ferrovia.

Ali, vivia, em um palácio sombreado por pinheiros e cercado por portões imponentes, a princesa Miyadzu, linda como a flor de cerejeira na alvorada de uma manhã de primavera. Suas vestes eram delicadas e brilhantes, e sua pele era branca como a neve, pois ela nunca soubera o que era estar cansada pelo cumprimento do dever ou andar no calor do sol de verão. O príncipe ficou com vergonha de sua esposa queimada de sol e suas vestes manchadas pela viagem e pediu-lhe que ficasse para trás enquanto visitava a princesa Miyadzu. Dia após dia, ele passava horas nos jardins e no palácio com sua nova amiga, pensando apenas em seu prazer e pouco se importando com sua pobre esposa, que ficara para trás para chorar na tenda pela miséria em que sua vida se transformara. No entanto, ela era uma esposa tão fiel, de caráter tão paciente, que nunca permitiu que uma reprovação escapasse de seus lábios, ou uma expressão de desgosto comprometesse a doce tristeza de seu rosto. Estava sempre pronta, com um sorriso para dar as boas-vindas ao marido quando ele retornava ou conduzi-lo aonde quer que fosse.

Por fim, chegou o dia em que o príncipe Yamato Take deveria partir para Idzu e cruzar o mar até Kadzusa, então convidou sua esposa a seguir seu séquito como súdita enquanto ele se despedia cerimoniosamente da princesa Miyadzu. Ela saiu para cumprimentá-lo com lindas vestes e parecia mais bonita do que nunca. Quando Yamato Take a viu, esqueceu-se de sua esposa, seu dever e tudo o mais, exceto a alegria do ocioso presente, e jurou que voltaria para Owari para se casar com ela quando a guerra acabasse. Ao erguer os olhos, após pronunciar tais palavras, encontrou os grandes olhos amendoados de Ototachibana fixados nele em indizível tristeza e perplexidade. Naquele momento, ele sabia que cometera um erro, mas endureceu o coração e continuou cavalgando, pouco se importando com a dor causada à esposa.

Quando chegaram à praia em Idzu, seus homens procuraram barcos para cruzar o estreito até Kadzusa, mas foi difícil encontrar embarcações suficientes para permitir o embarque de todos os soldados. Então o príncipe parou na praia e, orgulhoso de sua força, zombou dizendo:

— Isto não é o mar! É apenas um riacho! Por que querem tantos barcos? Eu poderia saltar sobre ele se quisesse.

Quando, finalmente, todos embarcaram e estavam a caminho do estreito, o céu de repente ficou nublado, e formou-se uma grande tempestade. As ondas ergueram-se altas, o vento uivou, o relâmpago cintilou, o trovão ecoou, e o barco que levava Ototachibana, o príncipe e seus homens foi jogado contra as ondas até que pareceu que cada momento seria o último e que todos eles seriam engolidos pelo mar revolto. Ocorre que Ryn Jin, o Rei Dragão do Mar, ouvira Yamato desdenhar e, furioso, provocara aquela terrível tempestade para mostrar ao príncipe zombador como o mar poderia ser terrível, embora parecesse apenas um riacho.

A tripulação, apavorada, baixou as velas e cuidou do leme, trabalhando para salvar suas vidas, mas tudo em vão, pois a tempestade só parecia aumentar em violência, fazendo com que todos desistissem de lutar e se entregassem, sem esperança. Então a fiel Ototachibana se levantou e, esquecendo-se de toda a dor que o marido lhe causara, esquecendo-se até mesmo de que ele se cansara dela, com o único grande desejo de salvá-lo, decidiu sacrificar sua vida para resgatá-lo da morte se fosse possível.

Enquanto as ondas batiam no barco e o vento girava ao redor deles com fúria, ela disse:

— Certamente tudo isso aconteceu porque o príncipe irritou Ryn Jin com sua zombaria. Se for assim, eu, Ototachibana, apaziguarei a ira do deus do mar que deseja nada menos do que a vida de meu marido!

Em seguida, dirigindo-se ao mar, acrescentou:

— Tomarei o lugar de Sua Majestade, Yamato Take e me lançarei em suas profundezas ultrajadas, dando minha vida pela dele. Portanto, ouça-me e leve-o em segurança para a costa de Kadzusa.

Com essas palavras, ela saltou rapidamente no mar turbulento, e as ondas logo a empurraram para longe, até ser perdida de vista. É estranho dizer que a tempestade cessou imediatamente e que o mar se tornou tão calmo e suave quanto as esteiras em que os espectadores atônitos estavam sentados. Os deuses do mar estavam agora apaziguados, o tempo melhorou, e o Sol brilhou como em um dia de verão.

Yamato Take logo alcançou a margem oposta e atracou em segurança, como sua esposa Ototachibana implorara. A destreza do príncipe na guerra foi maravilhosa, e ele conseguiu, depois de um tempo, conquistar os Bárbaros Orientais, os ainos[68].

Ele atribuiu sua chegada segura inteiramente à fidelidade de sua esposa, que tão voluntária e amorosamente se sacrificara em um momento

---

[68] Evidentemente, os ainos não são bárbaros nem primitivos. A expressão é fruto da época do conto. Os ainos foram uma nação indígena estabelecida nas terras ao redor do Mar de Okhotsk, incluindo a ilha de Hokkaido, nordeste da Ilha de Honshu, Ilha Sakhalin, Ilhas Curilas, Península de Kamchatka e Khabarovsk Krai, antes da chegada dos japoneses sob os Yamatos e os russos. Em textos históricos japoneses, essas regiões são chamadas de Ezo (蝦夷). Hoje em dia, restam poucas centenas de ainos não assimilados pela sociedade japonesa.

de grande perigo[69]. Seu coração se suavizou com a lembrança dela e nunca mais permitiu que ela deixasse seus pensamentos, nem por um momento. Tarde demais aprendera a estimar a bondade do coração e a grandeza do amor da esposa por ele.

No caminho de volta para casa, ele chegou à passagem de Usui Toge e, ali, deteve-se para admirar a maravilhosa paisagem abaixo dele. A região, vista daquela grande elevação, desnudava-se à sua vista, um vasto panorama de montanhas, planícies e florestas, com rios serpenteando como fitas de prata pela terra. Ao longe, ele viu o mar, que cintilava como uma névoa luminosa onde Ototachibana havia sacrificado sua vida pela dele e, ao se voltar para aquela direção, estendeu os braços, pensando no amor que ele havia desprezado e em sua infidelidade para com ela. Seu coração explodiu em um choro triste e amargo:

— *Azuma, Azuma, Ya!* (Oh! Minha esposa, minha esposa!)

Até hoje existe um distrito em Tóquio chamado Azuma em homenagem às palavras do príncipe Yamato Take, e o lugar onde sua fiel esposa saltou ao mar para salvá-lo ainda recebe grande destaque. Portanto, embora em vida a princesa Ototachibana fosse infeliz, a história mantém sua memória viva, e seu altruísmo e morte heroica jamais serão esquecidos.

Yamato Take cumprira todas as ordens de seu pai; ele havia subjugado todos os rebeldes e libertado o país de todos os ladrões e inimigos da paz. Sua fama era imensa e, em todo o planeta, não havia ninguém que pudesse se insurgir contra ele, pois era tão forte na batalha quanto sábio na conduta.

Estava prestes a voltar para casa pelo mesmo caminho por onde viera, quando lhe ocorreu o pensamento de que talvez fosse mais interessante tomar outro caminho. Assim, ele passou pela província de Owari até chegar à província de Omi.

Ao alcançar Omi, o príncipe encontrou as pessoas em um estado de grande excitação e medo. Em muitas casas, ao passar, viu os sinais de luto e ouviu fortes lamentações. Ao indagar a causa de tudo aquilo, foi-lhe dito que um monstro terrível havia aparecido nas montanhas e que descia diariamente fazendo incursões nas aldeias e devorando quem conseguisse capturar. Muitas famílias ficaram desoladas, os homens tinham medo de sair para o trabalho no campo, e as mulheres, de ir aos rios para lavar o arroz.

---

[69] Mais um exemplo da extrema devoção e lealdade da esposa do príncipe Take, Ototachibana, cuja beleza havia desaparecido com a exposição e as dificuldades por ela suportadas seguindo-o nos campos de batalha.

Quando Yamato Take ouviu aquilo, sua ira se acendeu:

— Do extremo oeste de Kiushiu ao leste de Yezo, subjuguei todos os inimigos do rei, e não há ninguém que se atreva a violar as leis ou se rebelar contra ele — declarou com veemência. — É realmente de se admirar que aqui neste lugar, tão perto da capital, um monstro perverso tenha ousado tomar sua morada e ser o terror dos súditos do rei. Não demorou muito tempo para encontrar prazer devorando pessoas inocentes. Irei em seu encalço e o matarei de uma vez.

Com aquelas palavras, ele partiu para a montanha Ibuki, onde o monstro supostamente morava. Subiu uma boa distância quando, de repente, em uma curva do caminho, uma serpente monstruosa apareceu diante dele, detendo seu avanço.

— Este deve ser o monstro — disse o príncipe. — Não precisarei de minha espada para matar uma serpente. Posso fazê-lo com minhas próprias mãos.

Ele então saltou sobre a serpente e tentou estrangulá-la até a morte com seus braços nus. Não demorou muito para que sua força prodigiosa dominasse e a serpente caísse morta a seus pés. Naquele momento, uma escuridão repentina desceu sobre a montanha, e a chuva começou a cair, de modo que, em razão da escuridão e da chuva, o príncipe mal conseguia ver que caminho seguir. Em pouco tempo, porém, enquanto tateava seu caminho descendo o desfiladeiro, o clima melhorou, e nosso bravo herói conseguiu descer rapidamente a montanha.

Quando voltou, começou a sentir um mal-estar, dores e queimação nos pés, deduzindo que a serpente o havia envenenado. Seu sofrimento era tão grande que mal conseguia se mover, muito menos andar. Assim, foi levado para um lugar nas montanhas famoso por suas fontes termais que se erguiam borbulhando da terra e quase fervendo com a lava vulcânica abaixo.

Yamato banhou-se diariamente naquelas águas e, aos poucos, sentiu suas forças voltarem e as dores cessarem, até que, certo dia, descobriu com grande alegria que estava curado por completo. Ele correu para os templos de Ise, onde, como devem se lembrar, ele orara antes de empreender aquela longa expedição. Sua tia, sacerdotisa do santuário, que o abençoara em sua partida, veio recebê-lo mais uma vez. Ele lhe contou sobre os muitos perigos que havia enfrentado e como sua vida fora maravilhosamente preservada ao longo de todas essas aventuras. Ela elogiou sua coragem e destreza de guerreiro, e então, colocando suas vestes mais magníficas, voltou graças à sua ancestral, a deusa do Sol, Amaterasu, cuja proteção ambos atribuíram à maravilhosa preservação do príncipe.

Aqui termina a história do príncipe Yamato Take do Japão.

Momotaro e seus amigos animais.
Utagawa Kuniyoshi, 1840.

MOMOTARO[70], OU A HISTÓRIA DO FILHO DE UM PÊSSEGO

Há muito, muito tempo, havia um velho e sua esposa. Eles eram camponeses e tinham de trabalhar árdua e diariamente para obter o sustento. O velho costumava aparar a relva para os fazendeiros da região e, enquanto estava fora, sua esposa fazia o trabalho doméstico e trabalhava no próprio arrozal.

Certo dia, o velho foi para as colinas aparar a relva como de costume, e a velha levou algumas roupas para lavar no rio.

O verão se aproximava, e a paisagem estava muito bonita de se ver em seu frescor verde enquanto os dois velhos iam para o trabalho. A relva nas margens do rio parecia veludo esmeralda, e os salgueiros ao longo da beira da água sacudiam suas franjas macias.

A brisa soprava e agitava a superfície lisa da água em pequenas ondas enquanto tocava o rosto do casal de idosos que, por algum motivo que não conseguiam explicar, sentiam-se muito felizes naquela manhã.

---

[70] Momotaro, ou Momotarô, "Menino Pêssego", é um personagem popular na literatura japonesa. Contos do Período Tokugawa ou Edo (1603-1867) narravam que esse menino nasceu de uma mãe que consumia muitos pêssegos pelo seu conhecido poder revigorante e rejuvenescedor. No Período Meiji (1868-1912), o grande escritor Iwaya Sazanami (1877-1933) estabeleceu na sua obra de 1894, *Nihon Mukashibanashi*, as virtudes e características de Momotarô a constar nos livros didáticos utilizados nas escolas. O menino teria todas as virtudes marciais e de lealdade nacionalista a combater ogros na região norte e nordeste de Honshu (possivelmente, os ainos ou chineses que eram vistos como ameaças ao Japão em fins do século XIX, após a Primeira Guerra Sino-Japonesa de 1894-5).

A velha, por fim, encontrou um bom lugar na margem do rio e largou o cesto. Começou a trabalhar para lavar as roupas, tirou-as do compartimento, uma a uma, lavou-as no rio e esfregou-as nas pedras. A água estava clara como cristal, e ela podia ver os peixinhos nadando de um lado para o outro, assim como os seixos no fundo.

Enquanto se ocupava com as roupas, algo grande descia rolando pelo riacho. A velha ergueu os olhos de sua tarefa e viu aquele grande pêssego, o maior que já vira em todos os seus sessenta anos de idade.

— Como deve ser delicioso! — disse para si mesma. - Tenho que apanhá-lo e levar para casa para o meu velho.

Ela esticou o braço para tentar pegá-lo, mas estava fora de seu alcance. Procurou então por um graveto, mas não encontrou nenhum e, se fosse procurar, perderia o pêssego de vista.

Parando por um momento para pensar no que faria, lembrou-se de um antigo verso encantado. Começou a bater palmas para acompanhar o ritmo do pêssego rio abaixo e, enquanto o fazia, cantava esta canção:

"A água distante é amarga,
A água próxima é doce;

Passe pela água distante
E venha para a doce."

  É estranho dizer que, assim que ela começou a repetir aquela cantiga, o pêssego foi se aproximando cada vez mais da margem em que ela estava, até que finalmente parou bem na sua frente para que pudesse pegá-lo nas mãos. A velha ficou encantada. Não conseguia continuar a trabalhar de tão feliz e animada que estava e, assim, colocou todas as roupas de volta no cesto de bambu e correu para casa carregando a fruta.
  Pareceu-lhe que o tempo demoraria a passar até que o marido retornasse do trabalho. O velho finalmente voltou quando o sol já estava se pondo, carregando um feixe de relva nas costas que, de tão grande, quase o escondia por completo. Ele parecia muito cansado e usava a foice como bengala, apoiando-se nela enquanto caminhava.
  — O Fii San! (Velho) — gritou a velha assim que o viu. — Estou esperando há tanto tempo por sua volta!
  — Qual é o problema? Por que está tão impaciente? — perguntou o velho, imaginando o motivo daquela ansiedade incomum — Aconteceu alguma coisa enquanto estive fora?
  — Oh, não! — respondeu a velha. — Não aconteceu nada, só encontrei um belo presente para você!
  — Isso é bom — disse o velho. Ele, então, lavou os pés em uma bacia com água e foi até a varanda.
  A velha correu para a saleta e tirou do armário o grande pêssego que parecia ainda mais pesado que antes.
  — Veja só isso! — disse ela, erguendo-o. — Já viu um pêssego tão grande em toda a sua vida?
  — Este é realmente o maior pêssego que já vi! — disse o velho, muito surpreso, ao olhar para a fruta. — Onde o comprou?
  — Não o comprei, encontrei-o no rio onde lavava roupa — e contou-lhe toda a história.
  — Estou muito feliz que o tenha encontrado. Vamos comê-lo agora mesmo, porque estou com muita fome — disse *O Fii San*.
  Ele pegou a faca de cozinha e, colocando o pêssego em uma tábua, estava prestes a cortá-lo quando algo maravilhoso aconteceu, a fruta se partiu em duas, e uma voz clara disse:
  — Espere um pouco, velho! — e dele saiu uma linda criança.

O velho e sua esposa ficaram tão surpresos com o que viram, que caíram ao chão.

— Não tenham medo — disse a criança novamente. — Não sou demônio nem fada. Vou lhes dizer a verdade: o Céu teve compaixão de vocês. Todos os dias e todas as noites, lamentaram não ter tido filhos, então seu pedido foi ouvido, e fui enviado para que fossem meus pais em sua velhice!

Ao ouvir aquilo, o velho e sua esposa ficaram muito felizes. Eles choraram noite e dia de tristeza por não terem filhos para ajudá-los em sua velhice solitária e, agora que sua oração fora atendida, estavam tão perdidos de alegria que não sabiam onde colocar as mãos ou os pés. Primeiro, o velho pegou a criança nos braços, depois a velha fez o mesmo e, assim, chamaram-no de Momotaro, ou Filho do Pêssego, porque ele saíra de um pêssego[71].

O tempo passou rapidamente, e a criança chegou aos quinze anos[72]. Ele era mais alto e muito mais forte do que qualquer outro menino de sua idade, tinha um rosto bonito e um coração cheio de coragem, além de ser muito sábio. O prazer do velho casal era muito grande quando o olhavam, pois ele era exatamente o que pensavam que um herói deveria ser.

Certo dia, Momotaro foi até seu pai adotivo e disse solenemente:

— Pai, por um estranho acaso nos tornamos pai e filho. Sua bondade para comigo foi maior do que a relva da montanha que seu trabalho diário ceifa, e mais profunda do que o rio onde minha mãe lava as roupas. Não sei como lhe agradecer suficientemente.

— Ora — respondeu o velho —, é natural que um pai crie seu filho. Quando for mais velho, será sua vez de cuidar de nós, afinal não haverá lucro ou prejuízo por aqui, estaremos quites. Na verdade, estou bastante surpreso que ache que deva me agradecer desta forma! — E o velho parecia incomodado.

— Espero que seja paciente comigo — disse Momotaro —, mas antes de começar a retribuir a sua bondade, tenho um pedido a lhe fazer e espero que me conceda.

— Vou deixar que faça o que desejar, pois é bem diferente de todos os outros meninos de sua idade!

— Sendo assim, peço que me deixe partir imediatamente!

---

[71] Em algumas versões deste conto, Momotaro é encontrado dentro de uma caixa vermelha (ou preta) flutuando rio abaixo, com pêssegos dentro. Essas versões são contadas nas partes do norte do Japão, regiões de Tōhoku e Hokuriku.

[72] Sobre o crescimento de Momotaro também existem inúmeras outras versões, decorrentes da popularidade desse conto. Uma versão nos narra que ele se tornou preguiçoso, que dormia o dia inteiro, mas isso foi suprimido por não servir de modelo às crianças japonesas em sala de aula.

— O que está me pedindo? Deseja deixar seu velho pai e sua velha mãe e ir embora de sua casa?

— Tenha certeza de que retornarei se me deixar ir agora mesmo!

— Para onde vai?

— Deve estar achando estranho que queira ir embora — disse Momotaro —, porque ainda não lhe contei o motivo. Muito longe daqui, no nordeste do Japão, há uma ilha. Essa ilha é a fortaleza de um bando de demônios[73]. Ouvi dizer muitas vezes sobre como eles invadem nossa terra, matam e roubam as pessoas e levam tudo o que podem encontrar. Eles não são apenas muito perversos, mas também desleais ao nosso imperador, desobedecem às suas leis. Eles são canibais, pois matam e comem alguns dos pobres infelizes que caem em suas garras. Esses demônios são seres muito odiosos. Devo partir, derrotá-los e recuperar tudo o que saquearam dessa terra. É por isso que quero partir por um curto período!

O velho ficou muito surpreso ao ouvir tudo aquilo de um mero garoto de quinze anos, mas achou melhor deixá-lo ir. Era forte e destemido e, além disso, o velho sabia que não era uma criança comum, pois lhes fora enviado como um presente do Céu e tinha certeza de que os demônios seriam impotentes para feri-lo.

— Tudo o que diz é muito interessante, Momotaro — disse o velho. — Não colocarei obstáculos em sua determinação. Pode ir se quiser. Parta para a ilha assim que quiser, destrua os demônios e traga paz à terra.

— Agradeço por sua gentileza — disse Momotaro, que começou a se preparar para partir naquele mesmo dia. Estava cheio de coragem e não conhecia o significado da palavra "medo".

O velho e a velha começaram imediatamente a trabalhar para triturar arroz no pilão da cozinha e preparar bolos para Momotaro levar em sua viagem.

Por fim, os quitutes estavam prontos, assim como Momotaro para iniciar sua longa jornada.

Despedidas são sempre tristes, e a deles não foi diferente. Os olhos dos dois idosos se encheram de lágrimas e suas vozes tremeram ao dizer:

— Vá com todo cuidado e rapidez. Esperamos que volte vitorioso!

---

[73] Momotaro parte em sua jornada para derrotar os demônios quando ouve sobre Onigashima (Ilha dos Demônios). Em algumas versões da história, Momotaro se ofereceu para ir ajudar as pessoas a derrotar os demônios, em outras, ele foi forçado. No entanto, todas as histórias descrevem Momotaro derrotando os demônios (*onis*).

Momotaro ficou muito triste por deixar seus pais (embora soubesse que voltaria assim que pudesse), pois pensou em como ficariam solitários enquanto estivesse fora, mas disse "Adeus!" muito bravamente.

— Estou partindo. Cuidem-se bem enquanto estiver fora. Adeus! — E saiu rapidamente da casa. Em silêncio, os olhos de Momotaro e de seus pais se encontraram na despedida.

Momotaro agora se apressou em sua jornada. Perto do meio-dia, começou a sentir fome, então abriu a sacola e tirou um dos bolos de arroz, sentando-se debaixo de uma árvore à beira da estrada para comê-lo. Enquanto almoçava, um cachorro quase tão grande quanto um potro saiu correndo da relva alta. Ele foi direto para Momotaro e, mostrando os dentes, disse de forma feroz:

— É um homem rude por passar pelo meu campo sem antes me pedir permissão. Se me entregar todos os bolos que tem na bolsa, deixarei que vá; do contrário, vou mordê-lo até matá-lo!

Momotaro apenas riu com desdém:

— O que está dizendo? Sabe quem sou? Sou Momotaro e estou viajando para subjugar os demônios em sua fortaleza insular no nordeste do Japão. Se tentar me impedir, vou parti-lo em dois, da cabeça aos pés!

Os modos do cachorro mudaram imediatamente. Seu rabo baixou entre as pernas e, aproximando-se, curvou-se tão pronunciadamente que sua testa tocou o chão.

— O que me diz? Seu nome é Momotaro? É mesmo Momotaro? Tenho ouvido muito falar sobre a sua grande força. Sem saber quem era, me comportei de maneira muito estúpida. Perdoe minha grosseria! Está mesmo a caminho para invadir a Ilha dos Demônios? Se aceitar levar consigo alguém tão rude como um de seus seguidores, ser-lhe-ei muito grato.

— Acho que posso levá-lo comigo se quiser — disse Momotaro.

— Obrigado! — disse o cachorro. — A propósito, estou com muita fome. Pode me dar um dos bolos que está carregando?

— Este é o melhor tipo de bolo que existe no Japão — disse Momotaro. — Não posso lhe dar um inteiro, mas pode ficar com metade de um.

— Muito obrigado — disse o cão, pegando o pedaço que lhe fora atirado.

Então Momotaro se levantou, e o cachorro o seguiu. Por muito tempo caminharam pelas colinas e vales. Enquanto avançavam, um animal desceu de uma árvore um pouco à frente deles. A criatura logo se aproximou de Momotaro.

— Bom dia, Momotaro! É bem-vindo nesta parte do país. Me permite acompanhá-lo?

— Momotaro já tem um cachorro para acompanhá-lo — respondeu o cachorro, enciumado. — Para que serve um macaco na batalha? Estamos indo lutar contra os demônios! Afaste-se!

O cachorro e o macaco começaram a brigar e a morder, pois esses dois animais sempre se odiaram.

— Parem com essa briga agora mesmo! — disse Momotaro, colocando-se entre eles. — Espere um momento, cachorro!

— Não é nada digno ter uma criatura como essa seguindo-o! — disse o cachorro.

— O que sabe sobre isso? — perguntou Momotaro e, empurrando o cachorro para o lado, perguntou ao macaco:

— Quem é você?

— Sou um macaco que vive nestas colinas — respondeu. — Ouvi falar de sua expedição à Ilha dos Demônios e vim para me juntar a você. Nada me agradará mais do que segui-lo!

— Deseja realmente ir para a Ilha dos Demônios e lutar ao meu lado?

— Sim, senhor — respondeu o macaco.

— Admiro sua coragem — disse Momotaro. — Aqui está um pedaço de um dos meus finos bolos de arroz. Venha!

Então o macaco se juntou a Momotaro. O cachorro e o macaco não se davam bem e estavam sempre brigando um com o outro enquanto avançavam, e sempre querendo brigar mais. Isso deixou Momotaro muito zangado e, por fim, mandou o cão ir à frente com uma bandeira e colocou o macaco atrás com uma espada, ficando ele mesmo entre os dois com um leque de guerra, que é feito de ferro.

Aos poucos, eles chegaram a um grande campo. Ali, um pássaro voou e pousou no chão bem à frente do pequeno grupo. Era o pássaro mais lindo que Momotaro já vira. Em seu corpo, havia cinco camadas diferentes de penas, e sua cabeça estava coberta por um penacho escarlate.

O cão correu imediatamente até o pássaro e tentou agarrá-lo e matá-lo. Mas o pássaro golpeou com as esporas e voou na direção do rabo do cachorro, e a luta foi dura entre os dois.

Momotaro, enquanto observava, não pôde deixar de admirar o pássaro que demonstrou muita coragem na luta. Certamente daria um bom lutador.

Momotaro foi até os dois combatentes e, segurando o cachorro, disse ao pássaro:

— Seu tratante! Está atrapalhando minha jornada. Renda-se imediatamente e o levarei comigo. Do contrário, mandarei esse cachorro arrancar sua cabeça com uma mordida!

Então o pássaro se rendeu imediatamente e implorou para ser levado na companhia de Momotaro.

— Não sei como me desculpar pela briga com o cachorro, seu servo, mas não o vi. Sou um pobre pássaro chamado de faisão. É muito generoso de sua parte perdoar minha grosseria e levar-me com você. Por favor, deixe-me segui-lo atrás do cachorro e do macaco!

— Eu o parabenizo por se render sem resistência — disse Momotaro, sorrindo. — Venha e junte-se a nós em nosso ataque aos demônios.

— Vai levar esse pássaro com você também? — perguntou o cachorro, interrompendo.

— Por que faz uma pergunta tão desnecessária? Não ouviu o que disse? Levo o pássaro comigo porque assim o desejo!

— Humph! — disse o cachorro.

Então, Momotaro se levantou e ordenou:

— Agora todos vocês devem me ouvir. A primeira coisa necessária em um exército é a harmonia. Há um ditado sábio que diz "Vantagem na terra é melhor do que vantagem no Céu!" A união entre nós é melhor do que qualquer ganho terreno. Quando não há paz entre nós, não é fácil subjugar um inimigo. A partir de agora, vocês três, cachorro, macaco e faisão, devem ser amigos com uma só mente. O primeiro a iniciar uma briga será expulso do grupo!

Todos os três prometeram não mais brigar. O faisão se tornou membro da comitiva de Momotaro e recebeu meio bolo.

A influência de Momotaro foi tão grande que os três se tornaram bons amigos e seguiram em frente tendo-o como líder.

Apressando-se dia após dia, eles finalmente chegaram à costa do Mar do Nordeste. Não havia nada para ser visto além do horizonte, nenhum sinal de qualquer ilha. Tudo o que rompia o silêncio era o quebrar das ondas na praia.

Bem, o cachorro, o macaco e o faisão haviam percorrido com muita bravura os extensos vales e colinas, mas nunca haviam visto o mar e, pela primeira vez desde que partiram, ficaram perplexos e olhando um para o outro em silêncio. Como poderiam cruzar a água e chegar à Ilha dos Demônios?

Momotaro logo percebeu que estavam assustados com a visão do mar e, para experimentá-los, falou alta e grosseiramente:

— Por que hesitam? Estão com medo do mar? Ah! Que covardes vocês são! É impossível levar criaturas tão fracas comigo para lutar contra os demônios. Será muito melhor que eu vá sozinho. Dispenso todos vocês!

Os três animais ficaram surpresos com a repreensão severa e se agarraram à manga de Momotaro, implorando para que não os mandasse embora.

— Por favor, Momotaro! — implorou o cachorro.

— Viemos até aqui! — disse o macaco.

— É desumano nos deixar aqui! — disse o faisão.

— Não temos medo do mar — disse o macaco novamente.

— Por favor, leve-nos com você — novamente o faisão.

— Por favor — repetiu o cachorro.

Eles agora tinham recuperado um pouco da coragem, então Momotaro disse:

— Muito bem, então vou levá-los comigo, mas tomem cuidado!

Momotaro conseguiu um pequeno navio, e todos embarcaram. O vento e o tempo estavam favoráveis, e o navio foi como uma flecha sobre o mar. Era a primeira vez que eles navegavam, de modo que, a princípio, o cachorro, o macaco e o faisão ficaram com medo das ondas e do balanço do barco, mas aos poucos se acostumaram e ficaram muito satisfeitos. Todos os dias, caminhavam pelo convés de seu pequeno navio, procurando ansiosamente pela Ilha dos Demônios.

Quando se cansaram disso, contaram um ao outro histórias de todas as façanhas das quais se orgulhavam e depois brincaram juntos. Momotaro divertia-se muito em ouvir os três animais e observar suas travessuras, e assim esquecia-se que o caminho era longo e que estava cansado da viagem e da ociosidade. Ele ansiava por estar na batalha, matando os monstros que haviam feito tanto mal ao povo de seu país.

Como o vento soprava a favor e eles não enfrentaram tempestades, o navio fez uma viagem rápida e assim, certo dia, quando o sol brilhava intensamente, a visão de terra firme recompensou os quatro observadores na proa.

Momotaro soube imediatamente que o que viam era a fortaleza dos demônios. No topo da costa íngreme, com vista para o mar, havia um grande castelo. Agora que o objetivo de sua missão estava próximo, ficou imerso em pensamentos com a cabeça apoiada nas mãos, perguntando-se como deveria iniciar o ataque. Seus três seguidores o observavam, aguardando ordens. Por fim, ele chamou o faisão:

— É uma grande vantagem tê-lo conosco — disse Momotaro para o pássaro —, pois tem asas fortes. Voe imediatamente para o castelo e conclame os demônios à batalha. Nós o seguiremos.

O faisão obedeceu imediatamente: voou do navio batendo suas asas alegremente pelo ar. O pássaro logo chegou à ilha e se posicionou no telhado no meio do castelo, gritando em voz alta:

— Todos vocês, demônios, me escutem! O grande general japonês Momotaro veio para lutar contra vocês e tomar sua fortaleza. Se desejam salvar suas vidas, rendam-se imediatamente e, em sinal de submissão, quebrem os chifres que crescem em suas testas. Se não se renderem imediatamente, optando por lutar, nós, o faisão, o cachorro e o macaco, mataremos a todos mordendo e dilacerando-os até a morte!

Os demônios com chifres olhando para cima e vendo apenas um faisão, riram e disseram:

— Um faisão selvagem, de fato! É ridículo ouvir essas palavras de uma coisa malvada como você. Espere até levar um golpe de nossas barras de ferro!

De fato, os demônios estavam muito zangados. Agitando os chifres e os cabelos ruivos ferozmente, correram para vestir suas calças de pele de tigre e, assim, parecerem ainda mais terríveis. Em seguida, pegaram grandes barras de ferro e correram para onde o faisão empoleirava-se sobre suas cabeças, tentando derrubá-lo. O faisão voou para o lado a fim de escapar do golpe e, então, atacou a cabeça primeiro de um e depois de outro demônio. Ele voou em volta deles, batendo suas asas no ar tão feroz e incessantemente que os demônios começaram a se perguntar se estavam lutando contra um ou mais pássaros.

Nesse ínterim, Momotaro trouxera seu navio para terra firme e, ao se aproximarem, viu que a costa era como um precipício e que o grande castelo era cercado por altos muros e grandes portões de ferro, além de ser muito bem fortificado.

Momotaro atracou e, na esperança de encontrar uma entrada, subiu a trilha em direção ao topo, seguido pelo macaco e pelo cachorro. Eles logo encontraram duas lindas donzelas lavando roupas em um riacho. Momotaro viu que as roupas estavam manchadas de sangue e que, enquanto elas as lavavam, lágrimas escorriam por seus rostos. Ele se deteve e perguntou:

— Quem são e por que choram?

— Somos cativas do Rei Demônio. Fomos levadas de nossas casas e trazidas para esta ilha. Embora sejamos filhas de *daimiôs* (nobres), somos obrigadas a lhe servir, mas chegará o dia em que nos matarão — e as donzelas ergueram as roupas manchadas de sangue — e nos comerão, e não há ninguém para nos ajudar!

E explodiram em lágrimas novamente diante da possibilidade daquele horrível destino.

— Vou resgatá-las, — disse Momotaro — Não chorem mais, apenas me mostrem como posso entrar no castelo.

Em seguida, as duas jovens foram na frente e mostraram a Momotaro uma pequena porta dos fundos na parte mais baixa da parede do castelo que, de tão pequena, Momotaro mal conseguia atravessar.

O faisão, que durante todo aquele tempo permanecera lutando ferozmente, viu Momotaro e seu pequeno bando entrarem rapidamente pelos fundos do castelo.

O ataque de Momotaro foi tão furioso que os demônios não conseguiram resistir-lhe. A princípio, o inimigo era um único pássaro, o faisão, mas agora que Momotaro, o cachorro e o macaco haviam chegado, eles ficaram perplexos, pois os quatro inimigos lutavam como uma centena, de tão fortes. Alguns dos demônios caíram do parapeito do castelo e se espatifaram nas rochas abaixo, outros caíram no mar e se afogaram e outros tantos foram espancados até a morte pelos três animais.

O chefe dos demônios foi o único que restou. Ele decidiu se render, pois sabia que seu inimigo era mais forte do que um homem mortal.

Ele se aproximou humildemente de Momotaro e, jogando sua barra de ferro ao chão, ajoelhou-se aos pés do vencedor e quebrou os chifres de sua cabeça em sinal de submissão, pois eram o símbolo de sua força e poder.

— Tenho medo de você — disse ele humildemente. — Não posso me opor a você, por isso lhe darei todo o tesouro escondido neste castelo se poupar minha vida!

Momotaro riu.

— Não é típico de um demônio implorar por misericórdia, é? Não posso poupar sua vida perversa, por mais que implore, pois matou e torturou muitas pessoas e roubou nosso país por muitos anos.

Então Momotaro amarrou o chefe demônio e o entregou ao macaco. Feito isso, ele foi a todas as salas do castelo e libertou os prisioneiros e reuniu todo o tesouro que encontrou.

O cão e o faisão levaram para casa o lucro, e assim Momotaro voltou para casa triunfante, levando consigo o chefe demônio como prisioneiro.

As duas pobres donzelas, filhas de nobres e outras que os demônios perversos haviam levado para serem suas escravas, foram levadas em segurança para suas respectivas casas e entregues a seus pais.

O país inteiro transformou Momotaro em herói em seu retorno triunfante, e se alegrou que o país agora estava livre dos demônios ladrões que haviam sido o terror daquela terra por tanto tempo[74].

A alegria do velho casal era maior do que nunca, e o tesouro que Momotaro trouxe para casa permitiu que vivessem em paz e fartura até o fim de seus dias.

---

[74] A versão de fins do século XIX, escrita por Iwaya Sazanami, que era membro do Ministério da Educação da época, foi a que mais se popularizou entre as escolas de ensino para as crianças. Foi essa geração depois que serviu nos campos de batalha na Segunda Guerra Mundial, período em que o personagem Momotaro era muito popular, inclusive em desenhos animados nos filmes e cartazes da época.

O braço do demônio.
Tsukioka Yoshitoshi, 1889.

O OGRO DE RASHOMON

Há muito, muito tempo, o povo da cidade de Quioto estava aterrorizado com os relatos de um ogro terrível[75] que, dizia-se, assombrava o Portão de Rashomon[76] ao anoitecer e capturava quem por lá passava. As vítimas desaparecidas nunca mais foram vistas, então os rumores eram de que o ogro era um canibal horrível que não apenas matava as vítimas infelizes, mas também as devorava. Todos na cidade e arredores estavam com muito medo, e ninguém ousava se aventurar após o pôr do sol perto do Portão de Rashomon.

Naquela época, vivia em Quioto um general chamado Raiko, que se tornara famoso por seus bravos feitos. Há algum tempo, ele havia feito seu nome ecoar pelo país ao atacar Oeyama, onde um bando de ogros vivia com seu chefe que, em vez de vinho, bebia o sangue de seres humanos. Ele havia derrotado a todos e cortado a cabeça do monstro-chefe.

Esse bravo guerreiro era seguido por um bando de fiéis cavaleiros, e nesse bando havia cinco cavaleiros de grande bravura. Certa noite, esses cinco se sentaram para um banquete regado a saquê e tigelas de arroz. Comiam todos os tipos de peixes, crus, cozidos e grelhados, e brindavam à saúde e às façanhas uns dos outros. O primeiro cavaleiro, Hojo, disse aos outros:

— Todos já ouviram o boato de que, todas as noites, após o pôr do sol, um ogro chega ao Portão de Rashomon e captura todos que por ali passam?

— Não diga tal bobagem! — respondeu o segundo cavaleiro, Watanabe. — Todos os ogros foram mortos por nosso chefe, Raiko, em Oeyama! Não pode ser

---

[75] Aparentemente, esse ogro seria o famoso *oni* Ibaraki-doji, subordinado de Shuten-doji, o rei dos ogros.

[76] Portão construído no extremo sul da monumental Avenida Suzaku, nas antigas cidades japonesas de Nara e Quioto. Nesta última, o portão sul passou a ser negligenciado e servir de local a pessoas desonestas e em situação pauperizada. Nesse cenário, figuras demoníacas começaram a frequentar a região, até serem abordadas por um samurai, Watanabe.

verdade! E mesmo que algum ogro tivesse escapado daquela grande matança, não se atreveria a aparecer nesta cidade, pois saberia que nosso bravo mestre o atacaria imediatamente caso percebesse que um deles ainda permanecia vivo!

— Então não acredita no que digo e pensa que estou lhe contando uma mentira?

— Não, não acho que esteja mentindo — disse Watanabe —, mas deve ter ouvido essa história de alguma velha e não vale a pena acreditar.

— Então a melhor maneira de provar se o que digo é verdade ou não será ir pessoalmente e verificar por si mesmo — disse Hojo.

Watanabe, o segundo cavaleiro, não conseguia suportar a ideia de que seu companheiro acreditasse que estava com medo, então respondeu rapidamente:

— Claro, irei de imediato e descobrirei por mim mesmo!

Assim, Watanabe se preparou para partir. Afivelou a longa espada, vestiu a armadura e prendeu o grande capacete. Quando estava pronto para partir, disse aos outros:

— Deem-me algo para que possa provar que estive lá!

Então um dos homens pegou um rolo de papel para escrever e uma caixa de tinta nanquim e pincéis, e os quatro camaradas escreveram seus nomes em um pedaço de papel.

— Vou levar isso comigo — disse Watanabe — e colocá-lo no Portão de Rashomon, então amanhã de manhã, todos deverão ir até lá e procurar por esse pedaço de papel! Talvez consiga capturar um ou dois ogros até lá! — E montou em seu cavalo, partindo galantemente.

Era uma noite muito escura, e não havia lua nem estrela para iluminar o caminho de Watanabe. Para piorar a situação, veio uma tempestade; a chuva caiu forte, e o vento uivou como lobos nas montanhas. Qualquer homem comum teria tremido com a ideia de sair de casa naquela noite, mas Watanabe era um guerreiro valente e destemido, e sua honra e palavra estavam em jogo, então prosseguiu noite adentro, enquanto seus companheiros ouviam o som dos cascos de seu cavalo desaparecendo à distância. Em seguida, fecharam as venezianas corrediças e se reuniram em torno da fogueira de carvão, perguntando-se o que aconteceria se seu camarada encontrasse um daqueles horríveis Oni.

Por fim, Watanabe alcançou o Portão de Rashomon, mas, por mais que procurasse na escuridão, não viu nenhum sinal de ogro.

— É exatamente como pensava — disse Watanabe a si mesmo. — Certamente não há ogros por aqui, é apenas uma história de velha. Colocarei este papel no portão para que os outros vejam que estive aqui quando vierem amanhã e voltarei para casa para rir de todos eles.

Ele prendeu o pedaço de papel assinado por todos os seus quatro companheiros no portão e, em seguida, virou o cavalo para partir rumo à sua casa.

Ao fazê-lo, percebeu que alguém estava atrás dele, ao mesmo tempo que ouvia uma voz pedindo que esperasse. Em seguida, seu capacete foi puxado para trás.

— Quem é? — perguntou Watanabe sem medo. Ele então estendeu a mão e tateou ao redor para descobrir quem ou o que o segurava pelo capacete. Com isso, tocou algo que parecia um braço coberto de pelos e tão grande e redondo quanto o tronco de uma árvore!

Watanabe soube imediatamente que aquele era o braço de um ogro e então desembainhou a espada e cortou-o com ferocidade.

Houve um grito alto de dor e, em seguida, o ogro disparou na frente do guerreiro.

Os olhos de Watanabe se arregalaram de admiração, pois viu que a criatura era mais alta que o grande portão, seus olhos brilhavam como espelhos à luz do sol, e sua boca enorme estava escancarada de modo que, quando respirava, chamas de fogo saíam dela.

O ogro pensou em aterrorizar seu inimigo, mas Watanabe não vacilou. Ele o atacou com todas as suas forças e, assim, lutaram frente a frente por um longo tempo. Por fim, o ogro, descobrindo que não podia assustar nem derrotar Watanabe e que ele próprio poderia ser derrotado, fugiu. Mas Watanabe, determinado a não deixar o monstro escapar, esporeou seu cavalo e o perseguiu.

Embora o cavaleiro cavalgasse muito rápido, o ogro era mais veloz na corrida e, para sua decepção, ele se viu incapaz de alcançá-lo, perdendo-o gradualmente de vista.

Watanabe voltou ao portão onde ocorrera a luta feroz e desceu do cavalo. Em seguida, tropeçou em algo caído no chão.

Abaixando-se para pegá-lo, descobriu que era um dos enormes braços do ogro que devia ter sido cortado durante a batalha. Grande foi sua alegria por ter conquistado tal prêmio, pois aquela seria a melhor de todas as provas de sua aventura contra a criatura. Então ele o pegou com cuidado e o levou para casa como um troféu por sua vitória.

Quando voltou, mostrou o braço aos companheiros, que o chamaram de herói de seu bando e lhe ofereceram um grande banquete. Seu maravilhoso feito logo foi divulgado em Quioto, e pessoas de longe e de perto vieram ver o braço do ogro.

Watanabe, contudo, começava a ficar inquieto sobre como deveria manter o braço em segurança, pois sabia que o ogro a quem pertencia ainda estava vivo. Ele tinha certeza de que, mais cedo ou mais tarde, assim que o ogro superasse o susto, voltaria para tentar recuperar o membro perdido. Watanabe tinha uma caixa feita da madeira mais resistente com faixas de ferro. Ele, portanto, colocou o braço e fechou a tampa pesada, recusando-se a abri-la para qualquer pessoa. Mantinha a caixa em seu próprio quarto e cuidava dela, jamais permitindo que desaparecesse de sua vista.

Certa noite, ouviu alguém batendo à porta, pedindo para entrar.

Quando o criado foi até lá para ver quem era, só encontrou uma senhora de aparência muito respeitável. Ao ser questionada sobre quem era e qual era o propósito de sua visita, a velha respondeu com um sorriso que tinha sido babá do dono da casa quando era um bebê. Se o dono da casa estivesse, imploraria para vê-lo.

O criado deixou a velha aguardando à porta e foi dizer ao patrão que a velha babá tinha vindo visitá-lo. Watanabe achou estranho que ela viesse àquela hora da noite, mas, ao pensar em sua velha babá, que fora como uma mãe adotiva para ele e que não via há muito tempo, um sentimento muito terno surgiu em seu coração. Ele ordenou ao servo que a deixasse entrar.

A velha foi conduzida à sala e, depois que as habituais reverências e saudações terminaram, ela disse:

— Senhor, o relato de sua brava luta contra o ogro no Portão de Rashomon é tão conhecido que até mesmo sua pobre babá ouviu falar do ocorrido. É realmente verdade o que todo mundo diz, que cortou um de seus braços? Se assim aconteceu, seu feito é altamente louvável!

— Fiquei muito desapontado — disse Watanabe — por não ter conseguido levar o monstro cativo, que era meu real objetivo, em vez de apenas cortar um dos braços!

— Tenho muito orgulho de pensar — respondeu a velha — que meu mestre foi tão corajoso a ponto de cortar o braço de um ogro. Não há nada que se compare à sua coragem. Antes de morrer, é o grande desejo de minha vida ver este braço — acrescentou, suplicante.

— Não — disse Watanabe —, sinto muito, mas não posso atender ao seu pedido.

— Mas por quê? — perguntou a velha.

— Porque os ogros são criaturas muito vingativas — respondeu Watanabe — e, se abrir a caixa, não terá como saber se a criatura vai aparecer de repente e levar o braço consigo. Mandei confeccionar uma caixa com uma tampa muito forte especialmente para manter o braço do ogro seguro e nunca o mostro a ninguém, aconteça o que acontecer.

— Sua precaução é muito razoável — disse a velha —, mas sou sua velha babá, então com certeza não vai se recusar a me mostrar o braço. Acabei de ouvir sobre seu ato de coragem e, não sendo capaz de aguardar até de manhã, vim imediatamente para pedir-lhe que o mostrasse a mim.

Watanabe ficou muito perturbado com a súplica da velha, mas ainda assim insistiu em recusá-la.

— Por acaso suspeita que eu seja uma espiã enviada pelo ogro? — questionou a velha.

— Não, é claro que não suspeito que seja uma espiã do ogro, pois é minha velha babá — respondeu Watanabe.

— Então certamente não pode se recusar a me mostrar o braço por mais tempo — suplicou a velha —, pois é o grande desejo do meu coração, ver pelo menos uma vez na vida o braço de um ogro!

Watanabe não aguentou mais manter sua recusa e, por fim, cedeu.

— Vou lhe mostrar o braço do ogro, já que deseja tanto vê-lo. Venha, siga-me! — E liderou o caminho para seu próprio quarto.

Quando os dois estavam no quarto, Watanabe fechou a porta com cuidado e, em seguida, indo em direção a uma grande caixa que estava em um canto, removeu a pesada tampa. Depois, chamou a velha senhora para se aproximar e olhar, pois nunca tirava o braço da caixa.

— Como é? Deixe-me dar uma boa olhada nisso — disse a velha babá, com uma expressão alegre.

Ela se aproximou cada vez mais, como se estivesse com medo, até ficar bem encostada na caixa. De repente, mergulhou a mão dentro da caixa e agarrou o braço, gritando com uma voz delirante que fez o lugar tremer:

— Oh, que alegria! Tenho meu braço de volta!

E, de uma frágil velha, o monstro subitamente se transformou na figura imponente do terrível ogro![77]

Watanabe saltou para trás e foi incapaz de se mover por um momento, tão grande era seu espanto. Mas, reconhecendo o ogro que o atacara no Portão de Rashomon, decidiu, com sua coragem habitual, acabar com ele de uma vez por todas. Agarrou sua espada, puxou-a da bainha em um *flash* e tentou cortar a criatura.

Watanabe foi tão rápido que a criatura escapou por um triz. Mas o ogro saltou para o teto e, escapando pelo telhado, desapareceu em meio à névoa e às nuvens.

Dessa forma, levou o braço consigo. O cavaleiro rangeu os dentes de decepção, mas foi tudo o que pôde fazer. Esperou com paciência por outra oportunidade de matar o ogro, mas este último estava com tanto medo da grande força e ousadia de Watanabe, que nunca mais perturbou Quioto. Assim, mais uma vez, as pessoas da cidade puderam sair sem medo, mesmo à noite, e os bravos feitos de Watanabe nunca mais foram esquecidos!

---

[77] É admirável a habilidade do ogro em questão de se disfarçar de uma velha babá, chegando a enganar o samurai Watanabe. Os ogros e onis são mestres na arte de enganar e de se transfigurar. Uma outra classe de ogros, *shokera*, é especialista em espiar a vida das pessoas pelos telhados para servir de chantagem em momento posterior. Possivelmente, os *onis* e ogros podem ter origem na China, com as criaturas fantásticas que remetem à figura primordial simiesca, o *Kung-kung*, que tinha se rebelado contra os deuses da criação da humanidade.

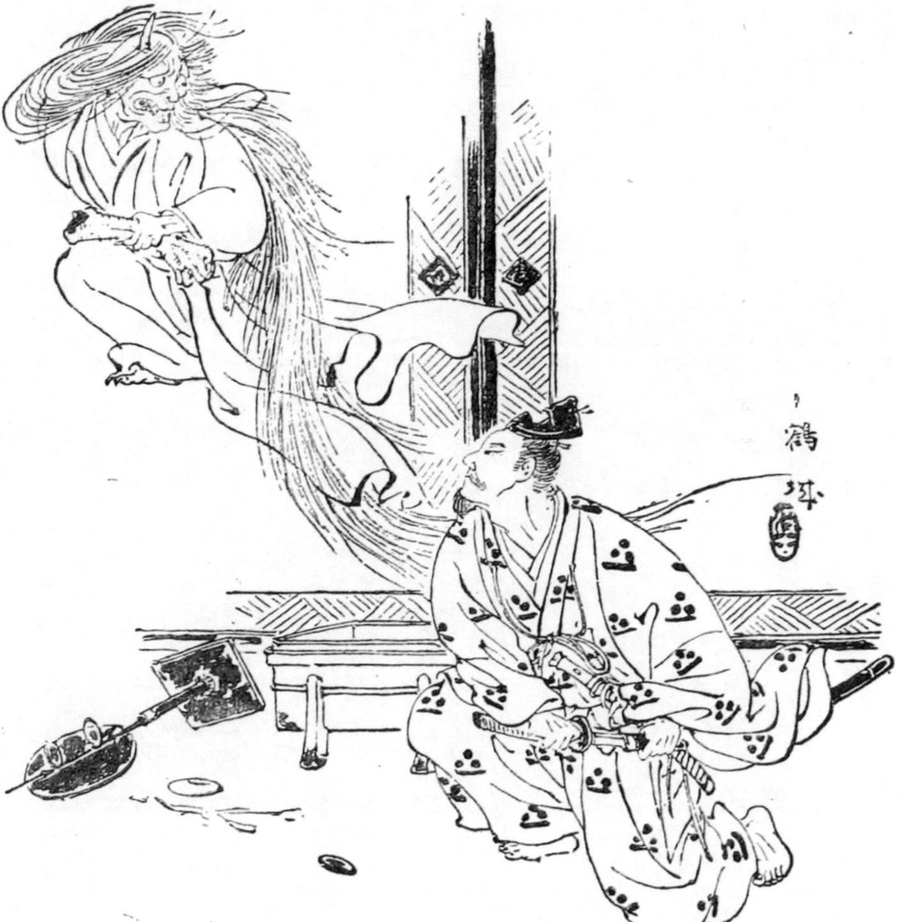

Kobutori Jiisan.
Ilustrador anônimo, 1886.

COMO UM VELHO LIVROU-SE DE SEU CISTO[78]

Há muitos, muitos anos, vivia um velho bom de coração que tinha um cisto do tamanho de uma bola de tênis crescendo na região da bochecha direita. Aquele caroço desfigurava suas feições e o incomodava tanto que, por muitos anos, ele dispendeu todo o seu tempo e dinheiro tentando se livrar dele. Tentou tudo que se pode imaginar, consultou vários médicos em diferentes localidades e usou todos os tipos de medicamentos, tanto interna como externamente. Mas foi tudo em vão. O cisto só fazia crescer até ficar quase do tamanho de seu rosto e, em desespero, perdeu todas as esperanças de se curar e resignou-se com a ideia de ter de carregar aquele caroço no rosto pelo resto da vida.

Certo dia, a lenha acabou na cozinha e como sua esposa precisava de um pouco imediatamente, o velho pegou o machado e saiu para o bosque entre as colinas não muito longe de sua casa. Era um belo dia de início de outono, e ele apreciava o ar puro sem pressa de voltar para casa. Assim a tarde passou rapidamente enquanto cortava lenha, e ele conseguiu juntar uma boa pilha para levar para a esposa. Quando o dia já estava terminando, tomou o rumo de casa.

O velho não tinha descido muito no vale entre as montanhas quando o céu ficou nublado e a chuva começou a cair forte. Procurou por algum abrigo, mas não havia nem mesmo uma cabana de carvoeiro por perto. Por fim, avistou um grande buraco no tronco oco de uma árvore, próximo ao solo, e,

---

[78] Aqui temos um conto com o mesmo propósito educativo do caso do cachorro Shiro: a ganância e a inveja que levam à desgraça. Baseado em um antigo conto do século XIII, *Uji Shui Monogatari*, sobre um lenhador que acaba dançando e celebrando com os demônios, *oni*, na floresta.

entrando com facilidade, sentou-se na esperança de que fosse apenas uma chuva rápida na montanha e que o tempo melhorasse em breve.

Mas, para grande decepção do velho, em vez de passar rapidamente, a chuva caía cada vez mais forte e, por fim, uma forte tempestade desabou sobre a montanha. O trovão rugia tão terrivelmente e os céus pareciam tão em chamas com relâmpagos, que o velho mal podia acreditar que estava vivo. Pensou que morreria de tanto medo. Até que o céu clareou, e todo o país brilhou sob os raios do sol poente. O ânimo do velho reviveu quando olhou para o belo crepúsculo. Estava prestes a sair de seu estranho esconderijo na árvore oca quando o som do que pareciam passos de várias pessoas se aproximando alcançou seus ouvidos. Imediatamente pensou que os amigos tinham vindo procurá-lo e ficou encantado com a ideia de ter alguns alegres companheiros com quem voltar para casa. Mas, ao olhar para fora da árvore, qual não foi seu espanto ao ver não seus amigos, mas centenas de demônios vindo em sua direção. Quanto mais observava, maior era seu espanto. Alguns dos demônios eram grandes como gigantes, outros tinham olhos grandes e desproporcionais ao resto do corpo, outros também tinham narizes absurdamente longos e alguns ainda tinham bocas tão grandes que pareciam ir de orelha a orelha. Todos tinham chifres crescendo nas testas. O velho ficou tão surpreso com o que viu que perdeu o equilíbrio e caiu da árvore oca. Felizmente, os demônios não o viram, já que a árvore estava mais ao fundo. Então ele se levantou e rastejou de volta para ela.

Enquanto estava sentado ali, perguntando-se impacientemente quando poderia voltar para casa, ouviu sons de uma música alegre e, em seguida, alguns dos demônios começaram a cantar.

— O que essas criaturas estão fazendo? — perguntou o velho para si mesmo. —Vou dar uma olhadinha, parece muito divertido.

Ao espiar, viu que o próprio demônio-chefe estava sentado com as costas contra a árvore em que se refugiara e todos os outros demônios estavam sentados em volta, alguns bebendo, outros dançando. Comida e vinho estavam servidos no chão diante deles, e os demônios, evidentemente, estavam se divertindo e regozijando-se muito.

Aquela cena bizarra fez o velho rir.

— Como isso é divertido! — disse o velho para si mesmo. — Já estou bastante velho, mas nunca vi nada tão estranho em toda a minha vida.

Estava tão interessado e animado em observar tudo o que os demônios faziam, que se esqueceu de si mesmo e saiu da árvore para observar melhor.

O demônio-chefe estava tomando uma grande taça de saquê e observando um dos demônios dançar. Logo depois, disse com ar entediado:

— Sua dança é um tanto monótona. Estou cansado de assistir. Não há ninguém entre vocês que possa dançar melhor que este sujeito?

Ocorre que o velho sempre gostou muito de dançar e era um grande especialista na arte, por isso estava certo de que poderia fazer muito melhor que o demônio.

— Devo dançar diante desses demônios e deixá-los ver o que um ser humano pode fazer? Pode ser perigoso, pois se eu não os agradar poderão me matar! — disse o velho para si mesmo.

Seus medos, no entanto, logo foram superados por seu amor pela dança. Em poucos minutos, não conseguindo mais se conter, veio diante de todo o grupo de demônios e começou a dançar. O velho, percebendo que sua vida provavelmente dependia de agradar ou não àquelas estranhas criaturas, exerceu sua habilidade e inteligência ao máximo.

Os demônios a princípio ficaram muito surpresos ao ver um homem participando tão destemidamente de seu entretenimento, mas então a surpresa logo deu lugar à admiração.

— Que estranho! — exclamou o chefe chifrudo. — Nunca vi um dançarino tão habilidoso! Ele dança de modo admirável!

Quando o velho terminou de dançar, o grande demônio disse:

— Muito obrigado por sua divertida dança. Agora, dê-nos o prazer de beber uma taça de vinho conosco — e, com essas palavras, entregou-lhe sua maior taça de vinho.

O velho agradeceu muito humildemente:

— Não esperava tamanha gentileza de Vossa Senhoria. Temo ter apenas perturbado sua agradável festa com minha dança inábil.

— De modo algum — respondeu o grande demônio. — Deve vir mais vezes e dançar para nós. Sua habilidade nos deu muito prazer.

O velho agradeceu novamente e prometeu fazê-lo.

— Então voltará amanhã, meu velho? — perguntou o demônio.

— Certamente! — respondeu o velho.

— Então deve deixar alguma garantia de que cumprirá sua palavra — disse o demônio.

— O que desejar — disse o velho.

— Qual é a melhor coisa que pode deixar conosco como garantia? — perguntou o demônio, olhando em volta.

Então um dos assistentes do demônio ajoelhado atrás do chefe disse:

— A garantia a ser deixada conosco deve ser a coisa mais importante em sua posse neste momento. Vejo que o velho tem um cisto em sua bochecha direita. Os homens mortais consideram esse tipo cisto um símbolo muito auspicioso. Meu senhor, deve tirar o caroço da bochecha direita do velho e, assim, ele certamente virá amanhã para recuperá-lo.

— Você é muito inteligente — disse o demônio-chefe, acenando com os chifres em sinal de aprovação. Assim, ele estendeu o braço peludo e a mão em forma de garra e retirou o grande caroço da bochecha direita do velho. Estranho dizer que, ao toque do demônio, o cisto saiu tão facilmente quanto uma ameixa madura colhida do pé. Logo em seguida, a alegre tropa de demônios desapareceu repentinamente.

O velho ficou perplexo com tudo o que acabara de acontecer. Por um tempo, mal sabia dizer onde estava. Quando compreendeu o que havia acontecido, ficou encantado ao descobrir que o caroço em seu rosto, que por tantos anos o desfigurara, fora totalmente removido sem causar-lhe qualquer dor. Ergueu a mão para sentir se alguma cicatriz permanecia, mas descobriu que sua bochecha direita era tão lisa quanto a esquerda.

O sol já se pusera havia muito, e a lua nova surgira como uma lua crescente prateada no céu. O velho, de repente, percebeu que era tarde e começou a correr para casa. Tocava a bochecha direita o tempo todo, como se quisesse ter certeza de sua boa sorte em ter se livrado do cisto. Estava tão feliz que achou impossível andar silenciosamente. Ele correu e dançou ao longo de todo o caminho para casa.

Sua esposa muito ansiosa, perguntava-se o que teria acontecido para que ele chegasse tão tarde. Ele logo lhe contou tudo o que havia acontecido desde que saíra de casa naquela tarde. Ela ficou tão feliz quanto o marido quando ele lhe mostrou que o feio caroço desaparecera de seu rosto, pois em sua juventude ela se orgulhava muito de sua boa aparência e era uma dor diária ver o quanto aquele horrível cisto crescia em tamanho.

Bem ao lado daquele bom e velho casal, vivia um velho perverso e desagradável. Por muitos anos, ele também tivera problemas com o crescimento de um cisto em sua bochecha esquerda e também havia tentado todos os tipos de técnicas para se livrar dele, mas em vão.

Soube imediatamente, pelo criado, da sorte do vizinho em se livrar do caroço no rosto e apareceu naquela mesma noite pedindo ao amigo que lhe contasse tudo o que dizia respeito à perda do caroço. O bom velho contou ao desagradável vizinho tudo o que lhe acontecera. Descreveu o lugar onde encontraria a árvore oca para se esconder e aconselhou-o a estar no local no final da tarde, próximo ao pôr do sol.

O velho vizinho partiu na tarde seguinte e, depois de caçar por um tempo, foi até a árvore oca, exatamente como seu amigo lhe instruíra. Ali, escondeu-se e aguardou pelo crepúsculo.

Assim como o velho dissera, o bando de demônios veio àquela hora e deu um banquete com dança e música. Depois de um tempo, o demônio-chefe olhou em volta e disse:

— Agora é hora de o velho vir como nos prometeu. Por que não vem?

Quando o segundo velho ouviu aquelas palavras, saiu correndo de seu esconderijo na árvore e, ajoelhando-se diante do demônio-chefe, disse:

— Estava aguardando havia muito tempo que me chamasse!

— Ah, você é o velho de ontem — disse o demônio-chefe. — Obrigado por vir, agora, dance para nós.

O velho se levantou, abriu o leque e começou a se mexer. Mas ele nunca aprendera a dançar e nada sabia sobre os gestos necessários e as diferentes posições. Ele pensava que qualquer coisa agradaria aos demônios, então apenas pulou, agitando os braços e batendo os pés, imitando o melhor que podia qualquer dança que já tinha visto.

Os demônios ficaram muito insatisfeitos com aquela apresentação e disseram entre si:

— Como está dançando mal hoje!

Então, o demônio-chefe disse ao velho:

— Sua apresentação de hoje está bem diferente da dança de ontem. Não queremos ver mais nenhuma dança assim. Devolveremos a garantia que deixou conosco. Deve partir imediatamente.

Com essas palavras, ele tirou de uma dobra de sua veste o cisto que havia retirado do rosto do velho que dançara tão bem no dia anterior e colocou-o na bochecha direita do velho que estava diante dele. O caroço imediatamente se fixou em sua bochecha, como se sempre tivesse crescido ali e todas as tentativas de retirá-lo foram inúteis. O velho perverso, em vez de perder o caroço na bochecha esquerda como esperava, descobriu, para sua consternação, que ganhara outro na bochecha direita na tentativa de se livrar do primeiro.

Ele colocou primeiro uma mão e depois a outra em cada lado do rosto para se certificar de que não estava tendo um horrível pesadelo. Não, com certeza havia agora um grande cisto no lado direito de seu rosto e outro no esquerdo. Todos os demônios haviam desaparecido, e não havia nada a fazer a não ser voltar para casa. Ele era uma visão lamentável, pois seu rosto, com os dois grandes caroços, um de cada lado, parecia uma cabaça japonesa[79].

---

[79] Esse conto da literatura infantil é amplamente conhecido pelos japoneses. Muitas vezes é referido como *Kobutori Jiisan* (こぶとりじいさん), algo como "Velho Removedor de Cistos". Em suma, conta-se a superação de uma desgraça individual por meios únicos, em uma dança manifestada e apreciada pelos *onis* da floresta. De alguma maneira sobrenatural, o cisto some ou é esquecido, algo que desperta a inveja de um outro personagem que, por não enxergar seu próprio caminho de salvação, acaba tendo mais problemas que a sua situação anterior. Esse conto encontra algum eco na tradição irlandesa, como na obra de Thomas Crofton Croker (1798–1854) em sua obra *A Lenda de Knockgrafton*, publicada em 1825, em que o mal é uma cifose. Esse conto europeu depois ficou amplamente conhecido quando foi incluído por William Yeats na sua antologia de 1888.

鶴斑章

Lista de popularidade de Kabuki.
Toyohara Kunichika, 1880.

AS PEDRAS DE CINCO CORES E A IMPERATRIZ JOKWA - UMA HISTÓRIA DA CHINA ANTIGA[80]

Há muito, muito tempo, viveu uma grande imperatriz chinesa que sucedeu a seu irmão, o imperador Fuki. Na era dos gigantes, a imperatriz Jokwa, pois esse era seu nome, tinha sete metros de altura, quase tão alta quanto seu irmão. Era uma mulher maravilhosa e uma governante capacitada. Há uma história interessante sobre como ela restaurou uma parte dos céus que se quebrou e um dos pilares terrestres que sustentavam o céu, ambos danificados durante uma rebelião levantada por um dos súditos do rei Fuki.

O nome do rebelde era Kokai. Ele tinha seis metros de altura, o corpo inteiramente coberto de pelos, e o rosto tão negro como o ferro. Ele era, de fato, um mago terrível. Quando o imperador Fuki morreu, Kokai ambicionou ser o imperador da China, mas seu plano falhou, e Jokwa, a irmã do falecido imperador, subiu ao trono. Kokai ficou furioso por ser frustrado em seu desejo e arquitetou uma revolta. Seu primeiro ato foi contratar o Diabo da Água, que provocou uma grande enchente no país. Isso afugentou as pessoas pobres de suas casas e, quando a imperatriz Jokwa soube da situação de seus súditos e que era culpa de Kokai, declarou guerra contra ele.

---

[80] Neste último conto, a autora ousou ir além dos ânimos nacionalistas de sua época, buscando elementos da literatura e cultura chinesas. As cinco cores das pedras têm como base o conceito chinês do *wuxing* (五行), cinco fases que explicam uma ampla gama de fenômenos, dos ciclos cósmicos à interação entre os órgãos internos, da sucessão de regimes políticos às propriedades dos medicamentos. As cinco fases são fogo (火; *huǒ*, vermelho), água (水; *shuǐ*, preto), madeira (木; *mù*, verde), metal (金; *jīn*, branco) e terra (土; *tǔ*, amarelo).

A imperatriz tinha dois jovens guerreiros, Hako e Eiko, e escolheu o primeiro como general das tropas na linha de frente. Hako ficou encantado porque a escolha da imperatriz recaíra sobre ele e preparou-se para a batalha. Ele tomou a lança mais longa que encontrou, montou em um cavalo vermelho e estava prestes a partir quando ouviu alguém galopando atrás dele e gritando:

— Hako! Pare! Eu devo ser o general das linhas de frente!

Ele olhou para trás e viu Eiko, seu companheiro, montado em um cavalo branco, desembainhando uma grande espada para desferir um golpe contra ele. A raiva de Hako aumentou e, quando se virou para enfrentar seu rival, gritou:

— Miserável, insolente! Fui nomeado pela imperatriz para liderar as linhas de frente na batalha. Atreve-se a tentar me impedir?

— Sim — respondeu Eiko. — Sou eu quem deve liderar o exército e você quem deve me seguir.

Diante daquela resposta ousada, a raiva de Hako passou de uma faísca a uma chama.

— Atreve-se a me responder dessa forma? Tome isso — e investiu contra ele com sua lança.

Mas Eiko se moveu rapidamente para o lado e, ao mesmo tempo, erguendo a espada, feriu a cabeça do cavalo do general. Obrigado a desmontar, Hako estava prestes a correr para seu adversário quando Eiko, rápido como um raio, arrancou de seu peito a insígnia de comandante e galopou para longe. A ação foi tão rápida que Hako ficou atordoado, sem saber o que fazer.

A imperatriz, que testemunhara a cena, não pôde deixar de admirar a rapidez do ambicioso Eiko e, a fim de apaziguar os rivais, decidiu nomear os dois para o comando do exército nas linhas de frente.

Assim Hako foi nomeado comandante da ala esquerda do exército e Eiko, da direita. Cem mil soldados os seguiram e marcharam para derrotar o rebelde Kokai.

Em pouco tempo, os dois generais chegaram ao castelo onde Kokai montara sua fortaleza. Ao saber de sua abordagem, o mago disse:

— Vou varrer essas duas pobres crianças para longe com um só sopro. (Mal sabia ele o quão difícil seria a batalha.)

Com essas palavras, Kokai agarrou um bastão de ferro e montou em um cavalo preto, avançando como um tigre furioso para enfrentar seus dois inimigos.

Quando os dois jovens guerreiros o viram atacando-os, disseram um ao outro:

— Não devemos deixá-lo escapar com vida — e o atacaram pela direita e pela esquerda com espada e lança. Mas o todo-poderoso Kokai não seria derrotado facilmente! Ele girou seu bastão de ferro como uma grande roda d'água e, por um longo período, eles lutaram assim, nenhum dos lados ganhando ou perdendo. Por fim, para evitar o bastão de ferro do mago, Hako virou seu cavalo rápido demais, os cascos do animal bateram em uma grande pedra e, assustado, o cavalo empinou-se tão ereto quanto um biombo, jogando o cavaleiro ao chão.

Então Kokai desembainhou sua espada de três gumes e estava prestes a matar o prostrado Hako quando, antes que o mago pudesse consumar sua perversa intenção, o valente Eiko colocou seu cavalo na frente de Kokai e o desafiou a enfrentá-lo em vez de matar um homem caído. Mas Kokai estava cansado e não se sentia inclinado a enfrentar aquele soldado jovem e destemido de forma que, de repente, girando seu cavalo, fugiu da luta.

Hako, que ficara ligeiramente atordoado, àquela altura já havia se levantado, e ele e seu companheiro correram atrás do inimigo em retirada, um a pé e o outro a cavalo.

Kokai, vendo que estava sendo perseguido, voltou-se para seu atacante mais próximo, que era, naturalmente, o montado Eiko, e puxando uma flecha da aljava em suas costas, ajustou-a em seu arco e atirou nele.

Tão rápido quanto um raio, o cauteloso Eiko desviou da flecha que apenas tocou as alças de seu capacete, caindo inofensiva contra a armadura de Hako.

O mago viu que seus dois inimigos permaneciam ilesos. Ele sabia que não havia tempo para atirar uma segunda flecha antes que o alcançassem e então, a fim de salvar sua vida, recorreu à magia. Estendeu sua varinha e imediatamente uma grande inundação surgiu varrendo o exército de Jokwa e seus valentes jovens generais como folhas de outono caindo em um riacho.

Hako e Eiko começaram a lutar com água até o pescoço e, olhando em volta, viram o feroz Kokai avançando em sua direção através da água, com seu bastão de ferro erguido. Pensaram que, a qualquer momento, seriam abatidos, mas bravamente empenharam-se em nadar o máximo possível para se afastarem de Kokai. De repente, viram-se frente a frente com o que parecia ser uma ilha emergindo da água. Erguendo os olhos, viram um velho com o cabelo branco como a neve, sorrindo para eles e clamaram-lhe por ajuda. O velho acenou com a cabeça e desceu até a beira da água. Assim que seus pés tocaram a enchente, ela se dividiu, e uma passagem apareceu, para espanto dos homens que antes se afogavam e agora encontravam-se a salvo.

Àquela altura, Kokai havia alcançado a ilha que emergira da água como que por milagre e, vendo seus inimigos a salvo, ficou furioso. Ele correu através da água sobre o velho e parecia que sua morte seria certa. Mas o velho não parecia nem um pouco consternado e aguardava calmamente o ataque do mago.

Quando Kokai se aproximou, o velho riu alto e alegremente e, transformando-se em uma grande e bela garça branca, bateu asas e voou na direção do céu.

Hako e Eiko, ao virem aquilo, tiveram certeza de que seu libertador não era um mero ser humano, mas quem sabe um deus disfarçado e esperavam descobrir quem era o venerável posteriormente.

Nesse ínterim, eles haviam recuado e, sendo agora o fim do dia, pois o sol estava se pondo, tanto Kokai quanto os jovens guerreiros desistiram de continuar a lutar naquele dia.

Naquela noite, Hako e Eiko concluíram que seria inútil lutar contra o mago Kokai, pois ele tinha poderes sobrenaturais, e eles eram apenas humanos. Então se apresentaram diante da imperatriz Jokwa, que, após uma longa consulta, decidiu pedir ao Rei do Fogo para ajudá-la contra o mago rebelde e liderar seu exército contra ele.

Shikuyu, o Rei do Fogo, vivia no Polo Sul. Era o único lugar seguro para estar, pois queimava tudo ao seu redor em qualquer outro lugar, mas era impossível queimar gelo e neve. Tratava-se de um gigante de dez metros de altura, seu rosto era como mármore, e seu cabelo e barba eram longos e brancos como a neve. Sua força era estupenda e era o mestre do fogo, assim como Kokai era da água.

— Certamente — pensou a imperatriz —, Shikuyu pode derrotar Kokai.

Ela então enviou Eiko ao Polo Sul para implorar a Shikuyu que tomasse a guerra contra Kokai em suas próprias mãos e o derrotasse de uma vez por todas.

O Rei do Fogo, ao ouvir o pedido da imperatriz, sorriu e disse:

— Será uma tarefa fácil, com certeza! Ninguém menos que eu mesmo vim ao seu resgate quando você e seu companheiro estavam se afogando na enchente causada por Kokai!

Eiko ficou surpreso com a revelação. Ele agradeceu ao Rei do Fogo por ter vindo ao seu resgate naquela hora de extrema necessidade e implorou que retornasse com ele e liderasse a guerra, derrotando o perverso Kokai.

Shikuyu fez conforme lhe foi pedido e acompanhou Eiko até a presença da imperatriz. Ela deu as boas-vindas ao Rei do Fogo cordialmente e de imediato lhe disse porque o chamara, pedindo-lhe que assumisse como o generalíssimo de seu exército. Sua resposta foi muito reconfortante:

— Não tema, pois certamente matarei Kokai.

Em seguida, Shikuyu colocou-se à frente de trinta mil soldados e, com Hako e Eiko indicando o caminho, marchou para o castelo inimigo. O Rei do Fogo sabia o segredo do poder de Kokai e disse a todos os soldados que colhessem certo tipo de arbusto. As plantas foram queimadas em grande quantidade, e cada soldado recebeu a ordem de encher um saco com as cinzas assim obtidas.

Kokai, por outro lado, em sua própria presunção, pensava que Shikuyu tinha um poder inferior a si mesmo e murmurou com raiva:

— Mesmo que seja o Rei do Fogo, posso extingui-lo facilmente.

Em seguida, repetiu um encantamento, e as águas se ergueram e jorraram tão altas quanto montanhas. Nem um pouco assustado, Shikuyu ordenou a seus soldados que espalhassem as cinzas que os fizera reservar. Cada homem fez o que lhe foi ordenado e tal era o poder da planta que haviam queimado que, assim que as cinzas se misturaram com a água, uma lama espessa se formou e todos ficaram a salvo de um provável afogamento.

Kokai, o mago, ficou consternado quando viu que o Rei do Fogo lhe era superior em sabedoria, e sua raiva cresceu tanto que correu impetuosamente contra o inimigo.

Eiko cavalgou para encontrá-lo, e os dois travaram um combate corpo a corpo por um tempo. Hako, que observava atentamente a luta, ao perceber que Eiko começava a se cansar e temendo que seu companheiro fosse morto, tomou seu lugar.

Mas Kokai também estava cansado e sentindo-se incapaz de resistir a Hako, disse astutamente:

— Você é magnânimo demais para lutar por seu amigo e correr o risco de ser morto. Não vou machucar um homem tão bom.

Fingindo recuar, virou seu cavalo. Sua intenção era convencer Hako de que estava se retirando para depois dar meia-volta e pegá-lo de surpresa.

Mas Shikuyu percebeu a artimanha do mago astuto e falou imediatamente:

— Covarde! Não vai conseguir me enganar!

Dizendo isso, o Rei do Fogo fez um sinal para o incauto Hako atacá-lo. Kokai agora se virou para Shikuyu furiosamente, mas estava cansado e incapaz de lutar e logo foi ferido no ombro. Ele desistira da luta e tentava verdadeiramente escapar.

Enquanto a luta entre seus líderes continuava, os dois exércitos aguardavam suas ordens. Shikuyu então se virou e ordenou aos soldados de Jokwa que atacassem as forças inimigas. Eles o obedeceram e os derrotaram em um grande massacre. O mago por pouco escapou com vida.

Foi em vão que Kokai chamou o Diabo da Água para ajudá-lo, pois Shikuyu conhecia o contrafeitiço. O mago percebeu que a batalha estava perdida. Com muita dor, pois seu ferimento começou a incomodá-lo, e enlouquecido pelo desapontamento e pelo medo, bateu a cabeça contra as rochas do Monte Shu e morreu no local.

Foi o fim do perverso Kokai, mas não dos problemas no Reino da Imperatriz Jokwa, como veremos. A força com que o mago caiu contra as rochas foi tão grande que a montanha explodiu, o fogo saiu da terra e um dos pilares que sustentavam os céus foi quebrado de forma que um canto do céu cedeu até tocar a terra.

Shikuyu, o Rei do Fogo, pegou o corpo do mago e o carregou para a imperatriz Jokwa, que se regozijou com a derrota de seu inimigo e a vitória de seus generais. Ela cobriu Shikuyu com todos os tipos de presentes e honras.

Mas, durante todo aquele tempo, o fogo continuava a ser expelido pela montanha que explodira com a queda de Kokai. Aldeias inteiras foram destruídas, campos de arroz queimados, leitos de rios cobertos de lava incandescente e os sem-teto ficaram em grande perigo. Desse modo, a imperatriz deixou a capital assim que recompensou o vencedor Shikuyu e partiu a toda velocidade para o local do desastre. Ela descobriu que tanto o céu quanto a terra haviam sofrido danos, e que o lugar estava tão escuro que teve de acender sua lanterna para verificar a extensão da destruição que ocorrera.

Tendo verificado isso, começou a trabalhar nos reparos. Para tal, ordenou que seus súditos coletassem pedras de cinco cores: azul, amarelo, vermelho, branco e preto. Depois de obtê-las, ferveu-as com uma espécie de porcelana em um grande caldeirão, e a mistura tornou-se uma bela pasta com a qual soube que poderia consertar o céu. Agora tudo estava pronto.

Convocando as nuvens que voavam muito acima de sua cabeça, ela as montou e cavalgou para o céu, carregando nas mãos o vaso contendo a pasta feita de pedras de cinco cores. Ela logo alcançou o canto do céu que cedera, aplicou a pasta e o consertou[81]. Tendo feito isso, ela voltou sua atenção para o pilar quebrado e utilizando as pernas de uma imensa tartaruga, o consertou. Quando terminou, subiu nas nuvens e desceu à terra, na esperança de se certificar de que agora tudo estava bem, mas, para seu desânimo, descobriu que ainda reinava uma grande escuridão. Nem o sol brilhava de dia nem a lua à noite.

Perplexa, ela finalmente convocou uma reunião de todos os sábios do reino e pediu seu conselho sobre o melhor a fazer naquela questão.

Dois dos mais sábios disseram:

— As estradas do Céu foram danificadas pelo incidente ocorrido, e o Sol e a Lua foram obrigados a permanecer em suas casas. O Sol não pôde fazer sua jornada diurna, nem a Lua, sua jornada noturna, em razão das estradas ruins. O Sol e a Lua ainda não sabem que Vossa Majestade consertou tudo o que foi danificado. Sendo assim, iremos informá-los de que as estradas já estão seguras.

---

[81] Aqui nota-se claro paralelo com a conhecida lenda chinesa da deusa Nüwa, criadora da humanidade. Na obra clássica *Huainanzi*, é descrita uma grande batalha entre divindades que quebrou os pilares que sustentavam o céu e causou grande devastação. Houve uma grande inundação, e o céu entrou em colapso. Nüwa remendou os buracos no céu com cinco pedras coloridas e usou as pernas de uma tartaruga para consertar os pilares de sustentação celestial.

A imperatriz aprovou a sugestão dos sábios e ordenou que partissem em missão. Mas isso não era tarefa fácil, pois o Palácio do Sol e da Lua ficava a muitas, muitas centenas de milhares de quilômetros de distância para o leste. Se viajassem a pé, talvez nunca chegassem ao lugar, morreriam de velhice durante a viagem. Mas Jokwa recorreu à magia. Ela deu a seus dois embaixadores carruagens maravilhosas que podiam viajar pelo ar por meio de um poder mágico a mil e seiscentos quilômetros por minuto. Eles partiram de bom grado, cavalgando acima das nuvens e, depois de muitos dias, chegaram ao país onde o Sol e a Lua viviam felizes juntos.

Os dois embaixadores foram recebidos por suas Majestades da Luz e perguntaram por que haviam se isolado do Universo por tantos dias. Não sabiam que, ao fazê-lo, mergulharam o mundo e todo o seu povo na escuridão total, tanto de dia como de noite?

O Sol e a Lua responderam:

— Deve saber que o Monte Shu repentinamente explodiu em fogo e, em consequência, as estradas do céu foram muito danificadas! Eu, o Sol, achei impossível fazer minha jornada diária por estradas tão difíceis e, certamente, a Lua não poderia sair à noite! Assim, nós dois nos retiramos para a vida privada por um tempo.

Então os dois magos se prostraram ao chão e disseram:

— Nossa imperatriz Jokwa já reparou as estradas com as pedras maravilhosas de cinco cores! Garantimos a Vossas Majestades que as estradas estão exatamente como antes da erupção.

Mas o Sol e a Lua ainda hesitaram, dizendo que tinham ouvido falar que um dos pilares do Céu também havia sido quebrado e temiam que, mesmo que as estradas tivessem sido recuperadas, ainda fosse perigoso para eles seguir em suas viagens habituais.

— Não precisam se preocupar com o pilar quebrado — disseram os dois embaixadores. — Nossa imperatriz o restaurou com as pernas de uma grande tartaruga e atualmente encontra-se tão firme como sempre foi.

Então, o Sol e a Lua pareceram satisfeitos e os dois partiram para experimentar as estradas. Eles descobriram que o que os representantes da imperatriz haviam dito estava correto.

Após o exame das estradas celestiais, o Sol e a Lua novamente deram luz à terra. Todo o povo se alegrou muito, e a paz e a prosperidade foram asseguradas na China por um longo tempo sob o reinado da sábia imperatriz Jokwa.

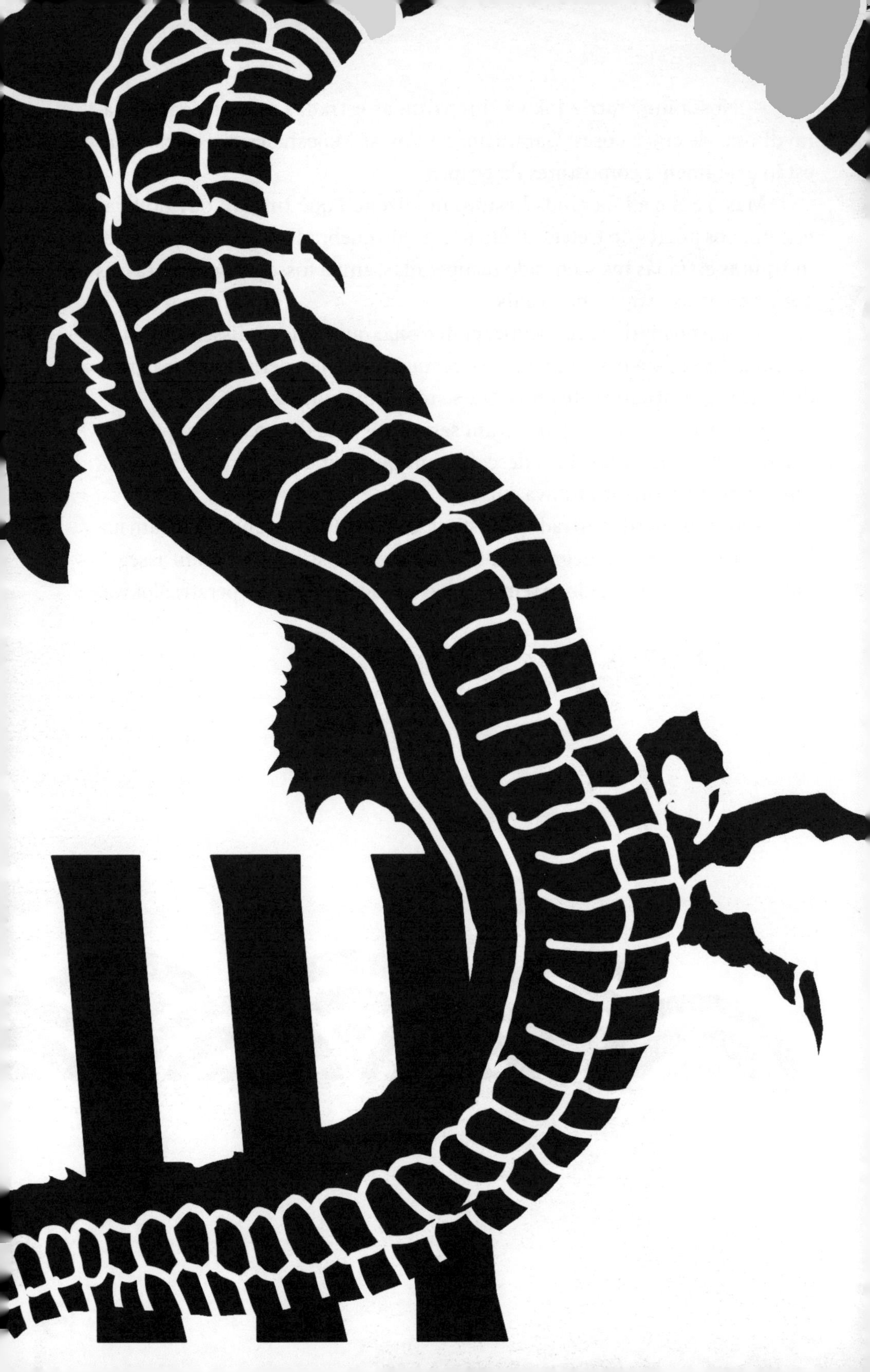

CONTEXTO HISTÓRICO

O Japão, à época de Yei Theodora Ozaki, estava em plena transformação histórica. Embora tenha nascido em Londres, em 1871, no auge dos tempos imperiais britânicos, Ozaki manteve ligações com seus antecessores por meio de seu pai, que detinha a condição do baronato. Educada em escolas britânicas, a autora posteriormente foi ao Japão, onde se defrontou com um reino em ebulição na década de 1880. Para entendermos esse cenário histórico, vamos recorrer aos ventos das mudanças sobre o arquipélago nipônico do século XVI ao início do século XX.

No século XIX, o Japão se encontrava consolidado em um sistema de governo chamado *bakufu*, algo como "governo de tendas", chefiado por um xogum da linhagem dos Tokugawas, com o endosso simbólico do imperador japonês. Isso foi estabelecido desde os acordos firmados por Ieyasu em março de 1603, quando consolidou sua hegemonia sobre os demais líderes militares e grandes latifundiários (*daimiôs*) do Japão após a decisiva Batalha de Sekigahara. Devemos, antes de tudo, compreender as consequências dessa batalha e o estabelecimento do poderio em torno do xogunato dos Tokugawas a partir do final do século XVI.

Durante o período da regência do filho de Toyotomi Hideyoshi[82], Hideyori (1593-1615), Tokugawa Ieyasu figurava entre os homens mais ricos e poderosos do Japão. Tinha sob seu controle as vastas planícies férteis da região oriental da ilha de Honshu, em Kantô, e inúmeros aliados. Mas seus planos foram além. Durante os dois anos seguintes à morte de Hideyoshi, em 1598, Ieyasu começou a buscar mais aliados descontentes com a sucessão de Hideyoshi. E, fortalecido, foi assediar a residência de Hideyori, ocasião em que assumiu o controle do castelo de Osaka, em 1599.

Os eventos irritaram alguns *daimiôs* resistentes, que buscaram se articular em torno de Ishida Mitsunari (1561-1600) e tentaram emboscar Ieyasu, mas as notícias chegaram antes aos ouvidos de alguns generais. Por pouco, Mitsunari conseguiu fugir de uma represália, surpreendentemente pela clemência ou estratégia do próprio Ieyasu. Dali em diante, o Japão polarizou-se em dois campos rivais: aqueles do grupo de Mitsunari, o Exército Ocidental, e o Exército Oriental, anti-Mitsunari, que contava com o apoio de Ieyasu e aliados.

Os eventos culminaram em uma das mais importantes batalhas da história do Japão, a Batalha de Sekigahara. Ieyasu e seus aliados planejaram

---

[82] Um dos maiores líderes militares da história do Japão. Depois de Oda Nobunaga, Hideyoshi prosseguiu submetendo-se e aliando-se a importantes clãs e *daimiôs* a fim de estabelecer uma hegemonia e ordem no arquipélago japonês no final do século XVI.

disciplinar alguns ex-aliados do seu Exército Oriental, o clã de Uesugi, que supostamente estavam conspirando contra Ieyasu. Mas, antes de chegar ao domínio desse clã insubordinado, Uesugi Kagekatsu (1556-1623) reforçou suas bases e militares. Quando Ieyasu exigiu que Kagekatsu fosse a Quioto se explicar, um assessor dos Uesugis respondeu com uma mensagem que foi considerada um insulto e violação à lealdade de Ieyasu e aliados.

Aproveitando o momento de distração e desunião entre os aliados do Exército Oriental, Mitsunari mobilizou seus aliados para ir contra as forças de Ieyasu. Foi então que, em Sekigahara, em 21 de outubro de 1600, as forças dos dois exércitos se enfrentaram, com um total de 160 mil homens envolvidos em campo. A fortuna favoreceu a Ieyasu, líder do Exército Oriental, na batalha, e os aliados de Mitsunari foram capturados e mortos[83]. Ieyasu tornava-se o senhor incontestedetodo o Japão.

Logo após a vitória, ele passou a redistribuir os domínios de terra para seus aliados e vassalos. Deixou boa parte dos *daimiôs* ocidentais conforme a tradição anterior, como o clã dos Shimazus, pois não pretendia perturbar a ordem ainda tão delicada na região em que muitos tinham nutrido simpatia a Mitsunari. Já sobre outros mais problemáticos, podemos citar o filho de Hideyoshi, o jovem Hideyori, que perdeu a maior parte de seu território e fortalezas. Os territórios mais preciosos foram alocados ao controle de Ieyasu, cerca de um quarto de todas as propriedades latifundiárias do Japão. Nos anos seguintes, os aliados *daimiôs* que tinham prometido lealdade a Ieyasu antes da batalha de Sekigahara, os chamados *fudai* (26% do total) foram os mais beneficiados, com maiores extensões em território e localização estratégica, além daqueles ligados por sangue ao clã dos Tokugawas, considerados *shinpan* (10% das terras). Os que juraram lealdade após Sekigahara, os chamados *tozama* (38% restantes) foram relegados a um status inferior e alocados a propriedades marginais[84].

Em 24 de março de 1603, Ieyasu Tokugawa, aos sessenta anos de idade, após as devidas negociações e protocolos e evocando ser descendente distante dos Minamotos, foi consagrado com o título de xogum das mãos do imperador Go-Yozei (1571-1617). Ieyasu viveu até os 73 anos de idade, e faleceu em 1616, talvez de sífilis ou câncer, e foi postumamente deificado com o nome budista de Grande *Gongen*, Luz do Oriente, um espírito divino (*kami*) a salvar

---

[83] HANE, Mikiso & PEREZ, Louis G. Premodern Japan: a historical survey. Boulder, Colorado: Westview Press, 2014, p. 181.
[84] HALL, John Whitney (Org.). The Cambridge History of Japan – Early Modern Japan. Vol. 4. Cambridge, Reino Unido: Cambridge University Press, 1991, pp. 150-152.

seres vulneráveis e sensíveis como os idosos, crianças, doentes e animais. Seus filhos e descendentes sucederam-no ininterruptamente como xoguns até o último dos Tokugawas, Yoshinobu, cair do poder em 1868.

A ascensão de Ieyasu ao poder no Japão significou, nos dois séculos e meio seguintes, uma reformulação da estrutura do estado japonês, todo centrado na capital, que fora mudada mais para a região oriental na planície de Kantô, na cidade de Edo (atual Tóquio), além de ter sido mantida a tradição da família imperial. Foi consolidada uma estruturação política muito mais unitária e abrangente, conferindo ao Japão, até meados do século XIX, uma coesão nacional extraordinária. Em nível local, os domínios territoriais recenseados (*han*, 藩) passaram a ser delegados a *daimiôs*, que somavam cerca de duzentos na época, sob regras rígidas advindas da capital. Nesse esteio, foi um período de mudanças sociais gradativas a partir do crescimento agrícola, urbano e comercial, conjugado com uma política de isolamento (*sakoku*, 鎖国) com relação ao estrangeiro.

A distribuição e alocação das terras de Ieyasu serviram para estabelecer a fidelidade e dependência dos *daimiôs* ao governo *bakufu*. Mas o *daimiô* ao mesmo tempo era obrigado a reportar ao xogum em Edo, além de atender a demandas regulares de recursos e homens para a construção de castelos, estradas, postos e outras obras de infraestrutura pelo reino. Ademais, era compulsória a presença do *daimiô* e de sua família, inclusive os filhos, na capital Edo, durante alguns meses por ano (*sankin kôtai*) com o intuito de se criar vínculos entre as famílias dos *daimiôs* e o *bakufu*. Casamentos entre essas famílias deveriam ter a aprovação do xogum. No campo da administração e justiça, o *daimiô* tinha ampla autonomia nos seus domínios, sendo exigida pela autoridade central a entrega dos impostos, recursos e homens quando solicitados pelo governo central. Em suma, Ieyasu buscou equilibrar a autoridade central com certa autonomia local. Essa relação política é referida no termo *bakuhan* ("autoridade dos senhores locais"), mesclando a autoridade central, *bakufu*, com a dos *daimiôs*.

No campo econômico, houve um remanejamento do sistema produtivo em relação às décadas anteriores. Os camponeses deveriam trabalhar e cultivar a terra e entregar boa parte de seus produtos para as classes dominantes locais (*daimiôs*) que, por sua vez, deveriam atender a cotas de imposto estabelecidas pelo xogum. Os artesãos deveriam usar suas habilidades para a criação de itens necessários como instrumentos, armas e manutenção em forma de serviços prestados no *han*. Os bens não poderiam ser comercializados livremente, apenas por meio dos comerciantes, casta malvista pelos valores tradicionais do confucionismo e do xintoísmo por não contribuírem concretamente ao país, apesar de necessários ao sistema econômico.

O período inicial dos Tokugawas, do início do século XVII até meados do século XVIII, apresentou um crescimento econômico significativo e sustentável no Japão. Tal crescimento ocorreu principalmente a partir do setor agrícola, no melhor uso das terras, inclusive daquelas antes ignoradas e inférteis, e de fertilizantes. Os dados entre 1600 e 1720 mostram um aumento de 60% da produção agrícola no Japão[85]. O comércio e o mercado também apresentaram um aumento de atividade, gerando um impulso ao crescimento urbano.

Essas mudanças geraram desconforto em algumas classes que acreditavam nas virtudes tradicionais, principalmente entre os samurais de baixo status e sem títulos e propriedades, as quais eram proibidas de se engajar em atividades comerciais e agrícolas. A muitas dessas, restava apenas o ócio e os vícios nas grandes cidades em crescimento, como em Edo. Isso revela talvez a maior contradição do Japão Tokugawa, ou do Período Edo: a discrepância entre o que era objetivado no planejamento social e econômico e as mudanças produzidas pelo crescimento econômico na sociedade. Boa parte do xogunato Tokugawa e dos *daimiôs* considerava o Japão ainda em termos tradicionais, latifundiários e agrícolas. Restava às outras classes não dominantes, comerciantes e artesãs um papel auxiliar nesse sistema ideal, e foram essas as que, com o crescimento urbano e comercial, mais prosperaram ao longo do tempo dos Tokugawas.

O crescimento geral da produtividade agrícola criou um aumento no bem-estar global dos japoneses (essa tendência pode ser observada no aumento significativo da população durante o século XVII). Embora os estudiosos discutam sobre números exatos, a população total do Japão por volta do ano 1600 foi de cerca de 12 milhões de pessoas. A população no momento do primeiro censo nacional confiável, realizado pelo xogunato em 1720, foi de cerca de 31 milhões de pessoas[86]. Esses dados indicam que a população mais do que duplicou em pouco mais de cem anos. Isso poderia ter sido resultado de uma série de fatores, incluindo o planejamento familiar entre os camponeses. Mas o cenário populacional se estabilizou desde meados do século XVIII até o final do século XIX. A economia, no entanto, continuou a crescer, levando a um superávit

---

[85] FRANCKS, Penélope. Japanese Economic Development: Theory and Practice. Londres & Nova York: Routledge, 2015, p. 118.

[86] HOWE, Christopher. The Origins of Japanese Trade Supremacy: Development and Technology in Asia from 1540 to the Pacific War. Chicago: Chicago University Press, 1999, p. 50.

econômico. Esse excedente foi um dos fatores para a rápida industrialização do Japão no final do século XIX e início do século XX.

O crescimento populacional e urbano proporcionou um incremento comercial e a intensificação dos contatos e transporte, como ilustra a movimentada estrada Tokaidô, que ligava Quioto a Osaka e depois a Edo (Tóquio), a leste. Nessa estrada, os nobres viajavam carregados em liteiras (*kago*). Ao longo da Tokaidô, para que os viajantes pudessem descansar, havia uma série de postos do governo consistindo em estábulos, além de hospedagem, restaurantes e tabernas. Originalmente, no século XVII, a Tokaidô era composta por 53 estações. As cargas mais pesadas eram transportadas pelas rotas marítimas, que também foram expandidas nos tempos dos Tokugawas, principalmente para conectar os centros comerciais e urbanos do leste ao oeste e sul das ilhas japonesas. Com o crescimento da cidade e da atividade comercial, veio o uso monetário. Ieyasu e seus sucessores padronizaram a cunhagem das moedas e, assim, houve um aquecimento do mercado nacional, em que determinadas áreas começaram a se especializar em seus produtos cultivados ou produzidos.

O comércio e contato com o exterior, entretanto, foram severamente limitados somente à cidade de Nagasaki, a partir do Édito de Isolamento de 1636[87]. Isso não impediu as províncias mais afastadas (dos *tozamas*), como Choshu, Tosa e Satsuma, na região meridional de Kyushu, mais próximas da península coreana, costa chinesa e ilhas Ryukyu ao sul, de se envolverem (e prosperarem) com o comércio ilegal com estrangeiros. De fato, após a expulsão oficial dos portugueses e de outros estrangeiros do solo japonês, os holandeses protestantes, que ajudaram na perseguição contra os católicos no Japão, foram os únicos permitidos, a partir de 1637, a permanecer por alguns meses em uma pequena ilha, Deshima, ao lado da cidade de Nagasaki. Isso dourou até meados do século XIX, apesar dos contrabandos e inúmeras petições de aventureiros, náufragos e baleeiros estrangeiros para buscar contatos duradouros com o Japão dos Tokugawas[88].

Voltando ao plano interno, no esteio do crescimento da cidade e da rede de estradas, fortaleceram-se também no Japão os castelos nos domínios dos *daimiôs*, congregando neles guerreiros servidores ao senhor local. Essa tendência foi exacerbada pelas exigências de Ieyasu em exigir a presença constante dos *daimiôs*

---

[87] LAVER, Michael S. The Sakoku Edicts and the Politics of Tokugawa Hegemony. Amherst, Nova York: Cambria Press, 2011, p. 74.

[88] MCDOUGALL, Walter A. Let the Sea Make a Noise: Four Hundred Years of Cataclysm, Conquest, War and Folly in the North Pacific. Nova York: Basic Books, 2004, p. 2.

e suas famílias em Edo, fazendo com que fosse necessário proporcionar mais defesa e vigilância nas propriedades na sua ausência. Como resultado, surgiram cidades a partir de castelos construídos (*jokamachi*) ao final dos séculos XVI e XVII, em que cerca de noventa novas cidades surgiram. Nessas novas cidades, ao redor de um castelo para defender a região e a província, houve aglomeração da presença de guerreiros, comerciantes, artesãos e mercadores agrícolas, mudando o perfil urbano do Japão. Esses novos centros de aglomeração passaram a exigir não somente mão de obra especializada, mas também produtos para manutenção e construção, como telhas, carvão, madeira, palhas, pedras e fornos. Com o passar do tempo, essas aglomerações viraram áreas urbanas, muitas ao longo da costa ou de estradas movimentadas, como a Tokaidô.

O crescimento da cidade de Edo foi um caso emblemático do processo de urbanização do Japão dos Tokugawas. Quando Ieyasu a tornou sua capital, em 1590, Edo ainda não passava de um remanso pantanoso de apenas poucos habitantes na afastada região oriental de Honshu. Ieyasu, visando afastar-se das influências e intrigas da corte em Quioto e assegurar melhor seus domínios na região de Kantô, mandou erguer um magnífico castelo xogunal. Para isso, houve o deslocamento de milhares de trabalhadores a derrubar as matas e florestas na região para a construção de aterros e dragagem de pântanos e zonas marginais, além da construção de estradas, postos de governo, templos e santuários, armazéns e depósitos. Em 1600, Edo já era uma cidade limpa e organizada com cerca de 5 mil moradias. Dez anos depois, a capital dos Tokugawas já tinha 150 mil pessoas, entre *daimiôs* e familiares, samurais e outros militares, artesãos, comerciantes, administradores, sacerdotes, artistas e trabalhadores urbanos. Posteriormente, em razão da presença compulsória dos *daimiôs* e de seus funcionários, Edo inchou para 500 mil habitantes em 1657[89]. Em 1720, a cidade já era a mais populosa do mundo fora da China, com uma população de cerca de 1,4 milhão. Desses, meio milhão eram de samurais ociosos.

Em outras cidades regionais, a partir de castelos construídos (*jokamashi*), houve também significativo crescimento urbano. Kanazawa, centro de um extenso domínio (*han*) na costa do Mar do Japão, era uma vila de pouco mais de 5 mil habitantes em 1580. Já em 1710, cresceu para 120 mil pessoas. Nagoia era uma cidade pequena no início do século XVII e passou a ter 64 mil habitantes em 1692. Osaka, um importante centro estratégico ao longo da estrada

---

[89] SMITKA, Michael (Org.). The Japanese Economy in the Tokugawa Era, 1600 – 1868. Londres & Nova York: Routledge, 2012, p. 565.

Tokaidô, passou de 200 mil pessoas em 1610 para 360 mil em 1700, e atingiu meio milhão ao final do século XVIII[90].

Esse crescimento urbano teve diferentes impactos nas classes sociais. Os mercadores e comerciantes foram os mais beneficiados dessas atividades, mas classes tradicionais, como a dos samurais, declinaram em importância na sociedade, pois recebiam estipêndios fixos, pagos em forma de arroz. Esses pagamentos eram baseados na hierarquia do guerreiro e não acompanhavam as flutuações do preço de mercado. Ademais, com a crescente monetarização da economia japonesa, os samurais passaram a sempre ter de negociar seus ganhos em forma de arroz para obter dinheiro, o que acabava sendo controlado pelos preços fixados por mercadores nas cidades de Edo e Osaka, ou seja, os samurais, em boa parte, dependiam dos instáveis preços estabelecidos por mercadores.

E, para piorar, a classe dos samurais era proibida de se engajar no comércio e agricultura, que poderiam ser uma outra fonte de renda, impossibilitando-os de prosperarem com o crescimento da economia. Nessa perspectiva, os samurais começaram a gradativamente ter seu poder de compra diminuído e a se endividarem cada vez mais com mercadores, o que era um grande fator de humilhação social. Esperava-se da classe dos guerreiros uma postura de dignidade e roupagens adequadas (como o conjunto *kamishimo*) ao seu status, e o protocolo exigia sua conduta apropriada, como presença em eventos sociais que demandavam o custeio de presentes, agravando ainda mais seus orçamentos.

As autoridades dos Tokugawas estavam cientes disso, com relação aos samurais. Por isso, tentaram por várias vezes elevar a figura do samurai como algo exemplar e nobre para a sociedade e escolas. E por definição, poucos poderiam entrar para a classe samurai, conforme o rigor das leis estabelecidas pela Reforma de Kyoho no início do século XVIII e das Reformas Kansei na virada do século XIX[91]. Essas medidas, contudo, não tiveram efeitos práticos duradouros para a renda dos samurais. Pensadores reformistas, como o maior erudito confuciano da época, Ogyu Sorai (1666–1728), propuseram mudanças radicais, como a possibilidade de o samurai poder cultivar a terra e de ascensão a samurais de baixa hierarquia, com a de algum talento de ascender a posições de comando no estado dos Tokugawas. Mas, no geral, os samurais tornaram-se

---

[90] RUBINGER, Richard. Popular Literacy in Early Modern Japan. Honolulu: University of Hawaii Press, 2007, p. 82.

[91] HAUSER, William B. Economic Institutional Change in Tokugawa Japan. Londres: Cambridge University Press, 1974, pp. 33-37; 47-48.

uma classe decadente e ociosa nos centros urbanos, sem mais finalidades, pois os conflitos e guerras no Japão foram, em boa parte, controlados desde Ieyasu.

Um dos casos mais emblemáticos a respeito da condição dos samurais na sociedade japonesa em mudança na época ficou conhecido como Incidente Akô (*Akô jiken*, 赤穂事件), no século XVII, fonte de muitas histórias e lendas populares. Nessa história, 47 samurais, chamados de *rônin*, "samurais sem mestre", foram buscar vingar a morte de seu *daimiô*, o senhor de Akô, depois de ele ter sido forçado a cometer o *seppuku*. Apesar do regime de Tokugawa ter proibido mortes por vingança, os *rônins* prosseguiram na sua lealdade por 22 meses, cientes de que teriam de se matar ao final de suas buscas. Por fim, os samurais encontram e matam o responsável pela morte do seu senhor, entregam-se às autoridades e executam o ritual do suicídio (*seppuku*), um caso de lealdade tradicional frente às mudanças dos tempos na sociedade japonesa. Essa lenda, entre outras, depois alimentará outras sobre as condutas e os valores ideais dos samurais no século XIX.

A cultura popular urbana floresceu no Período Edo ou Tokugawa, acompanhando o crescimento econômico e urbano do Japão. A prosperidade nas cidades resultou em uma geração de citadinos (*chonin*) a fugir do mundo da política e buscar o hedonismo no estilo de vida e nas artes. A alta cultura, erudita e culta, embora tradicionalmente pertencente às classes dominantes, começou a ganhar contornos mais populares nesse crescente cenário urbano. Em Edo, durante o chamado Período Genroku (1635-1703), como em outros grandes centros, os prósperos mercadores exibiam suas riquezas nas amplas habitações, vestimentas e estilos de vida, excedendo muito a vida dos samurais. Ao conter essa tendência de insatisfação dos samurais, o governo, em várias ocasiões, decretou leis que proibiam o uso de tecido de seda e a construção de grandes e vistosas casas nos quarteirões dos mercadores.

Essas leis tiveram pouco efeito prático, pois o consumo era resultado da prosperidade daqueles que estavam envolvidos nas atividades do mercado. Em meados do século XVIII, houve várias representações populares de samurais sendo retratados em situação de penúria, penhorando suas vestimentas e armas por dinheiro, e outras de mercadores exibindo suas novas aquisições dos samurais endividados.

A prosperidade das cidades e das classes urbanas gerou uma explosão de áreas a atender as demandas por entretenimento e diversão. Teatros, casas de chá, restaurantes, bordeis e artistas de rua (contadores de história, malabaristas e cartomantes) deram um novo vigor à vida cultural das cidades.

A prostituição rendeu frutos nesses ambientes, o que fez com que o governo dos Tokugawas buscasse controlar a atividade por meio de vigilância e licenciamento. Os bordéis eram restritos a alguns bairros das cidades, referidos como os quarteirões licenciados, como em Yoshiwara, em Edo, apesar de ter havido sempre a prática ilegal da prostituição nas ruas. Era proibida a presença dos samurais nesses locais de indulgência, pela exigência da moralidade de sua casta. Porém, isso não os impediu de usar disfarces – como chapéus de palha – e de portar armas. .

Havia também cortesãs (*yujo*) que não eram prostitutas comuns; eram meninas instruídas e versadas nas várias artes, música, dança e canto, a entreter a clientela exigente e conservadora, moças que depois se popularizariam como gueixas. As mais famosas dessas cortesãs eram respeitadas como artistas profissionais a atuar em peças de teatro e retratadas em obras de ficção e artes visuais. Houve muitos casos de mercadores e samurais que se endividaram ao levarem ao extremo esse tipo de vida devassa e indulgente, material que foi explorado por escritores e artistas do Período Genroku.

Esse período testemunhou, por demanda urbana, o crescimento de pinturas impressas de blocos de madeira, *ukiyo-e* ("mundo flutuante")[92] e a emergência de grandes escritores populares. Um dos exemplos foi Saikaku Ihara (1642-1693), na ficção em prosa, e Monzaemon Chikamatsu (1653-1725), no teatro. Saikaku era um mercador de Osaka e poeta que passou a escrever ficção tardiamente em sua vida. A maioria de suas histórias retrata a vida de pessoas comuns em Osaka, sobre casos de amor e dinheiro. Um dos seus livros mais famosos em prosa, *A vida de um homem sensual* (*Kôshoku Ichidai Otoko*), de 1682, uma paródia da clássica obra do século XI, *Os contos de Genji* (*Genji Monogatari*), foi um enorme sucesso de vendas, inspirando outras obras a retratar os valores das pessoas com relação ao amor, à lealdade e à fidelidade familiar contrapostos à ambição, à luxúria e à ganância nos ambientes urbanos.

Monzaemon Chikamatsu, por sua vez, buscou se expressar por meio de obras teatrais tanto para o *kabuki* (teatro mais popular do que o Nô) quanto para o *bunraku* (teatro de marionetes), compostos para serem acompanhados de canto e instrumentos. Retratou-se em suas obras eventos contemporâneos, como os distúrbios políticos em tradicionais famílias de guerreiros (*oiê sodô*) e os conflitos entre regentes contra usurpadores do poder. Mais tarde, em outra

---

[92] Gênero de arte japonesa de xilogravura e pintura que floresceu do século 17 ao 19. O estilo retratou o "mundo flutuante" (*ukiyo*) dos aspectos hedonistas na sociedade japonesa da época: paisagens, atores kabuki e lutadores de sumô, fauna e flora, e belezas femininas.

fase, Chikamatsu enfocou mais os dramas individuais de pessoas comuns, conflitos emocionais entre o dever social e a obrigação (*giri*) e os sentimentos humanos (*ninjô*) que, por vezes, resultavam em uma situação insustentável que levava ao suicídio por amor (*shinju*), como retratado na obra *Duplo Suicídio em Amijima* (*Shinju tem no Amijima*), de 1721, muito popular à época. Foi talvez o ponto de encontro entre o mundo dos citadinos e o das elites nos conflitos entre a honra e o sacrifício frente às tentações dos sentimentos e prazeres mundanos. Não à toa, em razão da crescente onda de suicídios ao final do século XVII e início do XVIII, o xogunato proibiu a encenação de peças desse tipo (*shinju*), pois foram consideradas ofensivas à devida ordem familiar.

A popularidade desses escritores e peças nos remete ao amplo acesso à escolaridade e habilidade de ler e escrever dos japoneses nesse período. O Japão Tokugawa, assim como em outras partes do mundo à época, apresentava um quadro diversificado e desigual da educação a depender da classe, profissão, gênero e região geográfica. As elites, os sacerdotes budistas e xintoístas, e os intelectuais já apresentaram um grau de instrução considerável desde o início do século XVII: tinham pleno domínio da escrita clássica, *kanbun*, com influência da escrita chinesa, usada em discursos formais e oficiais. Esse segmento social também tinha familiaridade com obras clássicas da literatura e filosofia chinesa e japonesa. Mas, ao final do século XVII, a alfabetização e o acesso ao aprendizado nas escolas começaram a se ampliar na sociedade. Líderes de vilarejo e citadinos, homens e mulheres, tornaram-se consumidores de literatura e arte popular, sendo cada vez mais críticos e exigentes no seu consumo cultural.

A infraestrutura de educação popular no Período Tokugawa se desenvolveu consideravelmente. O ensino começou a sair das instituições religiosas e academias particulares para chegar aos espaços mais acessíveis. Nesse sentido, uma criança urbana, ao final do século XVII, teve grande chance de obter acesso a uma alfabetização básica. A demanda por livros e publicações teve um forte crescimento nesse período, incrementando as atividades de imprensas e editoras. Publicações de textos budistas e confucianos ainda eram de interesse restrito a elites, mas houve significativa demanda por ficções ilustradas, guias de viagem, enciclopédias, almanaques, manuais e mapas, o que acabou por produzir um amplo público leitor e consumidor no Japão.

A porcentagem de pessoas alfabetizadas no Japão nesse período ainda é imprecisa e motivo de controvérsia entre os historiadores. Os dados disponíveis não são conclusivos, mas podemos supor, com base em indicadores, que havia ampla alfabetização, a depreender do consumo e popularidade de algumas obras e peças nos centros urbanos. Entre os samurais, que não somavam mais de 7% da população, a alfabetização era quase universal e geralmente de alto nível. Mas há relatos de samurais analfabetos, como no período tardio dos Tokugawas, no século XIX, entre os de hierarquia mais baixa e em situação de penúria.

O pleno domínio literário era um traço comum entre a elite dominante. O Estado Tokugawa foi estruturado com bases burocráticas, o que exigia de seus funcionários e administradores a manutenção de registros detalhados. Os deveres oficiais também exigiam uma intensa correspondência, entre samurais ou não, entre aqueles que ocupavam cargos responsáveis da cidade ou da aldeia. Pesquisas recentes indicam, no entanto, que até o fim do século XVII, cerca de 200 a 300 mil pessoas em uma população total de 30 milhões de japoneses, ou seja apenas 0,1% da população, possuíam pleno domínio matemático a cumprir seus deveres administrativos[93].

Abaixo dessa restrita elite, havia os pequenos proprietários rurais, que variaram ao longo do tempo e da região. Provavelmente representavam 50% da população agrícola em geral, sendo que esta abarcava por volta de 90% da população total. A maioria desses pequenos proprietários podia ler e entender os impostos calculados pelos funcionários públicos da aldeia, pois eles apresentavam queixas e petições às autoridades quando necessário. Entre as classes populares urbanas, que eram menos numerosas que as da população rural, a alfabetização certamente era maior. As oportunidades educacionais eram mais acessíveis, e os textos educacionais estavam mais disponíveis para os moradores. Nesse cenário urbano, a alfabetização das mulheres comuns era, em particular, muito superior à das mulheres comuns rurais.

No plano ideológico e religioso, o regime dos Tokugawas caracterizou-se por uma busca dos princípios confucianos da ordem social e lealdade hierárquica e familiar. O regente, xogum, deveria ser considerado o céu acima de todos na terra, um pai a reger seus filhos, que lhe devem piedade filial. Esse relacionamento seria decorrente de uma ordem natural, não aberto a questionamentos humanos, algo que garantiu estabilidade e ordem no reino, além de imobilidade e rigidez social e intelectual.

Essa ideologia teve suas origens também no budismo. Assim que Ieyasu e seu neto, Iemitsu Tokugawa (1604–1651), terceiro xogum da dinastia, desarticularam as resistências de algumas ordens monásticas, o xogunato buscou

---

[93] RUBINGER, Richard. Popular Literacy in Early Modern Japan. Honolulu: University of Hawaii Press, 2007, p. 30.

patrocinar e promover as instituições budistas pelo país, exigindo que os camponeses registrassem suas terras no templo mais próximo. Ademais, a proteção do estado aos budistas foi uma estratégia para dessacralizar o imperador que, por tradição do xintoísmo, religião própria do Japão com origens nos textos do *Kojiki* do século VIII, era considerado divino por descendência da deusa Amaterasu. Uma das vertentes do budismo, o zen, teve um importante papel em promover a austeridade, estoicismo e desencorajar a dissensão e resistência entre a classe guerreira e na sociedade em geral estratificada no sistema "*shi-nô-kô-shô*"[94].

O DECLÍNIO E O FIM DO PERÍODO EDO E DOS TOKUGAWAS

As causas do declínio do xogunato dos Tokugawas, ou Período Edo, são múltiplas e foram se conjugando até meados do século XIX. A prosperidade no campo agrícola, no crescimento da atividade comercial e urbana, e no descontentamento das classes guerreiras, com o imposto isolamento ao mundo externo, são fatores cruciais nesse processo. Ao final dessa crise, a figura do imperador deixou suas funções protocolares para ser figura de inspiração de um novo regime no Japão.

Certamente, um dos fatores mais agravantes ao final do século XVIII fora a situação decadente e marginal dos samurais, especialmente aqueles de baixo escalão. Esses samurais há muito se encontravam endividados e impedidos de se envolver em atividades agrícolas e comerciais. Além da penúria, muitos estavam ociosos nos centros urbanos, pois as atividades militares foram pouco demandadas pela ordem e estabilidade garantidas pelo *bakufu* dos Tokugawas.

À margem do centro decisório, também estavam aqueles *daimiôs* dos domínios marginais, *tozamas*, que incluíam poderosos e prósperos domínios como os de Satsuma, no sul da ilha de Kyushu, Choshu, no extremo

---

[94] GOTO-JONES, Christopher. Modern Japan: a very short introduction. Oxford: Oxford University Press, 2009, p. 32.

oeste da ilha de Honshu e Tosa em Shikoku. Esses domínios prosperaram em seu comércio com o exterior, com a península coreana e o restante da Ásia e ilhas meridionais, mesmo que essa atividade fosse banida pelas autoridades em Edo. Havia, pois, um descompasso entre aqueles mercadores prósperos das regiões meridionais e ocidentais do Japão, com a marginalização social de samurais de baixo escalão, e aqueles da elite latifundiária e militares de alto escalão com o regime dos Tokugawas.

A situação de crise se agravou com os acontecimentos das primeiras décadas do século XIX. Na década de 1830, várias colheitas foram desastrosas pelo país, resultando em fome entre 1833 e 1837, doenças e morte generalizada no campo, especialmente na região mais pobre do Japão, o nordeste. Os funcionários do *bakufu* não conseguiram aliviar adequadamente os efeitos da crise agrícola, e houve um aumento no número de protestos e rebeliões entre os camponeses, como a que foi liderada por um funcionário, Oshio Heihachiro (1793-1837), em Osaka.

Ao mesmo tempo, os líderes do regime Tokugawa observaram ansiosamente as primeiras vitórias bélicas dos britânicos e europeus sobre os chineses da Dinastia Qing na Primeira Guerra do Ópio, de 1839 a 1842. Constataram como a China, o Império do Meio, tradicionalmente um reino venerável no leste asiático, sucumbiu diante das inesperadas ofensivas navais de povos "bárbaros" de terras distantes. Não que esses fossem novidade entre os japoneses, pois, além de terem contatos, mesmo que intermitentes, com os holandeses confinados na ilha de Deshima, em Nagasaki, tinham se deparado e se defendido dos avanços de russos nas décadas de 1790 e início da década seguinte, além de terem confrontado com alguns britânicos nos anos de 1820. Na década de 1840, já tinham a perspectiva, após alguns náufragos e baleeiros dos EUA, vindos do Oceano Pacífico, de que uma delegação norte-americana desembarcaria em algum porto japonês, e foi o que aconteceu. Em 1853, uma delegação naval dos EUA, liderada pelo Comodoro Matthew C. Perry, aportou na baía de Edo com os seus "navios negros" (*kurofune*, 黒船) e apresentou as demandas do presidente dos Estados Unidos, Millard Fillmore, que exigia que o Japão concordasse em negociar e abrir relações diplomáticas permanentes. Foi concedido ao xogum, à época Tokugawa Iesada (1824-1856), alguns meses para considerar as propostas apresentadas pelos estrangeiros. Alguns *daimiôs tozamas*, de domínios marginais, enxergaram uma oportunidade de mudança política no Japão. Outros membros mais conservadores da sociedade acharam que o xogum, que apresentava sinais de debilidade mental e idade avançada, não teria condições de lidar com a nova ameaça estrangeira. O *bakufu*, ademais, mostrou claros sinais de fragilidade, quando um dos principais conselheiros (*roju*) do *bakufu*, Masahiro Abe (1819-1857), foi se consultar com alguns *daimiôs* sobre qual política adotar na ocasião, desgastando a autoridade do xogum.

Na segunda visita de Perry ao Japão, o xogum Iesada já se encontrava doente e moribundo, e a questão de sua sucessão estava claramente no horizonte político do país. Um conselheiro sucessor de Abe Masahiro, Hotta Masayoshi (1810-1864), foi quem liderou as delicadas negociações com os americanos. Os termos negociados e assinados no Tratado de Kanagawa, de 1854, deram amplas vantagens comerciais e diplomáticas às potências ocidentais, como garantia de extraterritorialidade, imunidades e privilégios tarifários de seus produtos no mercado japonês. Incluiu-se também, nesses termos, o direito de um cônsul americano no Japão, Townsend Harris (1804-1878), que assumiu seu cargo no porto de Shimoda. Tratados semelhantes foram firmados com outros países: Grã-Bretanha (1854), Rússia (1855), França e Holanda nos anos seguintes, cumprindo a cláusula da nação mais favorecida, que impede que qualquer nação tenha mais privilégios exclusivos que as outras envolvidas. O Japão fora relegado a um status, tal como a China à época, de uma semicolônia.

Essa situação foi considerada a última gota por forças descontentes com o xogunato Tokugawa, muitos deles enxergando a renovação política e social do Japão com a volta do imperador nas decisões de poder, assim como o foi na Restauração Kenmu do imperador Go-Daigo no século XIV. O slogan desses partidários era bastante claro: *sonno-joi* ("reverenciemos o imperador, expulsemos os bárbaros"), pedindo a unidade sob o domínio imperial e opondo-se às intrusões estrangeiras. Os planos para a derrubada do *bakufu* dos Tokugawas se iniciaram então a partir de ataques de jovens samurais (*shishi*) e rebeldes contra os estrangeiros no Japão, em especial nos domínios *tozama*, resultando em vários incidentes internacionais. O mais grave desses incidentes provocou o bombardeio em Satsuma e Choshu por forças navais ocidentais.

Sob esse clima tenso e radicalizado, o imperador Komei (1831-1867) passou a atuar no cenário político japonês. Em 1862, requisitou oficialmente ao xogum, sucessor de Iesada, Tokugawa Iemochi (1846-1866), a expulsão dos "bárbaros" do Japão, dando-lhe como data limite 25 de junho de 1863, o que não foi feito. Isso agravou ainda mais a insatisfação daqueles contra o *bakufu* e a favor de uma restauração imperial no país. Os samurais de Satsuma, em especial, se mobilizaram com armas de fogo e atiraram contra navios dos

EUA. A retaliação ocidental foi rápida e implacável, gerando maior revolta dos japoneses, como nas adjacências do domínio de Choshu, no Estreito de Shimonoseki. Em 1864, as forças anti-*bakufu* se uniram pelo país a partir dos rebeldes em Choshu e Satsuma entre outros, formaram um exército de milícias e de samurais, marcharam e tomaram o controle de Quioto para libertar o imperador do controle do *bakufu*[95].

Nessa ofensiva, um nobre da corte ligado a Choshu, Iwakura Tomomi (1825-1883), conseguiu obter um apelo do imperador para a abolição do xogunato. Em 3 de janeiro de 1868, encorajados pelo engajamento imperial, as forças rebeldes ocuparam o palácio e proclamaram a restauração imperial. As forças de oposição imperial e defensores do xogunato ainda resistiram por alguns meses, em uma guerra civil chamada de Guerra Boshin, mas a indecisão e falta de coordenação minou-lhes a coesão e disciplina. O próprio xogum à época, Yoshinobu (1837-1913), o último dos Tokugawas, acabou se rendendo à declaração imperial em abril de 1868, e retirou-se para Shizuoka, onde passou o restante dos seus 45 anos de vida[96].

A ERA MEIJI

Quando o imperador sucessor de Komei, Mutsuhito (1852-1912), nomeado Meiji ("Regente Iluminado", 明治), mudou-se da sua antiga capital, em Quioto, para Edo em 1868, o castelo dos Tokugawas foi apropriado e declarado como o novo Palácio Imperial. A cidade de Edo se tornou a nova capital do Japão, recebendo o nome de Tóquio ("capital do Leste"). O imperador Meiji havia sido restaurado ao poder.

A Restauração foi assim nomeada por retornar o poder às mãos imperiais depois de séculos de dominação militar dos xoguns. Ela foi inspirada em ideias confucianas que valorizam a tradição e a lealdade; foi, essencialmente, uma revolução conservadora em direção ao passado imperial. No entanto, objetivos inovadores foram expressos na promulgação da Carta de juramento

---

[95] AKAMATSU, Paul. Meiji 1868: Revolution and Counter-Revolution in Japan. Oxon, Oxford: Routledge, 2011, p. 175.

[96] HENSHALL, Kenneth. História do Japão. Lisboa: Edições 70, 2014, p. 98.

do imperador Meiji[97], de abril de 1868, nos seus artigos 4º e 5º: "os costumes nefastos do passado devem ser abandonados [...] [e] o conhecimento deve ser buscado pelo mundo a fim de fortalecer as fundações da regência imperial". Consistiu, portanto, em um perfeito exemplo de mistura da tradição com mudanças pretendidas.

As primeiras décadas do reinado de Meiji (1868-1912) foram um período de considerável entusiasmo por ideias inovadoras advindas do exterior, dada a incontestável superioridade bélica ocidental demonstrada nas Guerras do Ópio (1839-1842 e 1856-1860) sobre a China. Nesse afã, buscou-se reformular toda a escrita japonesa para que se adequasse a um alfabeto ao final do século XIX, para se purificar da herança chinesa. No final das contas, nem as sílabas japonesas *kana*, nem os caracteres de origem chinesa (*kanji*) foram abandonados, mas todos foram incorporados à moderna língua vernácula japonesa.

Houve um clima de entusiasmo pelas ideias e valores ocidentais, nas duas décadas após a ascensão de Meiji, algo que veio a ser chamado no Japão de "civilização e iluminação" (*bunmei kaika*). Um ministro da Educação do Japão chegou a sugerir abolir a língua japonesa pela língua inglesa. Em caso não tão extremo, houve inúmeros registros de mistura da tradição e novidades vindos do exterior. Fukuzawa Yukichi (1834-1901), que chegou a viajar e estudar extensamente pelos países europeus e os EUA na década de 1860, escreveu o livro com base na sua experiência, *Condições no Ocidente*, em 1866, que foi um grande sucesso de vendas[98].

Durante o século XIX, a educação popular japonesa já havia feito consideráveis avanços. Em 1872, o governo estabeleceu um sistema nacional para universalizar o ensino. Até o final do Período Meiji, em 1912, quase todo japonês havia frequentado pelo menos seis anos de ensino. O governo controlava rigorosamente as escolas, assegurando o ensino da matemática, leitura e formação moral, salientando a importância do dever do cidadão para com o "imperador, o país e a família".

Nos momentos imediatos após a Restauração, foram pensados novos modelos constitucionais e institucionais do novo governo, buscando inspirações nos sistemas ocidentais. O governo japonês acabou adotando uma constituição inspirada, em boa parte, na da Alemanha, pois enxergou nela

---

[97] THE CHARTER OATH (OF THE MEIJI RESTAURATION). Disponível em: <http://afe.easia.columbia.edu/ps/japan/charter_oath_1868.pdf>. Acesso em: 4 janeiro 2022.

[98] LU, David John. Japan: A Documentary History – The Late Tokugawa Period to the Present. Vol. 2. Nova York: East Gate Book, 1997, p. 346.

certas similaridades entre o papel reservado ao *kaiser* e o reservado ao imperador Meiji, em um sistema político mais centralizado e conservador. Em 1890, como um presente dado pelo imperador, foi eleito um parlamento, a Dieta Imperial (*Teikoku-gikai*). Mas o direito de voto se restringiu a apenas 1% da população que atendia às condições da franquia[99]. Apesar de ter sido a primeira nação a leste do Canal de Suez a adotar uma constituição moderna e uma legislatura eleita, o Japão ainda continuava, em essência, oligárquico.

Ademais, ainda permanecia um clima de incerteza e desconfiança com o novo poder. Muitos japoneses da região nordeste consideravam o novo governo uma extensão de meridionais, resultando em rebeliões que foram prontamente reprimidas em julho de 1868. De fato, os domínios meridionais que lideraram a Restauração, apesar de conterem apenas 7% da população nacional, compuseram 30% das lideranças políticas e por volta da metade dos maiores postos governamentais nacionais da Era Meiji[100].

Em julho de 1869, as grandes propriedades latifundiárias dos *daimiôs* foram, por decreto imperial, transferidas para o governo central. Todos foram devidamente indenizados e receberam o título de governadores. Dois anos depois, em 1871, contudo, seus títulos foram retirados e eles foram forçados a se mudar para Tóquio, o que resultou em um processo crescente de centralização política. Pessoas comuns poderiam adotar sobrenomes, andar a cavalo, viajar livremente dentro e fora do país e casar-se com samurais. Em 1873, o alistamento militar foi estendido a todos. Os impostos deveriam ser pagos monetariamente, não mais em arroz *in natura*. Os privilégios exclusivos da classe dos samurais foram gradativamente banidos a partir de 1870, como o direito de carregar duas espadas, o que gerou ressentimento e revoltas dessa classe como os que ocorreram em Saga (1874), Choshu (1876) e Satsuma (1877). Foi nessas rebeliões que foi posta à prova a moderna tecnologia bélica ocidental e suas novas táticas de guerra adotadas pelo Governo Imperial contra as tradições dos samurais.

Se no aspecto político predominou o conservadorismo centralizador do novo governo, no aspecto econômico, o Japão de Meiji empreendeu notável mudança modernizadora. Muito desse sucesso adveio da clara estratégia dos dirigentes políticos de manter a segurança e unidade nacional. Para tanto,

---

[99] ASIA FOR EDUCATORS. The Meiji Restoration and Reformation. Disponível em: <http://afe.easia.columbia.edu/special/japan_1750_meiji.htm>. Acesso em: 5 janeiro 2022.

[100] JANSEN, M. B. The Ruling Class. In: JANSEN, M. B.; ROZMAN, G. (Orgs.). Japan in Transition: from Tokugawa to Meiji. Princeton Univ. Press, 1986. p. 89-90.

era necessário antes de tudo modernizar a capacidade produtiva e militar da nação, visando-se resguardar de intervenções estrangeiras como ocorreu na China. A fim de atingir tal modernização produtiva, o orçamento público fora sanado, e as dívidas internas pagas, afastando endividamentos externos e eliminando os onerosos estipêndios da numerosa classe dos samurais, que fora extinta. Entre 1871-1872, um novo sistema nacional monetário, baseado no iene, foi estabelecido e o sistema bancário foi remodelado nos moldes dos Estados Unidos. Em 1882, o Banco Central do Japão foi criado.

Houve debate sobre qual seria a estratégia para a geração de riqueza nacional. Alguns enfatizaram o livre comércio internacional e a agricultura, mas prevaleceram aqueles que enxergaram na indústria nacional a chave para a geração de riqueza e produtividade do país, determinando periódicos prazos de projetos de industrialização. A indústria seria a chave para o país não ficar dependente do mercado externo e das oscilações de preço e demanda de produtos primários.

Os primeiros passos à industrialização foram problemáticos, em razão da resistência de um empresariado conservador, ao alto investimento inicial necessário e às baixas taxas alfandegárias de produtos estrangeiros estipuladas na abertura do mercado japonês, em 1854. Mas o governo de Meiji persistiu em promover a nascente indústria nacional, como a fábrica Tomioka, de fios de seda, criada em 1872 para servir de exemplo e encorajamento para o empresariado, visando à ampla mecanização fabril. Outras fábricas posteriores foram criadas e administradas pelo governo, resultando na pioneira prosperidade do setor têxtil no país e gerou as tão necessárias divisas estrangeiras ao exportar os fios de seda.

O governo imperial Meiji, ao fomentar a nascente indústria, buscou criar, administrar e privilegiar grupos empresariais que tivessem demonstrado alguma iniciativa industrial bem-sucedida como estratégia de sustentar, a médio prazo, o seu projeto modernizador. Na indústria naval, por exemplo, o grupo Mitsubishi, advindo da província de Tosa, foi favorecido por créditos e generosos apoios governamentais depois de ter sido bem-sucedido no fornecimento de transporte marítimo durante a expedição japonesa à ilha de Taiwan, em 1874. O governo concedeu treze navios a vapor ao grupo com subsídios anuais.

A Mitsubishi depois se tornou um dos exemplos de conglomerados chamados de *zaibatsu*, que dominaram o setor moderno da economia japonesa entre a Restauração Meiji e a Segunda Guerra Mundial. O termo *zaibatsu* pode ser traduzido como "senhor da riqueza" ou "círculo financeiro". O processo aglutinador fora tamanho que até antes da Segunda Guerra Mundial somente quatro grandes *zaibatsus* chegaram a predominar na economia do país: Mitsubishi, Sumitomo, Yasuda e Mitsui. A economia mundial ao final do século XIX não era estranha a trustes, sindicatos e fusões de empresas. Nos Estados Unidos, por exemplo, em 1880, a Standard Oil controlava 90% do refino do petróleo estadunidense. Um *zaibatsu*, no entanto, raramente monopolizava um setor da economia, dado o incentivo governamental à competição em diversos setores, incluindo o bancário, o manufatureiro e o comercial.

O Japão, portanto, foi o primeiro país não ocidental a se industrializar, e isso se refletiu na estratégica área militar. Em 1880, o país já fabricava em massa sua primeira espingarda. Em 1899, um novo acordo com a Grã-Bretanha reviu os termos do Tratado Anglo-Japonês de Amizade, de 1854, que prejudicavam a manufatura nacional em detrimento da entrada de produtos britânicos com imposto reduzido.

A política Meiji guardava um aspecto imperial, pois buscou se legitimar pelos meios políticos e militares no poder e buscar novos espaços de influência, tal qual os japoneses tinham observado com relação aos impérios coloniais europeus no mundo em fins do século XIX. Foi nesse sentido que Aritomo Yamagata (1838–1922), primeiro-ministro entre 1889 e 1891, recém-chegado da Europa, formulou uma política de construir uma poderosa marinha imperial japonesa, tal qual uma nação insular como a Grã-Bretanha. Em 1876, Yamagata argumentou que uma invasão da península coreana deveria ser parte de um plano de controlar a região antes que alguma outra nação ocidental o fizesse, pondo em perigo todas as ilhas japonesas.

Foi nesse sentido que o estado Meiji impôs o Tratado de Kanghwa em 1876 sobre a Coreia, quase idêntico ao que o Comodoro Perry impôs ao Japão no Tratado de Kanagawa vinte anos antes. Assim, durante a década de 1880, o Japão mandou emissários à Coreia para aconselhar e supervisionar a modernização de seu sistema educacional, economia e estrutura política, assim como os europeus o fizeram sobre o Japão após 1854.

O Tratado de Kanghwa imposto sobre a Coreia agravou ainda mais a situação dos japoneses aos olhos coreanos e de muitos residentes chineses na península. Rebeliões começaram a ser frequentes entre os coreanos descontentes e, em 1894, um levante popular generalizado, a Rebelião Tonghak, foi inspirado por movimentos religiosos, sentimentos xenofóbicos e antijaponeses. Os chineses, por sua vez, a partir de Pequim da Dinastia Qing, enxergaram na rebelião uma oportunidade de intervir e defender a península dos japoneses, resultando em uma guerra sino-japonesa nos anos seguintes.

Graças a uma política de industrialização implementada por décadas, o Japão apresentou frente aos chineses um Exército e Marinha bem superiores. Os conflitos com seu vizinho asiático demonstraram isso, e a proeminência japonesa sobre a Coreia foi confirmada. Ademais, em decorrência dos conflitos com os chineses, os japoneses reivindicaram a ilha de Taiwan (Formosa), a pequena, mas estrategicamente valiosa Península de Liaodong e uma vultuosa indenização da China. Nesses termos foi assinado o Tratado de Shimonoseki de 1895.

A ocupação da Península de Liaodong causou furor e indignação nos governos da Rússia, França e Alemanha, pois enxergaram nisso uma intromissão inesperada na China, e os três países intervieram conjuntamente para a retirada japonesa na península, o que provocou um amplo ressentimento no Japão, que se considerou injustiçado no processo de partilha imperial da China em decadência. Muitos no Japão enxergaram nisso um exemplo de racismo e impedimento das potências ocidentais em tornar o Japão uma potência hegemônica na Ásia.

Apesar disso, houve uma notável conquista no plano diplomático-militar dos japoneses ao assinarem o Acordo Naval Anglo-Japonês de 1902, em que os britânicos, reconhecendo a ajuda dos japoneses sobre os revoltosos chineses na Rebelião Boxer (1899-1901) e com o fato de que foram os japoneses os vitoriosos sobre a península coreana, decidiram também confirmar a presença naval japonesa no Oceano Pacífico e leste asiático. O acordo previa uma aliança e ajuda naval em caso de futuras agressões a qualquer uma das partes. Foi o primeiro acordo diplomático entre uma potência ocidental e outra não ocidental na história moderna.

Os japoneses tentaram negociar com os russos, propondo-lhes o reconhecimento dos japoneses na Coreia e, em contrapartida, o governo japonês reconheceria a presença dos russos na região nordeste da China, a Manchúria. Proposta formulada por Hirobumi Itô (1841-1909), proeminente político e estadista à época, que ficou conhecida como *Mankan kôkan* ("troca da Manchúria pela Coreia"). A proposta, contudo, foi rejeitada em Moscou. Em Tóquio, a rejeição russa foi interpretada como demonstração da hostilidade, agravando as relações entre os dois países.

Pouco tempo depois, em março de 1904, os japoneses mandaram uma frota naval à península de Liaodong e atacaram os navios russos em Port

Arthur. Os conflitos entre os dois países se estenderam por mais alguns meses, no que foi a Guerra Russo-Japonesa de 1904 e 1905. O desfecho dos conflitos adveio com o envio de reforços navais russos do Mar Báltico que demorou meses a circunavegar a África pelo Cabo da Boa Esperança e a chegar a Port Arthur, em maio de 1905. Na Batalha de Tsushima, os japoneses, sob o comando do Almirante Togo (1848-1934), foram surpreendentes e ágeis na conquista naval. O almirante Togo Heihachirô, que se formou na Real Academia Naval na Grã-Bretanha, foi apelidado como "Nelson do Leste" e presenteado pelas autoridades britânicas com uma pequena mecha de cabelo do Almirante Nelson. Foi a primeira vez em que uma nação não ocidental e não europeia ganhou uma guerra sobre outra potência europeia da época. O Japão tinha demonstrado convincentemente sua reivindicação de ser uma potência mundial. Pelos termos do Tratado de Portsmouth, os russos deveriam se retirar de Port Arthur e Liaodong e reconhecer os interesses japoneses na parte meridional das ilhas Sacalina e da Coreia, que seria plenamente anexada pelo Japão em 1910.

Foi nesse turbulento contexto histórico, de contradições inerentes a um sistema rígido de classes sociais em vigor desde o regime dos Tokugawas, com a prosperidade das classes mercantis a exigir mais reformas na economia e no comércio japonês, com a queda do último dos Tokugawas e a vitória das tropas leais ao imperador Mutsuhito, que o Japão atravessou meados do século XIX. No início do reinado de Meiji, muitos estudantes e diplomatas foram enviados ao exterior para representar e estudar o sistema político, constitucional, social e econômico. O Barão Ozaki, pai de Yei, foi uma dessas figuras, no que resultou no nascimento de sua filha em Londres.

Yei Ozaki depois se defrontou com as intensas mudanças na sociedade japonesa após as largas reformas propostas por jovens empresários e intelectuais japoneses do governo da Era Meiji. Novos costumes, roupas, hábitos, produtos e tecnologias inundaram as grandes cidades e centros urbanos, desnorteando muitos conservadores e perigosamente alienando aqueles presos às tradições do passado no meio rural. Essa tensão entre conservadores, militares e ruralistas vai se exacerbar contra os ideais cosmopolitas, urbanos e liberais das cidades. A democracia japonesa sobreviverá por mais alguns anos depois da morte do imperador Meiji em 1912. Mas, com a crise que se avoluma com o Grande Terremoto de 1923 e a crise generalizada sobre sua economia em 1929, o Japão gradativamente derivará para um cenário cada vez mais ultranacionalista e militarizado, que resultará em inúmeros atentados contra ministros e figuras públicas japonesas nas décadas de 1920 e 1930.

Yei Ozaki morreu em Londres, em 1932, em decorrência de um câncer. Já era o quinto ano do imperador Showa, Hirohito, quando, em janeiro, sofreu uma tentativa de atentado por um ativista coreano inconformado com a dominação japonesa na sua terra. Ao final do mesmo mês, tropas japonesas reprimiram duramente manifestações em Xangai, cidade portuária chinesa, contrários à ocupação na Manchúria. Em maio de 1932, houve uma tentativa de golpe de miliares da Marinha Japonesa e do Exército a tomar o governo eleito em Tóquio. Os envolvidos foram julgados e sentenciados de maneira branda. A democracia e o Estado de Direito no Japão, pouco a pouco, desandavam para um regime autoritário.

SOBRE O ORGANIZADOR

Para saber mais sobre o organizador:
www.emilianounzer.com
YouTube: www.youtube.com/emilunzer
Instagram: @emilianounzer
E-mail: prof_emil@hotmail.com

EMILIANO UNZER

Emiliano Unzer nasceu em Bauru, São Paulo, e viajou ao exterior com a família. Filho de professores e acadêmicos, logo se encantou pelos livros e o vasto mundo.

Aos 19 anos, em 1997, foi aprovado para o curso de Relações Internacionais na UnB, em Brasília.

Após a graduação pela UnB, em 2001, mudou-se para as terras galesas a fim de completar seu mestrado na Universidade de Aberystwyth, em *Postcolonial Politics*, do departamento de Relações Internacionais.

Em 2003, entrou para o doutorado em História Social na Faculdade de Filosofia, Letras e Ciências Humanas da USP, defendendo sua tese quatro anos depois.

Ao final de 2007, ingressou no departamento de História da Universidade Federal do Espírito Santo (Ufes) e, há sete anos, tem se dedicado incansavelmente a escrever, pesquisar, gravar aulas e refletir sobre a vasta história asiática, em boa parte desconhecida pelo público brasileiro.

Tem vários artigos e livros publicados sobre história asiática disponíveis na Amazon e em outras grandes livrarias, incluindo os best-sellers da área *História do Japão: uma introdução*, *História da Índia*, *A montanha e o urso: uma história da Coreia* e, de seu *magnum opus*, *História da Ásia*.

BIBLIOGRAFIA

ADOLPHSON, Mikael S.; KAMENS, Edward & MATSUMOTO, Stacie (Orgs.). Heian Japan: Centers and Peripheries. Honolulu: University of Hawaii Press, 2007.

AKAMATSU, Paul. Meiji 1868: Revolution and Counter-Revolution in Japan. Oxon, Oxford: Routledge, 2011.

AMBROS, Barbara R. Women in Japanese Religions. Nova Iorque & Londres: New York University Press, 2015.

ANÔNIMO. 1000 Poems from the Manyoshu: The Complete Nippon Gakujutsu Shinkokai Translation. Mineola, Nova Iorque: Dover Publications, 2005.

ASHKENAZI, Michael. Handbook of Japanese Mythology. Santa Barbara, Califórnia: ABC Clio, 2003.

ASIA FOR EDUCATORS. The Meiji Restoration and Reformation. Disponível em: http://afe.easia.columbia.edu/special/japan_1750_meiji.htm. Acesso em: 5 janeiro 2022.

168 BERRY, Mary Elizabeth. Hideyoshi. Cambridge, Massachusetts: Harvard University Press – The Council of East Asian Studies, 1982.

BROWN, Delmer M. (Org.). The Cambridge History of Japan: Vol. 1. Ancient Japan. Nova Iorque: Cambridge University Press, 2006.

CROSS, Frank Leslie & LIVINGSTONE, Elizabeth A. (Orgs.). The Oxford Dictionary of the Christian Church. Oxford: Oxford University Press, 2005.

DEAL, William E. & RUPPERT, Brian. A Cultural History of Japanese Buddhism Oxford: Wiley Blackwell, 2015.

DOWER, J. W. Embracing Defeat: Japan in the Wake of World War II. Nova Iorque: W. H. Norton, 1999.

DUNCAN, John B. The Origins of the Choson Dynasty. Seattle & Londres: University of Washington Press, 2000.

FRIDAY, Karl F. (Org.). Japan Emerging: Premodern History to 1850. Boulder, Colorado: Westview Press, 2012.

FARRIS, William Wayne. Japan to 1600: A Social and Economic History. Honolulu: University of Hawaii Press, 2009.

FRÉDÉRIC, Louis. Le Japon: Dictionnaire et Civilisation. Paris: Robert Laffont, 1999.

GOBLE, Andrew Edmund. Kenmu: Go-Daigo's Revolution. Cambridge, Massachusetts: Harvard University Press – East Asian Monograph, 1996.

GORDON, Andrew. A Modern History of Japan: From Tokugawa Times to 169 the Present. Oxford: Oxford Univ. Press, 2003.

GOTO-JONES, Christopher. Modern Japan: a very short introduction. Oxford: Oxford University Press, 2009.

HABU, Junko. Ancient Jomon of Japan. Cambridge: Cambridge University Press, 2004.

HALL, John Whitney & TAKESHI, Toyoda (Orgs.). Japan in the Muromachi Age. Berkeley & Los Angeles: University of California Press, 1977.

_____ (Org.). The Cambridge History of Japan – Early Modern Japan. Vol. 4. Cambridge, Reino Unido: Cambridge University Press, 1991.

_____; KEIJI, Nagahara & YAMAMURA, Kozo (Orgs.). Japan Before Tokugawa: Political Consolidation and Economic Growth, 1500-1650. Princeton, Nova Jersey: Princeton University Press, 1981.

HANE, Mikiso & PEREZ, Louis G. Premodern Japan: a historical survey. Boulder, Colorado: Westview Press, 2014.

HAUSER, William B. Economic Institutional Change in Tokugawa Japan. Londres: Cambridge University Press, 1974.

HAWLEY, Samuel Jay. The Imjin War: Japan's Sixteenth-century Invasion of Korea and Attempt to Conquer China. Seul: Royal Asiatic Society – Korean Brench, 2005.

HENSHALL, Kenneth. G. A History of Japan: from Stone Age to Superpower. Nova Iorque: Palgrave Macmillan, 2004.

_____. História do Japão. Lisboa: Edições 70, 2014.

HOWE, Christopher. The Origins of Japanese Trade Supremacy: Development and 170 Technology in Asia from 1540 to the Pacific War. Chicago: Chicago University Press, 1999.

IMAMURA, Keiji. Prehistoric Japan: New Perspectives on Insular East Asia. Nova Iorque: Routledge, 2016.

IRISH, Ann B. Hokkaido: A History of Ethnic Transition and Development on Japan's Northern Island. Jefferson, Carolina do Norte, EUA: McFarland, 2009.

JANNETTA, Ann Bowman. Epidemics and Mortality in Early Modern Japan. Princeton, Nova Jersey: Princeton University Press, 1987.

JANSEN, M. B.; ROZMAN, G. (Orgs.). Japan in Transition: from Tokugawa to Meiji. Princeton Univ. Press, 1986.

KANG, Etsuko Hae-jin. Diplomacy and Ideology in Japanese-Korean Relations: from the Fifteenth to the Eighteenth Century. Basingstoke, Hampshire: Macmillan, 1997.

KEENE, Donald. Yoshimasa and the Silver Pavilion: the Creation of the Soul of Japan. Nova Iorque: Columbia University Press, 2003.

KIDDER, Jonathan Edward. Himiko and Japan's Elusive Chiefdom of Yamatai: Archaeology, History, and Mythology. Honolulu: University of Hawaii Press, 2007.

KITAGAWA, Joseph Mitsuo. Religion in Japanese History. New York: Columbia Univ. Press, 1990.

KOHN, George C. Encyclopedia of Plague and Pestilence: From Ancient Times to the Present. Nova Iorque: Facts on File, 2008.

LAVER, Michael S. The Sakoku Edicts and the Politics of Tokugawa Hegemony. Amherst, Nova Iorque: Cambria Press, 2011.

MARTIN, Peter. The Chrysanthemum Throne: A History of the Emperors of Japan. Honolulu: University of Hawaii Press, 1997.

LU, David John. Japan: A Documentary History – The Late Tokugawa Period to the Present. Vol. 2. Nova Iorque: East Gate Book, 1997.

MASON, Penelope E. History of Japanese Art. Nova Jersey: Pearson Prentice Hall, 2005.

MASS, Jeffrey P. (Org.). The Origins of Japan's Medieval World: Courtiers, Clerics, Warriors, and Peasants in the Fourteenth Century. Stanford, California: Stanford University Press, 2002.

MASS, Jeffrey P. The Bakufu in Japanese History. Stanford: Stanford University Press, 1993.

MCDOUGALL, Walter A. Let the Sea Make a Noise: Four Hundred Years of Cataclysm, Conquest, War and Folly in the North Pacific. Nova Iorque: Basic Books, 2004.

MITCHELHILL, Jennifer. Castles of the Samurai: Power and Beauty. Tóquio: Kondasha International, 2003.

MIZOGUCHI, Koji. An Archaeological History of Japan, 30,000 B.C. to A.D. 700. Filadélfia: University of Pennsylvania Press, 2002.

MORRIS, Ivan. The World of the Shining Prince; Court Life in Ancient Japan. 172 Nova Iorque: Knopf Doubleday Publishing, 2013.

NAUMANN, Nelly. Japanese Prehistory: The Material and Spiritual Culture of the Jōmon Period. Memmingen, Bavária, Alemanha: Otto Harassowitz, 2000.

PEREZ, Louis G. Japan at War: An Encyclopedia. Santa Barbara, Califórnia: ABC-CLIO, 2013.

RAWSKI, Evelyn S. Early Modern China and Northeast Asia: Cross Border Perspectives. Cambridge: Cambridge University Press, 2015.

ROSSABI, Morris. Khubilai Khan: His Life and Times. Berkeley: University of California Press, 2009.

RUBINGER, Richard. Popular Literacy in Early Modern Japan. Honolulu: University of Hawaii Press, 2007.

SAID, Edward. Orientalismo: o Oriente como Invenção do Ocidente. São Paulo: Cia. de Bolso, 2007.

SANSOM, George Bailey. A History of Japan to 1334. Stanford, Califórnia: Stanford University Press, 1958. 173

_____. Japan: A Short Cultural History. Stanford, Califórnia: Stanford University Press, 1978.

_____. A History of Japan, 1334-1615. Stanford, California: Stanford University Press, 1961.

SELINGER, Vyjayanthi R. Authorizing the Shogunate: Ritual and Material Symbolism in the Literary Construction of Warrior Order. Leiden: Brill, 2013.

SHARMA, S. D. Rice: Origin, Antiquity and History. Boca Raton, Flórida, EUA: CRC Press, 2010.

SHIRANE, Haruo. The Bridge of Dreams: A Poetics of the Tale of Genji. Stanford, Califórnia: Stanford University Press, 1987.

_____. Traditional Japanese Literature: An Anthology, Beginnings to 1600. Nova Iorque: Columbia University Press, 2008.

SINGER, Kurt. Mirror, Sword & Jewel: A Study of Japanese Characteristics. Richmond, Surrey, Reino Unido: Curzon Press, 1997.

SMITKA, Michael (Org.). The Japanese Economy in the Tokugawa Era, 1600 - 1868. Londres & Nova Iorque: Routledge, 2012.

STEENSTRUP, Carl. A History of Law in Japan until 1868. Leiden: E. J. Brill, 1996.

THE CHARTER OATH (OF THE MEIJI RESTAURATION). 174 Disponível em: http://afe.easia.columbia.edu/ps/japan/charter_oath_1868.pdf. Acesso em: 4 janeiro 2022.

TOBY, Ronald P. State and Diplomacy in Early Modern Japan: Asia in the Development of the Tokugawa Bakufu. Princeton, Nova Jersey: Princeton University Press, 2014.

TSUTSUI, William M. (Org.). A Companion to Japanese History. Oxford: Blackwell Publishing, 2009. TURNBULL, Stephen. Ashigaru 1467 - 1649. Oxford: Osprey Publishing, 2001.

_____. Japanese Warrior Monks - AD 949 - 1603. Oxford: Osprey Publishing, 2003.

_____. Nagashino 1575: Slaughter at the Barricades. Oxford: Osprey Publishing, 2012.

_____. The Mongol Invasions of Japan 1274 and 1281. Londres & Nova Iorque: Bloomsbury Publishing, 2013.

_____. The Samurai: A Military History. Oxon, Oxford: Routledge, 2005.

_____. Toyotomi Hideyoshi. Oxford: Osprey Publishing, 2011.

_____. War in Japan 1467 - 1615. Oxford: Osprey Publishing, 2012.

UNZER, Emiliano. A Montanha e o Urso: uma história da Coreia. Amazon, 2018.

_____. História da Ásia. 2ª Ed. Amazon, 2020.

_____. História do Japão: uma introdução. Amazon, 2017.

VAPORIS, Constantine Nomikos. Voices of Early Modern Japan: Contemporary Accounts of Daily Life During the Age of the Shoguns. Santa Barbara, California: ABC-Clio, 2012.

VARLEY, H. Paul. A Chronicle of Gods and Sovereigns (Jinnō Shōtōki of Kitabatake Chikafusa). Nova Iorque: Columbia University Press, 1980.

WALEY, Paul. Tokyo: City of Stories. Trumbull, Connecticut, EUA: Weatherhill, 1991.

WATSON, Burton & SHIRANE, Haruo (Orgs.). The Tales of the Heike. Traduzido por Burton Watson. Nova Iorque: Columbia University Press. 2006.

YAMAMURA, Kozo (Org.). The Cambridge History of Japan – Medieval Japan, vol. 3, Nova Iorque: Cambridge Univ. Press, 2006.

YOSHIHIKO, Amino. Rethinking Japanese History. Ann Arbor, Michigan: Center for Japanese Studies - University of Michigan Press, 2012.